# 知っておきたい
# 国税の常識

〔新装版〕

大淵 博義 編著

安田 京子・伊藤 公哉 著

税務経理協会

# は じ め に

　税金は，国，地方公共団体が公的なサービスを提供するための行政活動に必要な経費を，国民が負担するものであり，いわば，民主主義国家の国民にとって，共同社会を維持し運営するための「会費」ともいうべき性格を持っている。

　このような税金のうち国税の多くは，自らの帳簿等の記録によって，納税額を計算して申告し納税するという申告納税制度を採用している。その申告納税のためには，国民一人一人が税を正しく理解するとともに，税金のシステムを修得することが申告納税制度の発展に望ましいことはいうまでもないことである。

　しかし，税金の制度は，公正な課税の実現のために，精緻な法制度として定立されており，このため，「税金は難しい」という声があることも事実である。税理士等の税の専門家は，このような納税者の要請に応えるために各納税者の税金の申告を代理する業務を行っているところである。

　この職業会計人である税理士は，国家試験である資格試験に合格することにより，税理士としての資格が与えられるものであるが，その試験の範囲は，税法の広範に亘るために，かなり難しい国家試験とされている。

　本書は，これから，税理士試験等，税法の勉強を始めたいと思っている方や税法一般について，一般的な基礎知識としての税制度を修得したいという方のために，国税一般について，その概要を解説したものである。

　本書では，財政のうち，租税に関する基本問題，直接税である所得税，法人税，相続税や贈与税，地価税，そして，間接税である消費税についての制度の概要をかなり詳細に記述したが，その他の国税については，制度の大まかな概要を記述したに止めている。

　本書は，その性格上，制度の細部に亘る問題や制度の取扱いを定めている行政通達等に関する専門的で高度な解釈問題や個別問題については，解説していない。

本書は，税務経理協会50周年の一環として企画された『新税法シリーズ』の中の1冊として1997年に初版が刊行され，24版まで版を重ねてきた。25版を機に，成蹊大学の伊藤公哉教授に参加していただき，あらたなスタートをきることととする。

　今回の改訂に当たっては，令和5年度の税法改正を織り込むとともに，最新の計数に基づいて本書中の各図表等を修正している。

　本書が，税法に初めて触れる方，これまで断片的に税の知識を持っていたが，これを体系づけて修得したいと思っている方，また，税理士試験等の受験のために全体の税体系を理解しておきたい方の基本書として活用され，さらに，高度な各税法の勉強のステップ・アップに役立てていただければ幸いである。

　本書の出版に当たっては，税務経理協会の方々に大変お世話になった。心から感謝申し上げる次第である。

　令和5年6月

大　淵　博　義
安　田　京　子
伊　藤　公　哉

# 目　　次

## 第1章　財政と租税

第1節　国民の暮らしと財政……………………………………………… 3
　1　財政の役割…………………………………………………………… 3
　　(1)　財政の資源配分機能とは……………………………………… 3
　　(2)　所得の再分配機能とは………………………………………… 4
　　(3)　経済の安定化機能とは………………………………………… 4
　2　税制と財政…………………………………………………………… 5
第2節　歳入と歳出………………………………………………………… 7
　1　国の歳入と税収……………………………………………………… 7
　　(1)　歳入と税収の内訳……………………………………………… 7
　2　国の歳出…………………………………………………………… 8
　　(1)　国と地方の役割………………………………………………… 8
　　(2)　国の歳出………………………………………………………… 8
第3節　わが国の租税負担率……………………………………………… 10
　1　日本の租税負担率と推移…………………………………………… 10
　2　各国の租税負担率…………………………………………………… 12

## 第2章　税金の種類と納税の仕組み

第1節　税金の種類………………………………………………………… 15
　1　国税と地方税………………………………………………………… 15
　2　直接税と間接税……………………………………………………… 15
　3　普通税と目的税……………………………………………………… 16
　4　その他の分類………………………………………………………… 16
第2節　申告と納税義務の成立…………………………………………… 17

    1 納税の義務と租税法律主義……………………………………… 17
    2 申告納税制度……………………………………………………… 17
      (1) 意　　義………………………………………………………… 17
      (2) 申告の種類……………………………………………………… 18
    3 賦課課税制度……………………………………………………… 18
    4 源泉徴収制度……………………………………………………… 19

## 第3章　税制改革

第1節　戦前，戦後の税制と「シャウプ勧告」による税制改革………… 23
    1 戦前・戦後の税制………………………………………………… 23
    2 「シャウプ勧告」の税制改革後の税制 ………………………… 24
第2節　抜本的税制改革等…………………………………………………… 26
    1 抜本的税制改革…………………………………………………… 26
    2 土地税制の改革…………………………………………………… 27
第3節　平成6年度以降の税制改正と今後の税制改革…………………… 28
    1 平成6年度の改正………………………………………………… 28
    2 平成10年度以降の改正と今後の税制改革の方向性…………… 28

## 第4章　所　得　税

第1節　所得税の概要………………………………………………………… 41
    1 所得税とは………………………………………………………… 41
    2 所得税の基本的仕組みと課税最低限…………………………… 41
    3 所得税の課税状況………………………………………………… 43
第2節　課税所得と非課税所得，免税所得………………………………… 45
第3節　所得税の納税義務者………………………………………………… 47
    1 居 住 者…………………………………………………………… 47
    2 非居住者…………………………………………………………… 47
    3 内国法人…………………………………………………………… 48

|  |  |  |
|---|---|---|
| 4 | 外国法人 | 48 |
| 第4節 | 所得の種類 | 49 |
| 第5節 | 所得金額の計算 | 50 |
| 1 | 所得金額の計算の仕組み | 50 |
| 2 | 各種所得の内容と計算 | 50 |
| (1) | 利子所得 | 50 |
| (2) | 配当所得 | 51 |
| (3) | 不動産所得 | 54 |
| (4) | 事業所得 | 55 |
| (5) | 給与所得 | 56 |
| (6) | 退職所得 | 57 |
| (7) | 譲渡所得 | 58 |
| (8) | 山林所得 | 63 |
| (9) | 一時所得 | 64 |
| (10) | 雑所得 | 64 |
| 3 | 所得税の計算の仕組み | 66 |
| (1) | 計算の概要 | 66 |
| (2) | 出国時課税制度の創設 | 67 |
| (3) | 極めて高い所得に対する負担の適正化 | 68 |
| (4) | 損益通算と純損失の金額 | 68 |
| (5) | 純損失の繰越控除等 | 69 |
| (6) | 雑損失の繰越控除 | 71 |
| (7) | 総所得金額等の計算 | 71 |
| (8) | 所得控除と課税総所得金額等の計算 | 72 |
| (9) | 所得税率 | 81 |
| (10) | 平均課税による税額の計算 | 82 |
| (11) | 税額控除 | 83 |
| 4 | 青色申告と白色申告 | 87 |

(1)　青色申告のできる納税者……………………………………………… 87
　(2)　青色申告の申請手続…………………………………………………… 88
　(3)　青色申告の備付け帳簿………………………………………………… 88
　(4)　青色申告の特典………………………………………………………… 89
　(5)　白　色　申　告………………………………………………………… 91
5　帳簿等の記帳・記録・保存義務等………………………………………… 91
　(1)　帳簿の記帳義務………………………………………………………… 91
　(2)　帳簿の記録保存………………………………………………………… 91
　(3)　総収入金額報告書の提出……………………………………………… 92
　(4)　収支内訳書の添付……………………………………………………… 93
　(5)　国外財産調書の提出…………………………………………………… 93
　(6)　財産債務調書の提出…………………………………………………… 93
　(7)　マイナンバー（個人番号）の記載…………………………………… 94
　(8)　電子帳簿等保存制度と加算税………………………………………… 94
6　所得税の申告と納税………………………………………………………… 95
　(1)　所得税の申告義務……………………………………………………… 95
　(2)　所得税の納税義務……………………………………………………… 96
　(3)　加算税制度の見直し…………………………………………………… 96

# 第5章　法　人　税

第1節　法人税の概要……………………………………………………… 101
1　法人税とは…………………………………………………………………… 101
2　法人税の性格………………………………………………………………… 101
　(1)　株主集合体説…………………………………………………………… 101
　(2)　独立課税主体説………………………………………………………… 102
　(3)　わが国の法人税の性格………………………………………………… 102
3　法人の種類と法人税の納税義務…………………………………………… 103
　(1)　内国法人と外国法人…………………………………………………… 103

|   |   |   |
|---|---|---|
| (2) | 普通法人・協同組合等 | 103 |
| (3) | 公益法人等 | 104 |
| (4) | 公 共 法 人 | 104 |
| (5) | 人格なき社団等 | 105 |
| 4 | 法人数の状況 | 105 |
| 5 | 法人税の課税対象 | 106 |
| (1) | 各事業年度の所得 | 106 |
| (2) | 退職年金等積立金 | 107 |
| 6 | 法人の納税地 | 107 |

第2節　各事業年度の所得金額と税額計算の概要 108
 1　各事業年度の所得金額の算定構造 108
 2　益金の額と損金の額 108
  (1)　益金の範囲 108
  (2)　損金の範囲 109
  (3)　公正処理基準と「別段の定め」 109
 3　益金算入・益金不算入項目 110
 4　損金算入・損金不算入項目 110
 5　企業利益と課税所得の関連 111
 6　法人税額の計算 112
  (1)　法人税の基本税率 112
  (2)　法人税の計算 113

第3節　益金の計算 115
 1　益金は何時計上するか 115
  (1)　現金主義による収益の計上 115
  (2)　実現主義による収益の計上 115
 2　具体的な収益計上の取扱い 116
  (1)　商品等の販売 116
  (2)　固定資産の譲渡 117

|  |  |  |  |
|---|---|---|---|
| | (3) | 割賦販売等 | 117 |
| | (4) | 委託販売等 | 118 |
| | (5) | 請負取引 | 119 |
| | (6) | 貸付金利子・配当 | 120 |
| 3 | | 受取配当等の益金不算入 | 121 |
| | (1) | 制度の概要 | 121 |
| | (2) | 控除される負債利子 | 122 |
| 4 | | 資産の評価益等 | 122 |
| | (1) | 資産の評価益 | 122 |
| | (2) | 還付金 | 123 |
| | (3) | 受贈益等 | 123 |
| | (4) | デリバティブ取引による損益 | 123 |

第4節　損金の計算 124
 1　損金は何時計上するか 124
 2　商品や製品の売上原価 125
  (1) 売上原価の計算 125
  (2) 棚卸資産の評価 125
  (3) 棚卸資産の取得価額 126
 3　有価証券の評価 127
 4　減価償却資産の償却 127
  (1) 減価償却とは 127
  (2) 減価償却資産の範囲 128
  (3) 取得価額 129
  (4) 減価償却費の計算 129
  (5) 特別償却制度等の特例措置 131
  (6) 資本的支出と修繕費 132
 5　繰延資産等の償却 133
  (1) 繰延資産とは 133

|  |  |  |  |
|---|---|---|---|
|  | (2) | 繰延資産の償却費の計算……………………………………… | 133 |
|  | (3) | 社債発行差金等………………………………………………… | 133 |
| 6 | 資産の評価損……………………………………………………… | | 134 |
| 7 | 役員・使用人に対する給与……………………………………… | | 134 |
|  | (1) | 損金算入の役員給与…………………………………………… | 134 |
|  | (2) | 損金不算入の役員給与………………………………………… | 137 |
|  | (3) | 過大な使用人給与の損金不算入……………………………… | 138 |
| 8 | 交際費課税………………………………………………………… | | 138 |
|  | (1) | 制度の趣旨……………………………………………………… | 138 |
|  | (2) | 交際費支出額等の状況………………………………………… | 139 |
|  | (3) | 交際費等の損金不算入額……………………………………… | 140 |
|  | (4) | 交際費等の意義………………………………………………… | 140 |
|  | (5) | 交際費等の範囲………………………………………………… | 141 |
| 9 | 寄附金課税………………………………………………………… | | 141 |
|  | (1) | 寄附金の意義と制度の概要…………………………………… | 141 |
|  | (2) | 寄附金の損金算入限度額……………………………………… | 142 |
| 10 | 租 税 公 課……………………………………………………… | | 142 |
| 11 | 貸 倒 損 失……………………………………………………… | | 143 |
|  | (1) | 法律上の貸倒れ………………………………………………… | 143 |
|  | (2) | 事実上の貸倒れと形式上の貸倒れ…………………………… | 143 |
| 12 | 引当金と準備金制度……………………………………………… | | 143 |
|  | (1) | 引当金と準備金………………………………………………… | 143 |
|  | (2) | 貸倒引当金……………………………………………………… | 144 |
| 13 | 不正行為等に係る費用…………………………………………… | | 146 |
| 14 | オープンイノベーション促進税制……………………………… | | 147 |
| 第5節 | その他の税務計算……………………………………………… | | 148 |
| 1 | 圧縮記帳と特別控除……………………………………………… | | 148 |
|  | (1) | 圧縮記帳の目的………………………………………………… | 148 |

(2) 圧縮記帳制度の内容……………………………………… 148
　　(3) 収用換地等の特別控除………………………………… 149
　2 借地権の設定等…………………………………………… 149
　3 欠損金の繰越控除と繰戻し……………………………… 150
　　(1) 青色欠損金の繰越控除………………………………… 150
　　(2) その他の欠損金の繰越控除…………………………… 151
　　(3) 欠損金の繰戻し還付…………………………………… 152
　　(4) 震災損失の繰戻し還付の特例………………………… 153
　4 組織再編成による移転資産の譲渡損益等……………… 153
　　(1) 株式交換・移転の譲渡損益…………………………… 153
　　(2) 適格組織再編成の譲渡損益等………………………… 154
　　(3) 自社株式を対価とした特別事業再編にかかる株式譲渡益の
　　　　課税の繰延…………………………………………… 155
　5 グループ法人内取引等に係る課税制度………………… 156
　　(1) 制度創設の背景………………………………………… 156
　　(2) 100％グループ内法人間取引の損益の調整 ………… 157
　　(3) 大法人の「100％子法人」の中小企業向け特例措置の不適用 … 158
　6 連結納税制度……………………………………………… 158
　　(1) 連結納税制度の概要…………………………………… 158
　　(2) 連結所得金額の計算…………………………………… 159
　　(3) 連結法人税額の計算…………………………………… 159
　　(4) 内部取引及び適用開始時と加入時の資産評価……… 160
　　(5) 適用の届出……………………………………………… 160
　　(6) 申告及び納付…………………………………………… 160
　　(7) 連結納税制度からグループ通算制度への移行……… 161
第6節　国 際 課 税……………………………………………… 163
　1 移転価格税制……………………………………………… 164
　2 タックスヘイブン税制…………………………………… 165

3　過少資本税制……………………………………………… 166
　　　4　過大支払利子税制………………………………………… 167
　　　5　子会社の配当と同株式譲渡による租税回避防止……… 167
　第7節　税額の計算…………………………………………………… 168
　　　1　各事業年度の所得に対する法人税率…………………… 168
　　　2　税 額 控 除………………………………………………… 169
　　　　(1)　税額控除とは………………………………………… 169
　　　　(2)　所得税額控除………………………………………… 169
　　　　(3)　外国税額控除………………………………………… 170
　　　　(4)　試験研究費の税額控除……………………………… 170
　　　　(5)　所得拡大税制の税額控除…………………………… 171
　　　3　特定同族会社の留保金額に対する特別税率…………… 172
　　　4　土地譲渡益に対する法人税率…………………………… 173
　　　5　使途秘匿金に対する特別税率…………………………… 174
　第8節　地方法人税の課税制度……………………………………… 176
　　　1　制度の創設とその趣旨…………………………………… 176
　　　2　制度の概要………………………………………………… 176

# 第6章　相続税・贈与税

　第1節　相続税の概要………………………………………………… 179
　　　1　相続税とは………………………………………………… 179
　　　2　相続税の課税状況………………………………………… 179
　第2節　相続税の納税義務者………………………………………… 180
　第3節　相続税の課税範囲…………………………………………… 182
　　　1　課税対象財産……………………………………………… 182
　　　2　非課税財産………………………………………………… 184
　第4節　相続税の計算………………………………………………… 185
　　　1　計算の仕組み……………………………………………… 185

		2　課税価格の計算……………………………………… 185
		（1）　原　　　則……………………………………… 185
		（2）　課税価格の計算の特例………………………… 186
		3　基礎控除額…………………………………………… 187
		4　法定相続分…………………………………………… 188
		5　相続税の総額の計算………………………………… 188
		6　取得財産での按分計算……………………………… 189
		7　各相続人等の納付税額……………………………… 189
		8　事業承継税制（非上場株式の相続税の納税猶予）…………… 190
		（1）　制度の概要……………………………………… 191
		（2）　相続税の納税猶予についての手続……………… 192
		9　個人事業者の事業承継税制の創設………………… 194
	第5節　相続税の申告と納付……………………………… 195
		1　申　　　告…………………………………………… 195
		2　納　　　付…………………………………………… 195
		（1）　原　　　則……………………………………… 195
		（2）　延　　　納……………………………………… 195
		（3）　物　　　納……………………………………… 196
		（4）　農地の相続と納税猶予………………………… 196
		3　国外財産調書の提出………………………………… 197
	第6節　贈与税の概要……………………………………… 198
		1　贈与税とは…………………………………………… 198
		2　贈与税の課税状況…………………………………… 198
	第7節　贈与税の納税義務者……………………………… 199
	第8節　贈与税の課税範囲………………………………… 200
		1　課税対象財産………………………………………… 200
		2　非課税財産…………………………………………… 200
	第9節　贈与税の計算……………………………………… 203

|  |  |  |
|---|---|---|
| 1 | 計算の仕組み | 203 |
| 2 | 課税価格の計算 | 203 |
| 3 | 基礎控除額 | 203 |
| 4 | 配偶者控除 | 203 |
| 5 | 税額の計算 | 204 |
| (1) | 改　正　前 | 204 |
| (2) | 改　正　後 | 204 |
| 6 | 相続時精算課税制度 | 205 |
| (1) | 制度の概要 | 205 |
| (2) | 適用要件等 | 205 |
| (3) | 贈与税額の計算 | 206 |
| (4) | 申　　告 | 206 |
| (5) | 相続時精算課税制度における相続税額の計算 | 206 |
| (6) | 令和5年度の改正の概要 | 207 |
| 7 | 住宅取得資金の贈与による贈与税の特例措置 | 208 |
| (1) | 暦年課税を選択した場合 | 208 |
| (2) | 相続時精算課税を選択した場合 | 209 |
| 8 | 教育資金の一括贈与に係る贈与税非課税措置 | 209 |
| 9 | 在外財産の税額控除 | 210 |
| 10 | 非上場株式の贈与税の納税猶予 | 210 |
| (1) | 制度の概要 | 211 |
| (2) | 平成27年度・同29年度の税制改正 | 213 |
| (3) | 平成30年度税制改正による特例制度 | 213 |
| (4) | 個人事業者の事業承継税制の特例 | 213 |

第10節　贈与税の申告と納付 …………………………………… 214
　1　申　　告 ………………………………………………… 214
　2　納　　付 ………………………………………………… 214
　　(1)　原　　則 …………………………………………… 214

（2）延　　　納……………………………………………… 214
　　　（3）農地の生前贈与と納税猶予………………………… 214
　第11節　財産の評価…………………………………………… 216
　　1　評価の概要……………………………………………… 216
　　2　土地等の評価…………………………………………… 217
　　　（1）宅　　　地…………………………………………… 217
　　　（2）農　　　地…………………………………………… 218
　　　（3）借　地　権…………………………………………… 218
　　3　家屋の評価……………………………………………… 218
　　4　配偶者居住権の評価…………………………………… 219
　　5　一　般　動　産………………………………………… 219
　　6　株式と出資の評価……………………………………… 219
　　　（1）株式の価額…………………………………………… 219
　　　（2）出資の価額…………………………………………… 221

# 第7章　地　価　税

　第1節　地価税の概要………………………………………… 225
　第2節　地価税の納税義務者………………………………… 226
　第3節　課　税　範　囲……………………………………… 227
　　1　課税対象財産…………………………………………… 227
　　2　非課税財産……………………………………………… 227
　　　（1）人的非課税…………………………………………… 228
　　　（2）用途非課税…………………………………………… 228
　第4節　地価税の計算………………………………………… 230
　　1　計算の仕組み…………………………………………… 230
　　2　課税価格の計算………………………………………… 230
　　3　基礎控除額……………………………………………… 231
　　　（1）定額控除額…………………………………………… 231

⑵　面積比例控除額…… 231
4　税額の計算…… 232
第5節　地価税の申告と納付…… 233
1　申　　告…… 233
2　納　　付…… 233


## 第8章　消　費　税


第1節　消費税の概要…… 237
1　消費税導入の背景…… 237
2　消費税の基本的仕組み…… 239
3　消費税の課税状況…… 241
第2節　消費税の課税対象…… 243
1　課税対象取引…… 243
⑴　国内取引…… 243
⑵　輸入取引…… 246
2　非課税取引…… 246
3　免税取引…… 247
⑴　免税となる輸出取引等の範囲…… 247
⑵　輸出物品販売場における輸出物品の譲渡に係る免税…… 248
第3節　消費税の納税義務者…… 251
1　納税義務者…… 251
⑴　国内取引に係る納税義務者…… 251
⑵　保税地域から引き取られる外国貨物に係る納税義務者…… 252
2　免税事業者…… 252
⑴　小規模事業者に係る納税義務の特例（免税点制度）と
課税事業者の選択…… 252
⑵　基準期間がない法人の納税義務の免除の特例…… 253
⑶　特定新規設立法人の納税義務の免除の特例…… 254

(4) 高額特定資産を取得した場合の納税義務の免除の特例………… 254
　第4節　納税義務の成立……………………………………………………… 256
　　1　資産の譲渡等の時期…………………………………………………… 256
　　2　課税資産の譲渡等の時期の特例……………………………………… 256
　第5節　課 税 標 準………………………………………………………… 257
　　1　国 内 取 引…………………………………………………………… 257
　　2　輸 入 取 引…………………………………………………………… 258
　第6節　消費税額の計算……………………………………………………… 259
　　1　税　　　　率………………………………………………………… 259
　　2　基本的な計算構造…………………………………………………… 260
　　3　課税仕入れの消費税額控除………………………………………… 260
　　　(1) 原則的方法による計算………………………………………… 260
　　　(2) 特定課税仕入れがある場合の計算…………………………… 262
　　　(3) 帳簿等の記帳と保存…………………………………………… 263
　　　(4) 簡易課税制度による仕入税額控除…………………………… 265
　　　(5) 売上返品等と貸倒れが発生した場合の消費税額の計算……… 267
　　　(6) 金地金等の密輸に係る仕入れ税額控除制度の見直し………… 268
　　　(7) 居住用賃貸建物の取得等に係る消費税額の
　　　　　仕入税額控除制度の見直し…………………………………… 268
　第7節　消費税の申告と納付………………………………………………… 269
　　1　国内取引の場合……………………………………………………… 269
　　　(1) 中 間 申 告…………………………………………………… 269
　　　(2) 確 定 申 告…………………………………………………… 270
　　2　輸入取引の場合……………………………………………………… 270
　　3　消費税の端数処理…………………………………………………… 270
　第8節　帳簿の保存義務と記帳義務………………………………………… 272
　　1　一般的な帳簿の保存義務と記帳義務………………………………… 272
　　2　仕入税額控除等の要件としての帳簿及び請求書の保存…………… 272

3　電子帳簿等保存制度と加算税……………………………………… 273
　第9節　各種届出書の提出…………………………………………………… 274
　　　1　消費税の課税に影響する届出…………………………………… 274
　　　2　その他の届出……………………………………………………… 275

# 第9章　その他の国税

　第1節　酒　　　税……………………………………………………………… 279
　　　1　酒税とは…………………………………………………………… 279
　　　2　酒類とは…………………………………………………………… 279
　　　3　酒税の課税制度の特色…………………………………………… 280
　　　4　納税義務者………………………………………………………… 281
　　　5　税額の計算………………………………………………………… 281
　第2節　印　紙　税……………………………………………………………… 282
　　　1　印紙税とは………………………………………………………… 282
　　　2　納税義務者………………………………………………………… 282
　　　3　税額の計算と申告・納付………………………………………… 282
　第3節　登録免許税…………………………………………………………… 284
　　　1　登録免許税とは…………………………………………………… 284
　　　2　納税義務者………………………………………………………… 284
　　　3　税額の計算と申告・納付………………………………………… 284
　　　　(1)　税額の計算…………………………………………………… 284
　　　　(2)　税額の軽減等………………………………………………… 285
　第4節　揮発油税・地方揮発油税…………………………………………… 287
　　　1　揮発油税・地方揮発油税とは…………………………………… 287
　　　2　納税義務者………………………………………………………… 287
　　　3　税額の計算………………………………………………………… 287
　第5節　関　　　税……………………………………………………………… 288
　　　1　関税とは…………………………………………………………… 288

2　納税義務者…………………………………………………… 288
　　3　税額の計算と申告・納付…………………………………… 288
　第6節　その他の国税………………………………………………… 290
　　1　た ば こ 税…………………………………………………… 290
　　2　石油ガス税…………………………………………………… 290
　　3　自動車重量税等……………………………………………… 291
　　4　そ　の　他…………………………………………………… 291
　　　(1)　航空機燃料税……………………………………………… 291
　　　(2)　石油石炭税………………………………………………… 292
　　　(3)　電源開発促進税…………………………………………… 292
　　　(4)　取 引 所 税………………………………………………… 292
　　　(5)　そ　の　他………………………………………………… 293

# 第10章　徴収手続等と納税者の権利救済

　第1節　申告等の是正手続…………………………………………… 297
　　1　修正申告と更正の請求……………………………………… 297
　　2　更 正・決 定………………………………………………… 298
　第2節　附帯税の納税義務…………………………………………… 299
　　1　延滞税と利子税……………………………………………… 299
　　　(1)　延　滞　税………………………………………………… 299
　　　(2)　利　子　税………………………………………………… 300
　　　(3)　還付加算金………………………………………………… 300
　　2　加　算　税…………………………………………………… 300
　　　(1)　過少申告加算税…………………………………………… 300
　　　(2)　無申告加算税……………………………………………… 301
　　　(3)　重 加 算 税………………………………………………… 301
　　　(4)　不納付加算税……………………………………………… 301
　第3節　滞納処分等…………………………………………………… 303

|  | 1 申告期限等の延長と納税の猶予 | 303 |
|---|---|---|
|  | 2 滞納処分の手続 | 303 |

第4節 納税者の権利救済手続 ································· 305
　1 不服申立て ············································· 305
　　(1) 平成26年度税制改正の概要 ························· 305
　　(2) 再調査の請求 ····································· 305
　　(3) 審 査 請 求 ······································· 306
　2 税 務 訴 訟 ············································· 306
　3 不服申立てと税務訴訟の現状 ··························· 306
　　(1) 再調査の請求 ····································· 307
　　(2) 審査請求の発生・処理 ···························· 309
　　(3) 税務訴訟の状況 ·································· 310

# 第 1 章　財政と租税

**ポイント**

(1) 国及び地方公共団体は，国防や外交，司法，警察，消防そして教育等，国家の安全と国民の社会生活に必要な種々の行政サービスを提供するための原資として，国民から租税を徴収し，また，公債を発行して資金を借り入れている。このような，歳入，歳出という経済的側面から捉えた国及び地方公共団体の一連の経済活動を財政という。

(2) その国及び地方公共団体の財政は，公共部門への資源の最適配分（資源配分機能），所得税の累進的な課税制度や社会保障制度の導入による所得の再配分（所得の再分配機能）という機能があり，また，最近では，財政規模の調整による経済の安定と成長を実現する経済安定（経済の安定化機能）のための政府の役割も重要となっている。

(3) 国の財政収入（歳入）は，①租税収入及び印紙収入，②公債金，③その他の収入によって構成されているが，コロナ禍の影響が減少したとはいえ令和5年度の当初予算ベース（一般会計）での公債依存度は31.1%（前年度34.3%）になっている。また，公債残高は，令和5年度末（予算）で約1,068兆円の規模に達する見込みである。

(4) 国の歳入に占める税収の割合（令和5年度一般会計予算）は，60.7%（前年度60.5%）であり，その税収の種類別構成割合は，所得税30.3%，法人税21.0%，消費税33.7%，その他15.0%の割合となっている。

(5) わが国の納税義務の確定手続としては，申告納税制度，賦課課税制度及び源泉徴収制度がある。

## 第1節　国民の暮らしと財政

### 1　財政の役割

　国及び地方公共団体は，国防や外交，司法，警察，消防そして教育等，国家の安全と国民の社会生活に必要な種々のサービスを提供し，また，インフラといわれる道路や上下水道等の公共的設備の建設と整備，維持管理等，社会資本の建設等を国民に提供している。

　これらの行政サービスは，民間部門の企業や家計に委ねることでは十分ではないことから，政府が民間に代わって提供しているものであるが，そのための原資として，政府は国民から租税を徴収し，また，公債を発行して資金を借り入れている。このような歳入，歳出という経済的側面から捉えた国及び地方公共団体の一連の経済活動を財政と呼んでいる。

　国及び地方公共団体の民間に対する行政サービスは，その時代の社会的要請により異なるものであるが，社会の発展とともに，社会資本の不足や貧富の格差の拡大化等の問題が派生し，政府が民間に果たす役割は増大するに至っている。

　その国及び地方公共団体の役割として，公共部門への資源の最適配分（資源配分機能），所得税の累進的な課税制度や社会保障制度の導入による所得の再配分（所得の再分配機能）というものがある。また，最近では，財政規模の調整による経済の安定と成長を実現する経済安定（経済の安定化機能）のための政府の役割も重要となっている。

　以下，この政府の役割をさらに見ることとする。

### (1)　財政の資源配分機能とは

　我々が社会生活を営む上で必要な財貨やサービスには，民間部門に任せることが適当ではない国防や警察，さらに，民間では必ずしも十分なサービスが提

供できない教育や医療の分野などがある。このような財貨やサービスを提供するために民間部門と公共部門との間の資源の最適配分を行うことが政府の最も基本的な役割である。これが財政の資源配分機能といわれるものである。

### (2) 所得の再分配機能とは

　自由競争原理の働く市場機構の下では，現実に決定される所得分配によっては個人間の所得格差が拡大し，社会的に不公正な事態が発生するために，政府は，所得再分配の政策的手段を講じて，その不公正を是正する役割を担っている。

　すなわち，国民の合意の下で，歳入の面においては，所得税や住民税，相続税等のように所得や財産の多寡に応じて段階的な累進税率構造による課税制度を採用し，高額所得者に重い租税を課し，一方，低所得者には軽い課税を行うこととしている。

　また，歳出の面では，生活保護，医療保険，年金，失業保険という社会保障制度による支出を低所得者により多く向け，また，義務教育や公営住宅などによる支出によって所得再分配の役割を果している。

### (3) 経済の安定化機能とは

　資本主義社会では景気の変動が不可避であるが，財政は，累進課税制度や失業保険等を通じて好況時には税収が増加して法人や個人の需要が抑制され，また，不況時には税収が減少し可処分所得の過度の減少を防止して購買力の落ち込みが抑えられる。また，財政支出の面でも，不況時の失業保険金や社会保障給付金の支出の増加をもたらして景気変動を安定化させる機能を有する。これを自動安定機能（ビルト・イン・スタビライザー）という。

　財政は，このような経済の安定化の役割を果しているが，財政の固有の性質による自動安定化機能だけでは経済の安定化は十分とはいえない。そこで，財政は，景気の変動に対応し，不況時には好況事業の拡大や減税を実施することにより景気を刺激し，好況時には財政規模を抑え，公共事業の先送りにより

景気を抑制する政策を実施している。このような財政による政策的な裁量的調整策はフィシカル・ポリシイと呼ばれている。

## 2　税制と財政

　国の財政収入（歳入）は，①租税収入及び印紙収入，②公債金，③その他の収入によって構成されているが，現在では，主として租税収入によって構成され，その不足分を公債に依存しているというのが現状である。戦後は，租税収入等の経常的収入の範囲内で財政を運営する「均衡予算主義」による財政運営が行われていたが，昭和40年以降は，税収不足から上記の三つの財源を組み合わせる財政運営が行われている。

　上記三つの財源により組まれる予算のうち，公債発行の割合を公債依存度というが，近年ではその割合が急速に高まり，主要先進国の中でも最も高い水準となっている。

　平成30年度の当初予算での公債依存度は31.5％，公債残高は約906兆円の規模であり，この額は，一般会計税収の約15年分に相当するものである。これに加えて，令和2年度から新型コロナウイルスの国民生活や企業活動の支援のために，第一次補正で25兆円超，第二次補正で31兆円超の公債が発行され，令和3年度は43兆円，令和4年度は36兆円超の公債が発行されている。令和5年度では，35兆超の公債発行が予定されている。わが国の財政は危機的状況に立ち至っているといえる。

　このような状況を改変し，活力ある経済社会を実現するために，コロナ感染拡大を防止することが先決であり，その上で，経済社会の再建が不可欠である。この点で，従前以上に，早急な抜本的な行財政改革と社会保障，税一体改革が政治の最重要課題となるであろう。

## 国の公債残高の推移

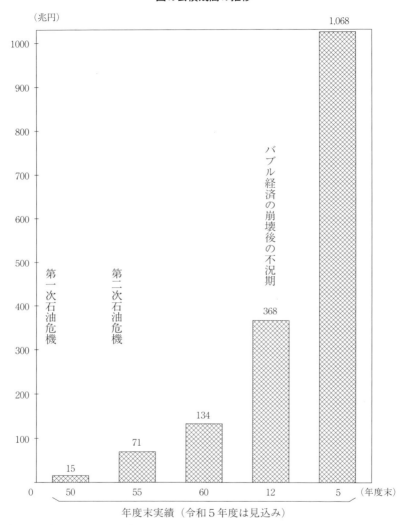

年度末実績（令和5年度は見込み）

（**注**）　財務省ホームページ（http://www.mof.go.jp）の発表資料に基づいて作成。

## 第2節　歳入と歳出

### 1　国の歳入と税収

#### (1)　歳入と税収の内訳

　国の財政収入（歳入）は，①租税収入及び印紙収入，②公債金，③その他の収入によって構成されているが，このうち国税すなわち租税及び印紙収入が主要な収入の地位を占めている。その項目別の歳入の構成の内訳は下図のとおりであり，このうちの税外収入は専売納付金や，国有財産の貸付収入等である。

　なお，令和2年2月以降の新型コロナ感染拡大に伴う緊急経済支援のために，一般会計歳入の総額は160兆2,606億円（公債金58兆2,476億円）に達したが，令和5年度においては，新型コロナで落ち込んだ企業の業績が回復傾向にあることなどから，法人税収の増加等の要因により，税収は前年度より4兆2,050億円増加し，当初予算は過去最大の114兆3,812億円となっている。

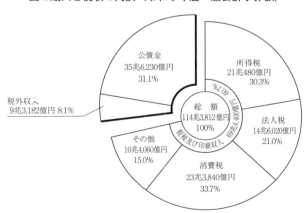

国の歳入と税収の内訳（令和5年度一般会計予算額）

**(注)** 租税の各税のパーセントは，租税・印紙収入に占める各税の割合である。
　　　財務省ホームページ（http://www.mof.go.jp）に基づいて作成。

## 2　国の歳出

### (1)　国と地方の役割

　国と道府県，市町村の地方公共団体は，政府として住民に対して行政活動の責任を担っているが，このうち，市町村がもっとも住民の生活に密着した行政活動を行っている。たとえば，小学校，中学校の義務教育，道路整備やゴミ収集，戸籍の管理や住民票の発行等は市町村の行政として行われている。一方，市町村の範囲を越えた広域的な行政活動として，公立高等学校教育や大規模な道路整備等は道府県の行政活動として行われる。

　また，国は，立法や司法，防衛や外交など地方公共団体が行うことが適当でないものや，全国的レベルでの水準を維持する必要のある福祉，教育あるいは道路整備や港湾等の社会資本の整備と維持のために地方公共団体に補助金を交付している。

　このように行政は全体として，国と地方で公的サービスの分担を行って行政活動を行っているが，国は，このような地方公共団体の行政上の歳出の財源調整を行っている。一般財源としての地方交付税や使途が限定されている国庫支出金である。

### (2)　国の歳出

　次に，国の歳出についてみてみよう。令和5年度（当初予算ベース）の歳出の内訳は，次図のとおりとなっている。このうち，地方交付税の交付は，財源保障機能，財政調整機能，国と地方の財源配分機能の三つの機能を有している。

　社会保障関係費は，社会福祉費，社会保険費，失業対策費等であるが，団塊の世代が75歳以上に入り医療や介護が増えることから，前年度より4,393億円の増加となっている。また，文教，科学振興費は，義務教育等の学校教育関係や科学の振興を図るための経費である。

　ちなみに，公立学校の小学生，中学生及び高校生（全日制）の12年間の生徒1人当たりの教育費負担額の合計額（概算）は，1,000万円を超えている。

国債費は，国債の償還，利払いなどに充てる経費であり，令和5年度当初予算では，前年度比9,110億円の増加となり，全体の32.3％を占めている。

わが国の財政の現状を手取り月収30万円の家計にたとえると，毎月給料収入を上回る38万円の生活費を支出し，過去の借金の利息支払い分を含めて毎月17万円の新しい借金（ローン残高5,379万円）をしている状況である。

このままでは，次世代に莫大な借金を残し，危機的な状況といえよう。

なお，令和5年度では，歳出の総額は114兆3,812億円となり，令和4年度（当初予算）を6兆7,908億円上回っている。

**国の歳出の内訳（令和5年度一般会計予算額）**

- 防衛力強化資金繰入れ　3兆3,806億円　3.0％
- 防衛関係費　6兆7,880億円　5.9％
- 文教及び科学振興費　5兆4,158億円　4.7％
- 公共事業関係費　6兆0,600億円　5.3％
- 地方交付税交付金等　16兆3,992億円　14.3％
- その他　9兆1,985億円　8.0％
- コロナ対策・ウクライナ対応予備費　5兆円　4.4％
- 国債費　25兆2,503億円　32.3％
- 社会保障関係費　36兆8,889億円　32.3％
- 総額　114兆3,812億円　100.0％

**（注）** 財務省ホームページ（http://www.mof.go.jp）に基づいて作成。

## 第3節　わが国の租税負担率

### 1　日本の租税負担率と推移

　国民の負担する租税収入を国民所得との関連でみた割合を租税負担率と呼んでいるが、これに、社会保障負担とを合わせた国民負担の比率を国民負担率という。この租税負担率は、国民全体の租税負担の水準がどの程度のものかを知る尺度として有益であり、一般的には公的サービスが高まれば、国民の租税負担率は高まるという関係にある。

　つまり、租税負担率は、一般的には政府の活動としての公的サービスの規模を表しているということができる。わが国の場合、高齢化に伴う社会福祉等の社会保障関係費等の増大が確実に予想されるために、今後においてもその負担率がある程度上昇することが見込まれている（高齢化の状況は次ページ「参考」参照）。

　しかしながら、行政に高度の高福祉を求めることによる「大きな政府」は、その財政支出を賄うための高負担を招来することになる。そして、そのための社会経済活動の活力が損なわれるという問題もある。

　日本経済の活力を維持しつつ、租税負担率をできるだけ抑制するためには、「小さな政府」による公的サービスの選択を国民が真剣に考える時を迎えているということがいえよう。

　国民負担率及び租税負担率の推移をみると、次のとおりである。

第1章　財政と租税　11

### 国民負担率の推移

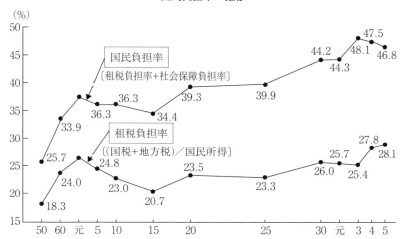

(注)　財務省ホームページ（http://www.mof.go.jp）に基づいて作成。

### （参考）15～64歳人口及び65歳以上人口の将来推計

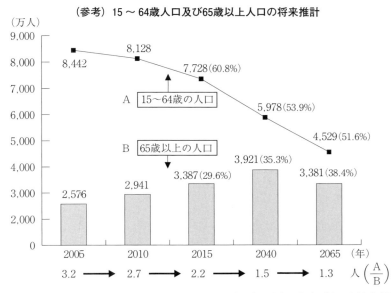

(注)　総務省「国税調査」,「日本の将来推計人口（平成29年推計）」,「（国立社会保障・人口問題研究所）」（出所：財務省ホームページより）

## 2 各国の租税負担率

各国の租税負担率及び国民負担率を比較すると，次のとおりである。わが国の租税負担率は，アメリカに次いで2番目に低く，国民負担率は，アメリカ，イギリスに次いで3番目となっている。

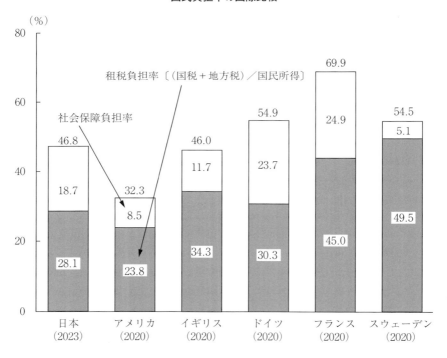

国民負担率の国際比較

# 第 2 章　税金の種類と納税の仕組み

## 第1節　税金の種類

### 1　国税と地方税

　国や地方公共団体は、国民に対して種々の公的サービスを提供しているが、このような政府の行政活動に要する費用は国民が税金として負担している。いわば、わが国の共同社会を維持するための会費が税金であるが、その税金の種類にはいろいろな分類がある。

　まず、地方税と国税であるが、国に対して納付するのが国税であり、地方公共団体に納付するのが地方税である。地方税には、道府県に納付する道府県税と市町村に対して納付する市町村税とに分けられる。

　この分類は、課税権者が国か地方公共団体かによって分類されるものである。

### 2　直接税と間接税

　直接税と間接税の分類は、税金を納付する義務、つまり納税義務者と税金を実質的に負担する者が同一であるか、異なるかという観点からの分類方法である。前者が直接税、後者が間接税である。

　直接税には所得税、法人税、相続税などがあり、間接税には消費税や酒税等がある。所得税等の直接税は、租税の納税義務者とその実質的な負担者が同一であるが、消費税等の間接税は、事業者が納税義務者であるが、その実質的な負担者は消費者である。このような間接税は、その租税が物やサービスの価額に上乗せされて消費者に転嫁されることが予定されている。

　直接税と間接税のそれぞれに属する国税の種類を示すと、次のとおりである。

| 直 接 税 | 所得税、法人税、相続税、贈与税、地価税、地方法人税 |
|---|---|
| 間 接 税 | 消費税、酒税、たばこ税、揮発油税、地方揮発油税、石油ガス税、航空機燃料税、石油石炭税、取引所税、有価証券取引税、自動車重量税、関税、とん税、特別とん税、日本銀行券発行税、印紙税、登録免許税、電源開発促進税 |

（注）　上記の間接税には、日本銀行券発行税、印紙税などのように、前述の定義による間接税として明確に区分できないものも含めている。

## 3　普通税と目的税

　租税の使途が決まっているかどうかで分類するものとして，普通税と目的税とがある。
　普通税とは，一般的な財源に充てられる税金であり，大半がこの普通税に属する。
　目的税とは，特定の行政の活動に使用されるもので，電源開発のために使用される電源開発促進税や道路整備の財源とされる，揮発油税，地方揮発油税など，地方税では都市計画税，入湯税，事業所税，国民健康保険税などがこれに属する。

## 4　その他の分類

　租税の分類には，以上のような分類がその代表的なものであるが，それ以外にも，法人税や所得税のように個人，法人の人的な側面に対して課税する人税と，固定資産税等のように物自体に対して課税する物税という分類がある。また，課税客体によって所得税，資産税，消費税，流通税，という分類や臨時的に徴収されるかどうかという時期的な側面からの経常税と臨時税という分類もある。
　さらに，租税の納税義務の確定方式の相違によって，納税者自らが申告することによって租税債務が確定する方式が採用されている申告納税方式の租税と，課税団体が発行する納税通知書によって租税の債務が確定する賦課課税方式の租税という分類があるが，国税の場合にはその大半は申告納税方式が採用されている。また，登録免許税のように格別の手続きを要しないで確定する方式を自動確定方式という。

## 第2節　申告と納税義務の成立

### 1　納税の義務と租税法律主義

　わが国の憲法30条は，「国民は，法律の定めるところにより，納税の義務を負ふ。」と定め，国民の納税義務を定めている。勤労の義務，教育の義務とともに国民の3大義務といわれるものの一つが納税の義務であるが，憲法は，その84条において，「新たに租税を課し，又は現行の租税を変更するには，法律の規定又は法律の定める条件によることを必要とする。」と規定している。

　この憲法84条の規定は，租税に関する事項は原則として法律で定めなければならないことを要求しているものであるが，これが，租税の基本原則といわれる租税法律主義の要請である。そして，この租税法律主義の内容をなすものとしては，租税要件法定主義と租税要件明確主義があり，納税者が社会生活上の法律行為を行う場合に，納税義務に関する予測可能性と法的安定性を充足するために要請されているものである。

　このような憲法上の規定は，租税の徴収に関する歴史的背景と，すべての国民の利害関係に深く関わる問題であるという点に由来するものといえる。

### 2　申告納税制度

#### (1)　意　　義

　申告納税制度（self assessment）とは，納税者が法律の規定に従って自ら所得金額や税額を計算してそれに基づいて申告し納税する制度であり，「自己賦課制度」ともいわれている。この申告納税制度の下では，納税者の申告手続によって租税債務が確定することになるが，それは不変のものではなく，過少申告又は過大申告等の誤りのある申告に対しては，課税当局による手続（更正）によって是正されることが予定されている。また，申告がない場合にも，課税当局による納税義務の確定手続（決定）により納税義務が確定する。

わが国の戦前の制度は、次に述べる賦課課税方式であったが、昭和22年における税制改正によって、法人税、所得税、相続税について申告納税方式が採用され、現在では、国税の大半がこの制度を採用している。

また、地方税では、法人住民税、法人事業税、自動車取得税などが申告納税方式を採用しているほかは、その大半が賦課課税方式である。

(2) **申告の種類**

申告納税方式の租税は、納税者の申告により一次的な租税債務が確定するが、その申告には、納税義務の確定のために最初に提出する申告である確定申告がある。この確定申告には、その申告書に記載されている税金を納付する申告のほかに、税金の還付を求めるために行う還付申告がある。

また、その確定申告に記載した所得金額や納付すべき税額等が過少である場合には、その過少申告を納税者が自ら是正するための申告として修正申告がある。

一方、確定申告に記載した所得金額や税額等が過大である場合には、その過大部分の修正をするためには、更正の請求という手続きにより、所轄税務署長に対して正当税額への減額の更正処分を求めることが必要であり、納税者が自ら是正することは認められていない。

## 3　賦課課税制度

賦課課税制度（official assessment）とは、課税庁が発行する納税通知書が納税者に送達されることによって納税義務が確定する税額確定方式である。

国税に関する一般法である国税通則法は、この賦課課税方式について、「納付すべき税額がもっぱら税務署長又は税関長の処分によって確定する方式をいう。」と定義し、税額の確定が賦課課税方式による国税とは、納付すべき税額を申告すべきものとされている国税以外の国税とされている。戦後のシャウプ勧告後は、国税の大半が申告納税方式であるが、加算税等については賦課課税方式であり、また、地方税は、なお大半が賦課課税方式を採用している。

申告納税方式，賦課課税方式以外のいずれにもよらないで租税が確定する方式もある。これは自動確定方式と呼ばれているが，この税目に属するものに，登録免許税や自動車重量税がある。

## 4　源泉徴収制度

　申告納税方式を採用する通常の所得税の納税義務は，課税期間の終了の時（暦年終了時）に成立することとされ，その年分中に稼得した所得について前述した確定申告を行うことにより税額が確定する。課税期間の終了前においては，稼得した所得にかかる税額の納税義務は発生しないのであるが，わが国の申告納税制度の下では，支払者が特定の所得に含まれる報酬等を支払う場合には，格別の手続を要せず，自動的に納税義務が確定するという源泉徴収制度を採用している。

　すなわち，所得税法に規定する特定の所得については，その所得の支払者（源泉徴収義務者）がその支払いの時に，納税義務の確定した源泉徴収所得税を天引きして徴収して国に納付するという方式を採用している。この制度は，歳入確保及び歳入の平準化，さらには納税義務者の便宜という点で納付方式としては極めて優れた制度といわれている。

　この源泉徴収の対象となる所得には，利子，配当，給与，報酬，料金など特定されているが，給与所得の場合には，原則として，その年の最後の給与の支払時において年末調整という手続きにより，その年の税額の精算が行われ，確定申告を必要としないが，報酬，料金等の所得は，確定申告において源泉徴収された所得税の精算を行うことになる。その意味では，支払時の源泉徴収は，所得税の前払いとしての性格を有する。

　しかし，源泉徴収の対象となる所得のうち，利子及び一部の配当所得は，租税特別措置法の規定により源泉徴収された所得税で納税が終了し，確定申告を要しない源泉分離課税制度が採用されている。

　なお，法人に対する利子，配当等の支払いについても源泉徴収所得税が徴収されるが，その源泉徴収所得税は，法人税の確定申告の際に所得税額控除によ

る精算が行われることから，法人税の前払いとしての性格を有している。

# 第3章　税制改革

## 第1節　戦前，戦後の税制と「シャウプ勧告」による税制改革

### 1　戦前・戦後の税制

　昭和10年代のわが国の税制は，戦時期に対応した改革が行われている。昭和15年には，従来，第1種所得として所得税が課税されていた法人に対する所得税を分離して法人税として独立の税とされたほか，利子，配当所得に加えて勤労所得や退職所得についても源泉徴収制度が導入された。

　当時は戦費調達のための特別税等の創設やたび重なる増税が実施されており，最高税率は昭和19年には74％にまで引き上げられた。また，第二次世界大戦後は，戦後の日本経済の混乱期に対処するために，戦時中の臨時の特別税が廃止される一方で，財産税や戦時補償特別税等が創設され，インフレ防止等の経済情勢に応じた改革が実施された。特に，戦後のアメリカ占領軍の影響の下で，アメリカ税制の影響を受けて，昭和22年には，所得税において申告納税制度が導入され，従来の分類所得税と総合所得税の2本立てが総合所得税に統一，譲渡所得等の一時の所得が課税対象に取り込まれた。昭和23年には，多段階累積型の消費税である取引高税（39業種に1％の課税）が創設とされたが，その翌年に廃止となっている。

　その後，昭和24年9月15日には，カール・シャウプ博士を中心とした使節団によって「シャウプ勧告」が発表され，日本税制の包括的な改革案が提示された。そして，その勧告の大半が採用されたことによって，その後のわが国の税制に多大な影響を与えたのである。

　「シャウプ勧告」の目ざした税制は，直接税を中心とした恒久的，安定的な税制であるが，具体的には，所得課税においては，キャピタルゲインの全額課税や利子所得の源泉選択制度の廃止による包括課税，法人税率35％による単一税率の採用と，法人擬制説の立場からの二重課税の調整措置（配当控除制度），さらに，記帳慣行の成熟のための青色申告制度などが導入された。また，資産

課税では，富裕税の導入，相続税，贈与税の一本化による累積的取得税制度の採用，臨時の再評価税の創設が行われた。

地方税では，事業税を廃止して消費税が導入されたが，実施が見送られ，結局，昭和29年に一度も実施されないまま廃止されている。

## 2 「シャウプ勧告」の税制改革後の税制

「シャウプ勧告」による税制改革は，理念的な所得税制として評価されるものの，現実の戦後の復興期の日本経済に適合しない面もあり，種々の改正が行われた。まず，昭和28年には，執行上の問題から富裕税，累積型取得税制度，さらに有価証券譲渡益課税の廃止が行われている。また，貯蓄奨励是正，設備近代化のための投資育成税制等の政策税制が実施され，昭和30年代には，経済の高度成長に伴う減税や資本蓄積・輸出促進税制の租税特別措置による政策税制が拡充されていった。

さらに，昭和40年代には，高度経済成長下の所得税減税も行われたが，その後半には，石油ショックによる不況対策としての所得減税が行われたほか，土地住宅税制，福祉等の観点からの政策税制が導入された。昭和50年代に入ると，歳入欠陥の打開のために，法人税率の引上げ，間接税の増税，さらに租税特別措置の整備，合理化などの税制改正が実行された。

昭和50年代には，財政再建のために国民に広く薄く負担を求める一般消費税の議論が行われ，昭和52年10月の税制調査会の「今後の税制のあり方についての答申」（中期答申）において，一般消費税構想が提言され，昭和53年12月には，一般消費税大綱が提示された。この一般消費税構想は，高まる財政需要を所得税及び住民税の負担増に求めることは，おのずと限界があること，個人消費支出に対する間接税等の負担水準は諸外国に比べて低く，長期的に低下の傾向にあり，個別消費税の引上げではまとまった増収を確保することには限界があることなどの理由によるものである。しかしながら，その税の持つ逆進性から反対論が強く，当時の大平内閣は昭和55年に導入を断念した。

その後は，不公平税制の是正による「増税なき財政再建」を目ざしたが，特

別措置法の整備合理化のほかにも，法人税率や酒税等の引上げ，交際費課税の強化等が実施された。

## 第2節　抜本的税制改革等

### 1　抜本的税制改革

　戦後，わが国の税制は，その基本となった「シャウプ勧告」の税制改革以来，抜本的税制改革は先送りされ，その当時の経済状況に応じた税制改正が実施されてきたが，日本経済の高度成長期と石油危機による不況期を経た構造的変化，人口構成の変化や経済の国際化，さらには技術革新や情報化の進展等による企業行動の多様化に伴い，現行税制のひずみが指摘されるようになった。特に昭和50年代の第一次石油危機による経済の停滞と減速による公債依存の財政運営が定着し，所得税減税が困難となったことから，財政再建のために法人税や間接税の引上げが連年にわたって実施されたことに伴って，税制の抜本的改革が検討され，昭和62年9月と63年12月の税制改正により一応の実現をみた。この抜本的税制改革は，公平，中立，簡素を基本理念とし，高齢化社会やさらなる経済の国際化に対応する税体系を構築することにある。

　所得税においては，諸外国の税率のフラット化の動向も踏まえて，高い累進税率構造が，従前の15段階（最高税率70％）から5段階（10％から50％）に改正され，配偶者特別控除制度の創設，基礎控除，扶養控除等の人的控除の引上げ等，大幅な所得減税等が行われた。また，一方では，マル優制度の原則廃止や利子所得の源泉分離課税が実施され，株式の譲渡益の原則課税が行われることとなった。

　法人税においては，従前の42％の法人税率が平成2年までに段階的に37.5％に引き下げられ，配当経過措置の廃止，受取配当金の益金不算入割合の縮減等の改正が行われた。

　また，昭和62年度の税制改正の税制調査会答申で提言された売上税は，昭和62年5月に廃案となったが，翌昭和63年12月「税制改革法案」，「消費税法案」等が国会で可決され，非累積型のEC型付加価値税である消費税が平成元年4

月1日から施行された。

## 2 土地税制の改革

　土地税制については，他の土地政策とあいまって，従前から地価高騰に応じた種々の政策的税制が実施されてきたが，昭和58年に始まった東京を中心とした都市圏の地価上昇は，これまでに例を見ない顕著な上昇を示し，バブル経済の元凶となった。このような地価上昇に対処するための土地対策の積極的な推進が求められ，平成元年12月に土地基本法が制定された。このような背景の下で，税制調査会は，平成2年10月に，「土地税制のあり方についての基本答申」をまとめ，これを受けて，平成3年には土地税制改革のための税制改正が行われた。

　この改革は，土地に関する適正，公平な税負担の確保という視点とともに，土地の資産としての有利性を縮減して土地投機を抑制して，土地の有効利用と，地価上昇の抑制と低下を図るという視点からの改正である。

　土地の保有に関しては，保有のためのコストアップを図る目的から，地価税が新たに創設され，土地譲渡については，譲渡益の長期・短期分離課税の強化，相続税及び固定資産税の土地評価額の適正化と均衡化，さらには，個人の不動産所得の損失のうち，土地取得に係る借入金利子に対応する部分の損益通算の除外等の改正が行われた。

　その後，最近の土地問題に対する対応として，不動産の流動化や土地取引の活性化などに資するため，平成10年度の改正において，地価税の当分の間の課税停止，土地譲渡益重課税の一部廃止及び軽減する改正が行われた。

　平成16年度の改正では，土地市場の活性化のために，個人の長期譲渡所得に対する税率が26％から20％（国税15％，地方税5％）に引き下げられる一方で，100万円の特別控除及び譲渡損失の他の所得との損益通算が廃止された。

## 第3節　平成6年度以降の税制改正と今後の税制改革

### 1　平成6年度の改正

　昭和63年に行われた抜本的税制改革以降においても，今後の日本経済の現状や少子化による労働人口の低下等，将来の所得税収の伸びが期待できない一方で，急速な高齢化社会の到来に伴う社会福祉関係費用の増大に備えるための財源確保や所得水準の上昇に伴う中堅所得者層の税負担の累増感に対処するための税制の総合的な見直しが求められていた。これを受けて平成6年11月に税制改革関連法が成立し，活力ある福祉社会の実現に向けて，中堅所得者層の租税負担の累増感を緩和する措置として，所得税・個人住民税の税率構造の累進緩和等による負担軽減の税制改正が実施された。

　これと並行して，消費税率を4％（このほかに1％の地方消費税）に引き上げるとともに，益税として批判のある限界控除制度の廃止や簡易課税制度の見直しが実施されることとされたが，当面の経済情勢に配慮して特別減税を実施し，消費税の改正は，平成9年4月1日から実施することとされた。

### 2　平成10年度以降の改正と今後の税制改革の方向性

　わが国の少子・高齢化社会の急速な進展と経済の国際化の中にあって，このような経済社会の構造の変化に税制をどのように対応させ，公正で活力ある経済社会を構築するために税体系はいかにあるべきかという点が税制改革の中心的課題となっている。特に少子・高齢化の進展の中で，水平的公平・垂直的公平に加えて世代間の公平性や，また，経済の国際化が進む中で，経済活動，資産選択等に関する中立性等の多角的視点から今後の税制改革を考えることが重要である。

　このような視点から，利子配当等の総合課税に向けて納税者番号制の導入の可否が論議され，また，税収の中立性を基本的視点においた昭和40年以来の法

人課税の抜本的改革が議論されていた。その結果，平成10年度の税制改正において，3％の法人税率の引下げと貸倒引当金等の課税ベースの拡大・適正化の改正が行われた。

同年度の改正では，それ以外に，現在の経済情勢等への対応として2兆円規模の特別減税，金融システム改革への対応として有価証券取引税・取引所税の半減，ストック・オプション税制，さらに，地価税の凍結や土地譲渡益重課税の一部廃止及び軽減等の土地税制の改正等，大幅な税制改正が行われた。

また，その後，近年の長引く経済不況に対応した経済総合対策により追加減税の実施が確定し，それとの関連で所得税の抜本改革，さらに，事業税の外形標準課税等，地方税制の改革の議論が行われていたが，平成11年度税制改正において，所得税の最高税率が50％（課税所得金額3,000万円超）から37％（同1,800万円超）に大幅に引き下げられ，また法人税率についても平成10年に引き続いて34.5％から30％に引き下げられた。

平成12年度税制改正では，商法改正に伴う株式交換・移転の譲渡損益の繰延措置，民間投資等の促進税制としての住宅ローン控除等の延長，中小企業・ベンチャー企業の促進税制として，特定株式の譲渡益課税の特例や同族会社の留保金課税を課さない特例措置が講じられるとともに，確定拠出型年金税制，売買目的の有価証券の時価法の導入などが創設されている。

平成13年度税制改正では，近年の経済情勢を踏まえた企業組織再編成に係る商法改正が行われたことに照応して，適格組織再編成における移転資産の譲渡損益を繰延べによる組織再編成の税制面からの手当て，従前の合併の場合の清算所得課税の廃止，不適格組織再編成の場合の譲渡益課税の導入等，大幅な法人税法の改正が行われ，続いて平成14年度税制改正では，平成15年3月期から，企業グループ内の各法人のうち，内国法人である親法人とその100％の子法人の所得金額と欠損金額とを通算して，企業グループを一つの納税主体として捉えて法人税を課税する連結納税制度が創設された。

平成15年度税制改正では，次世代への早期の財産移動を促進するために，65歳以上の父母等の贈与者から20歳以上の子供らが贈与により財産を取得した場

合には，受贈者の選択により従来の暦年課税方式に代えて，贈与時に贈与税（非課税枠：累積で2,500万円，税率：一律20％）を支払い，その贈与者の相続開始による相続税額から，その支払った贈与税額を控除して相続税額を計算する相続時精算課税制度が創設された。

　平成16年度税制改正では，平成18年度までに所得税から個人住民税への本格的税源移譲を実現することとされたことを受けて，その暫定的措置として，税源委譲額4,249億円について所得税の一部を一般財源として人口比により都道府県・市町村に譲与する所得譲与税が創設された。また，所得税では，土地取引の活性化のために，土地建物の譲渡所得の税率が軽減され（長期譲渡所得では26％から20％），また，居住用財産を譲渡した場合において，ローン残高が譲渡価額を超える場合における譲渡損失の繰越控除制度が創設され，さらに，非上場株式の譲渡所得に係る税率が20％に軽減されている等の改正が行われている。その一方で，今後の勤労所得と金融所得の二元的所得課税論を背景として，株式等の譲渡損失と同様に，平成16年1月1日以降に行われる土地等の譲渡損失の損益通算制度が廃止された。

　平成17年度税制改正では，持続的な経済成長のための税制面からの対応として，定率の2分の1の縮減，ローン控除については耐震基準を満たす中古住宅をその範囲に含めることとし，さらに，企業課税に関して人的投資促進のための法人税額控除の創設，迅速な企業再生を支援する目的から，評価損益の計上と債務免除益からの期限切れ欠損金の優先控除を認めるという制度が創設された。また，租税回避等の防止のために任意組合における不動産所得の損失通算を認めない等，パス・スルー課税による組合課税の規制が行われている。

　平成18年度税制改正は，所得税では，平成11年に景気のテコ入れとして導入された所得税の定率減税が廃止され，税率構造が，最低税率10％〜最高税率37％の4段階が5％〜40％の6段階に変更された。法人税では，情報基盤強化税制として一定の情報セキュリティー対策対応設備等の取得等の基準取得価額の10％の税額控除等の創設，同族会社の留保金課税の対象の同族会社を3グループから1グループで株式等を50％超保有している会社に限定し，留保控除額も

大幅に引き上げることとして内部留保の充実を図ることとした。また，役員給与について，利益連動型給与，特定月の一定額の増額給与の損金算入を容認する一方，会社法の施行により特殊支配同族会社の役員給与について給与所得控除額相当額を損金不算入とする制度を導入して個人と法人による税負担のバランスに配慮した規定を創設し，さらに，会社法の施行に合わせた所用の改正が行われている。

平成19年度税制改正では，減価償却制度の大幅な改正が行われた。まず，減価償却可能限度額及び残存価額を廃止して，1円まで償却できることとされたほか，定率法を採用する場合の償却率は，定額法の償却率を2.5倍した率として，特定事業年度以降は残存価額による均等償却に切り替えて1円まで償却できることとされた。さらに，新しい信託税制に対応した税制が創設された。

平成20年度税制改正では，機械及び装置を中心として使用年数の実態に即した資産区分と法定耐用年数の見直しが行われた。また，公益法人制度の改革に対応して，従前の公益法人を収益事業課税がなされる公益社団法人・公益財団法人及び一般社団法人・一般財団法人に区分して，それぞれの公益性に応じた課税制度を導入するとともに，全所得について課税される一般社団法人・一般財団法人に区分することとされた。

平成21年度税制改正は，小幅な改正であったが，経済緊急対策として同年6月に中小法人の800万円以下の所得に係る税率22％が18％に引き下げられる措置が講じられた（平成23年3月まで）。

平成22年度税制改正では，法人グループ間の取引につき新たな課税関係の発生が，グループ内の経営資源の適正配分や効率的運用を阻害しているという実体があること，加えて，独立したグループ内の法人間における資産取引に伴う租税回避的な行為も顕著であり，これを防止する必要があること等から，100％グループ内法人間の譲渡損益の繰延べ制度等，資本に関係する取引等に係る税制の整備がなされるとともに，従前の清算所得課税が廃止され，通常事業年度の所得課税が行われることとされた。

平成23年度の税制改正は，前年12月に税制改正大綱が決定され，翌年度の税

制改正法案として通常国会に提出されたが，ねじれ国会の影響を受けて年度内に可決成立せず，平成23年3月末日に期限切れになる規定を一律に6月末日まで3か月延長するつなぎ法案を年度内に可決し，6月22日に平成23年度税制改正案を修正の上，その一部（寄附金控除制度の拡充，消費税の免税点制度・95％ルールの改正，切り離し低価法の廃止等）が可決成立した（税制整備法の改正）。その後，11月30日には，税制構築法の改正として，更正の請求期間と更正の期間制限をともに5年に延長，法人税率の低減，減価償却制度や寄附金課税の強化等の改正が行われた。

さらに，東日本大震災の復興のための復興特別所得税及び復興特別法人税が創設され，平成23年度税制改正は複雑な様相を呈している。

平成24年度税制改正では，平成23年度税制改正大綱の積残し分の一部（給与所得控除の上限創設，特定支出控除の範囲拡大等）の改正が行われている。

平成25年度税制改正は，相続税法の基礎控除額を縮減する大幅な改正が行われているほか，事業承継税制の要件の柔軟化と緩和，孫等に対する教育資金贈与の非課税制度等，相続税法の大幅な改正が行われている。また，所得税の最高税率の引上げ，平成27年以後の相続税・贈与税の最高税率も引き上げられ，上場株式の譲渡等に関する軽減税率の適用が平成25年12月末日で終わり，その後は，20％の税率が適用されるとともに，日本版 ISA（少額投資非課税制度）が導入された。設備投資・雇用促進のための研究開発税制や消費拡大を意図した交際費課税制度の損金算入の拡充等の改正が行われている。さらに，平成26年4月から8％，同27年10月から10％の消費税率の引上げを前提とした住宅税制の改正も手当てされている。

平成26年度税制改正では，現下の経済情勢等を踏まえ，デフレ脱却・経済再生に向け，「消費税率及び地方消費税率の引上げとそれに伴う対応について」（平成25年10月1日閣議決定）において決定した投資減税措置等や所得拡大促進税制の拡充に加え，復興特別法人税の1年前倒しでの廃止，民間投資と消費の拡大，地域経済の活性化等のための税制上の措置が講じられている。また，個別的には，給与所得控除の見直しが行われ，給与所得控除の上限額が適用される

給与収入1,500万円（控除額245万円）を，平成28年より1,200万円（控除額230万円）に，平成29年より1,000万円（控除額220万円）に引き下げられることとされた。さらに，法人税法における交際費課税制度の適用期限が2年間延長されるとともに，飲食のための支出の50％を損金算入することを認める制度が創設された。

　平成27年度税制改正は，デフレ脱却・経済再生をより確実なものにしていくために，成長志向に重点を置いた法人税改革，高齢者から若年層への資産の早期移転を通じた住宅市場の活性化等のための税制上の措置が講じられた。

　具体的には，法人税課税では法人税率が25.5％から23.9％に引き下げられ，従前34.62％であった実効税率が32.11％（標準税率ベース・平成28年4月1日以後開始事業年度は31.33％）に引き下げられ，さらに，今後，20％台の法人税率の引下げが打ち出されている。また，課税ベース拡大のために欠損金の繰越控除限度額が，従前の所得の80％から65％へ縮減され，さらに，平成29年4月1日以後開始事業年から所得の50％に引き下げられたほか，受取配当金の益金不算入割合を減縮する改正が行われている。

　所得課税では，NISAの非課税の投資上限額が100万円から120万円に拡充されるとともに，ジュニアNISAが創設され，さらに，新たに，株式等の含み益については出国時課税の制度が創設された。また，資産課税では，直系尊属から住宅資金取得等資金の贈与を受けた場合の贈与税の非課税措置が拡充され，結婚子育て資金の一括贈与した場合の1,000万円まで贈与税が非課税とされる等の改正が行われた。消費課税では，消費税率10％への引上げの時期が平成27年10月から同29年4月1日に変更されたが，さらに平成31年10月1日まで延期されることが明らかにされた。

　また，納税環境の整備では，平成28年1月から行政手続における特定の個人を認識するための番号の利用等に関する法律（「番号利用法」）に基づく，マイナンバー制度が導入された。この制度により，課税庁よる名寄せ，各種申請書の添付書類の簡略化等が図られることとされ，さらに，マイナンバーが付された預貯金情報の効率的な利用の観点から，銀行等に対して預貯金情報をマイナ

ンバーにより検索可能な状態で管理することが義務付けられている（平成30年1月から施行）。

　平成28年度において，安倍政権の「三本の矢」に続く「新三本の矢」といわれている「希望を生み出す強い経済」，「夢を紡ぐ子育て支援」，「安心につながる社会保障」の政策を推進する税制改正として，本年度の法人税の実効税率を29.97％に引き下げ，平成30年度には29.74％に引き下げる改正が行われた。その一方で，税収確保の観点から，租税特別措置の見直し，建物附属設備，構築物の償却方法を定額法に一本化し，法人事業税の外形標準課税の拡大，欠損金の繰越控除の縮減等の改正が行われ，企業の収益力拡大に向けた投資の促進，継続的，積極的な賃上げ等に向けた税制改正がなされた。

　さらに，少子化対策・女性活躍の推進・教育再生等に向けた取組みとして，三世代同居に対応した住宅リフォームに対する税額控除制度の導入，修学支援としての個人寄附金控除の創設，スイッチOTC医薬品購入費用の医療費控除の拡充等の改正が行われ，さらには，企業版ふるさと納税制度の創設により税額控除制度を採用して，寄附金額の60％の負担軽減が図られている。

　また，消費税は，平成29年4月1日に消費税率が10％へ引き上げられることが決定されていたことに伴い低所得者の配慮から軽減税率8％の適用対象品目が決定されたが，平成28年6月初めに，安倍首相は，最近の経済情勢の懸念を踏まえて2年半後の同31年10月1日まで10％税率の施行を延期することを発表した。今後のさらなる財政再建への影響が懸念されているところである。

　平成29年度の改正は，わが国経済の成長力を底上げするために就業調整を意識しない仕組みづくりのための税制，経済の好循環を促進するための税制，企業の海外における事業展開を阻害することなく国際的租税回避に対してのより効果的な対応のための税制の構築という視点からの改正が行われている。

　具体的には，法人税制では，組織再編成の大幅な見直し，役員給与に関して，利益連動給与及び事前確定制度の取扱いの緩和による多様な業績連動給与や株式報酬の導入がやりやすくなるなどの緩和策のほかに，ストック・オプションや利益連動の退職給与の取扱いが厳格になる改正が行われている。このほかに

も，研究開発税制の拡充，所得拡大促進税制の拡充，申告期限の延長等の改正が行われている。

　所得税制では，就業時間を調整することを意識しないで働くことができるという観点から，配偶者控除が受けられる配偶者の収入の上限が，103万円から150万円に引き上げられるとともに，配偶者特別控除の見直しが行われている。

　国際税制では，タックスヘイブン税制に関して，外国子会社の租税負担率（トリガー税率）ではなく，個々の活動内容により把握して適用する制度の改正が行われている。

　平成30年度の税制改正は，働き方の多様化を踏まえて，いろいろな形で働く人を応援する等の観点から個人所得課税の見直しを行うとともに，デフレ脱却と経済再生に向けて，賃上げ・生産性向上のための税制上の措置及び地域の中小企業の設備投資の促進するための税制上の措置を，観光促進のための税として国際観光旅客税の創設等が行われている。また，国際課税制度の見直し，税務手続の電子化の推進やたばこ税の見直しが行われている。さらに，納税者にとって，もっとも影響が大きい改正は，中小企業の代替わりを促進する事業承継税制の拡充が図られたことである。

　具体的には，所得税関係では，給与所得控除・公的年金等控除から基礎控除への振替えなどが行われ，その結果，給与収入が850万円を超える場合や公的年金収入が1,000万円を超える場合には，税額が増えることになる。

　法人税関係では，収益計上基準の法制化，賃上げ・生産性向上のための税額控除等の要件緩和の措置，特別事業再編を行う法人の株式を対価とする株式等の譲渡に係る所得の計算の特例措置が講じられている。

　資産課税では，中小企業の事業承継税制において特例措置が設けられ，相続税の納税猶予割合が80％から100％に拡充されたほか，対象株式がすべての株式に拡大，雇用確保要件の除外等，大幅に要件緩和措置が講じられ，この制度の利用拡大が期待される。

　令和元年度税制改正は，消費税率の引上げに際し，需要変動の平準化等から，住宅に対する税制上の支援策を講ずるとともに，車体課税について，地方の安

定的な財源確保の視点から大幅に見直しが行われている。さらに，デフレ脱却と経済再生を確実なものにするために，研究開発税制の拡充し，また，前年度の税制改正により，要件緩和により拡充された法人向けの事業用承継税制（非上場株式に係る相続税の・贈与税の納税猶予制度）に呼応して，個人事業者の事業承継に対する支援が創設された。

　それ以外では，地方創成のための施策として，特別法人事業税，森林環境税等の創設，国際的な租税回避に効果的に対応するための国際課税の見直し，経済取引の多様化を踏まえた納税環境の整備等の改正が行われた。

　令和2年度税制改正では，個人所得税では，離婚・死別の場合の寡婦（寡夫）控除が措置されているが，未婚のひとり親に対する税制上の措置がなされていないことから，婚姻の有無によって差別がなされていたことから，すべてのひとり親に対して男女別は問わず，一定の要件を満たすには，一律に，ひとり親控除（35万円）が適用されることとされた。

　NISA（少額投資非課税）制度について，その期間延長と廃止（ジュニアNISA）が行われたほか，一般NISAが2階建ての制度として控除が拡大された。また，特徴的な改正としては，一定の要件を満たす低未利用地の譲渡（親族間譲渡は除く）をした場合には，低未利用地の譲渡益から100万円を控除することができることとされた。

　法人税では，持続的経済成長の実現に向け，オープンイノベーションの促進に係る税制上の措置が講じられ，また，連結納税制度について制度の適用実態やグループ経営の実態を踏まえて企業の事務負担の軽減等の観点から簡素化の見直しが行われ，損益通算の基本的な枠組みは維持しつつ，各法人が個別に法人税額等の計算及び申告を行うグループ通算制度に移行する抜本的な改正が行われた。

　消費税では，企業の事務負担の軽減や平準化を図る観点から，法人税の申告期限の延長の特例の適用を受ける法人について消費税の申告期限を1か月延長する特例が創設された。また，居住用賃貸建物の取得にかかる課税仕入について仕入税額控除はできないにもかかわらず，金の売買を継続的に行う等の方法

により仕入税額控除を行う事例に対処するために，令和2年10月1日以後に行う居住用賃貸建物の仕入れについて，仕入税額控除の適用を認めないこととされた。なお，その取得から3年以内に住宅貸付以外の用に貸付又は譲渡した場合には，一定の計算の下で仕入税額控除に加算して調整することとされた。

令和3年度税制改正では，ポストコロナに向けた経済構造の転換・好循環の実現のために，法人税では，企業のデジタルトランスフォーメーション及びカーボンニュートラルに向けた投資を促進する措置を創設するとともに，こうした投資等を行う企業に対する繰越欠損金の控除上限の特例が設けられた。

所得税では，家計の暮らしと民需を下支えするために，住宅ローン控除の特例の延長，最低面積要件の緩和措置の改正が行われ，資産課税では，教育資金，結婚・子育て資金の一括贈与に係る贈与税につき，受贈者が孫等である場合の贈与者死亡時の残高に係る相続税額の2割加算の適用等の見直しが行われた。

納税環境整備の改正として，税務関係書類における押印義務の廃止，帳簿書類の電子的保存の見直しが行われた。

令和4年度税制改正では，日本の未来を見据えて，「成長と分配の好循環」と「コロナ後の新しい社会の開拓」をコンセプトに，新しい資本主義の実現に取り組むこととしている岸田内閣の政策実現に向けて，企業の研究開発や人的資源への投資を強化し，それによる収益を株主の他に，従業員や下請企業の多様なステークホルダーへの還元へと循環させていくことを通じて，企業の持続的な成長を達成するために，①継続雇用者の給与等支給額の増加額の最大30％の税額控除等の賃上げ促進税制の強化，②オープンイノベーション促進税制の拡充が図られている。また，③カーボンニュートラルの実現に向けた観点等を踏まえて，住宅ローン控除の見直し，④資産の格差固定化防止等の観点からの住宅取得等資金に係る贈与税の非課税限度額が1,500万円又は1,000万円から1,000万円又は500万円に引き下げられ2年間の適用期限の延長が図られる等の改正が行われている。

また，「納税環境整備」の改正として，注目すべき改正が行われている。一つは，所得税及び法人税の税務調査において，証拠書類を提示せずに簿外経費

を主張する納税者などへの対応策として，事実の仮装・隠ぺいがある場合又は無申告の年分・事業年度において，確定申告における所得金額の計算の基礎とされなかった間接経費の額（資産の販売・譲渡に直接要する者を除く），費用の額及び損失の額は，①間接経費の額が生じたことを明らかにする帳簿書類を保存する場合，②帳簿書類等により取引の相手先が明らかである場合や取引が行われたことが推測される場合であって，反面調査等により税務署長がその取引が行われたと認める場合以外の場合には，必要経費（損金の額）に算入しないこととされている。

　二つには，帳簿の不存在や記帳不備を未然に防止するために，所得税，法人税及び消費税の税務調査において，帳簿（一定の売上に係る帳簿）の提出の求めがあった場合において，①不記帳，不存在であった場合，②帳簿について収入金額の記載が不十分であった場合には，通常の過少申告加算税等の割合に10％加重（前記②の場合は５％）する改正が行われている。

　令和５年度税制改正においては，家計の資産が貯蓄から投資へと積極的に振り向け，資産所得倍増につなげるために，NISAの抜本的拡充・恒久化を図るとともに，スタートアップ・エコシステムを抜本的に強化するための税制上の措置が講じられた。また，より公平・中立的な税制の実現に向け，きわめて高い水準の所得について最低限の負担を求める措置の導入，グローバル・ミニマム課税の，及び資産移転の時期の選択により中立的な税制の構築を行うための相続時精算課税制度の改正，相続開始時前３年内の贈与資産の相続財産への加算制度を７年間に延長する等の大幅な改正が行われている。

　また，自動車重量税のエコカー減税や自動車税等の環境性能割等を見直し，租税特別措置については，それぞれの性質等に応じ適切な適用期限を設定する改正が行われている。

# 第4章　所　得　税

### ポイント

(1) 所得税は，個人が得た所得に対して課される租税であり，その所得は，収入金額から必要経費を差し引いて計算される。

(2) 所得には，その源泉ないし性質に応じて継続的所得，臨時的所得，不労所得，勤労所得等があり，それらの担税力に応じた課税を行うために，現行の所得税制度においては，利子，配当，事業，不動産，給与，退職，譲渡，山林，一時，雑所得の10種類に区分されている。

(3) 所得税の課税については，各種類の所得金額を合算して所得税を計算する総合課税を原則としつつ，所得税法では，退職所得，山林所得について，租税特別措置法では，土地，建物及び株式の譲渡所得等について，それぞれの所得金額に税率を乗じて計算する分離課税を採用している。

(4) 所得税の額は，所得の種類ごとに法定された方法で算定した所得金額に対して，損益通算，純損失の繰越控除，雑損失の繰越控除等を行って総所得金額等の金額を算定し，その金額から基礎控除や配偶者控除等の所得控除を差し引いて算定した課税所得金額に累進税率を乗じて計算する。

(5) 漁獲，海苔の採取，魚，真珠等の養殖，原稿料，作曲料などのように，年により変動の激しい所得（変動所得）や，プロ野球の契約金，不動産貸付に係る権利金などのように臨時に発生する所得（臨時所得）がある場合で，それらの所得の金額の合計額がその年の総所得金額の20％以上である納税者は，累進税率の適用による税負担を緩和するため，平均課税により税額を計算できる。

## 第1節　所得税の概要

### 1　所得税とは

　所得税とは，個人が得た「所得」に対して課される租税である。
　「所得」とは何か，ということについて，所得税法は規定を置いていないが，これについては，利子，配当，賃金，地代，事業又は資産の譲渡による収入等の反復的又は継続的な収入に限られず，一時的又は偶発的な収入をも含む包括的な収入（収入金額）から，その収入に係る経費（必要経費）を差し引いたもの，つまり，広く経済的価値の利得をいうと考えられている（純資産増加説又は包括的所得概念）。
　たとえば，商品の販売についていえば，商品の販売額（収入金額）から，その商品の売上原価とその販売に要した経費（必要経費）との合計額を控除した残額が，所得ということになる。
**(注)**　かつては，利子，配当，賃金又は事業収入のように，反復的又は継続的な収入に限られるとする考え方（所得源泉説又は制限的所得概念）が有力であった。

### 2　所得税の基本的仕組みと課税最低限

　所得税の計算の基本的仕組みは，まず，①所得を発生形態に応じて10種類に分類し，②分類された各種の所得ごとに，法定の方法により所得金額を算定し，③その各種の所得金額を合計し，④その合計所得金額から，基礎控除，配偶者控除，扶養控除，寡婦控除，ひとり親控除，勤労学生控除，生命保険料控除，医療費控除等，その所得者の家族構成や支出状況に応じた各種の控除を差し引き，⑤その残額に超過累進税率を適用して税額を計算するというものである。
　したがって，なにがしかの所得があっても，それが各種控除の合計額を超えていない場合には所得税が課されない。このことから，一般的に，所得税が課される最低の金額を「課税最低限」と呼んでいる。

(**注**) 給与所得者の場合は，基礎控除，配偶者控除又は配偶者特別控除，扶養控除，給与所得控除，社会保険料控除の合計額をもって，課税最低限としている。

　この課税最低限は，基礎控除額等の水準によって変動するものであるが，夫婦子供2人の標準的なサラリーマン世帯についてみれば，平成16年分以降は325万円，同23年分以降は年少扶養控除の廃止等により261万6,000円，同27年分からは社会保険料負担率の上昇による社会保険料控除額の増加の実態変化により285万4,000円となっている。

　課税最低限の累年比較を示せば，次表のとおりである。

　ちなみに，民主党政権下における平成22年度税制改正において，「所得の正常化」に向けて①～③の改革を推進することが示されていた。

① 社会保障，税共通の番号制度の導入
② 所得控除から税額控除・給付付き税額控除・手当への転換
③ 金融所得の一体化課税

　なかでも高所得者により有利に働くということを理由に，②の所得控除から税額控除，給付付き税額控除，直接現金を給付する手当により所得税の累進構造の再構築を図ろうとする改革が行われ，その政策の一つとして子供手当，高校の授業料の無償化という現金給付が行われ，所得控除である16歳未満の年少扶養親族の扶養控除の廃止，16歳以上19歳未満の特定扶養控除の扶養控除の上乗せ分が廃止された。

**所得税課税最低限の累年比較**（給与所得者）

| 区　分 | 所　得　税　（平年分） | | | |
|---|---|---|---|---|
| | 単身者 | 夫婦者 | 夫婦子1人 | 夫婦子2人 |
| | 千円 | 千円 | 千円 | 千円 |
| 昭和30年 | 100 | 150 | 181 | 212 |
| 40 | 202 | 360 | 425 | 491 |
| 45 | 347 | 587 | 741 | 900 |
| 50 | 800 | 1,073 | 1,418 | 1,830 |
| 55 | 831 | 1,136 | 1,569 | 2,015 |
| 60 | 967 | 1,322 | 1,833 | 2,357 |
| 平成元年 | 1,075 | 1,928 | 2,484 | 3,198 |
| 5 | 1,075 | 1,928 | 2,484 | 3,277 |
| 10 | 1,107 | 2,095 | 2,698 | 3,616 |
| 11 | 1,107 | 2,095 | 2,857 | 3,821 |
| 12〜15 | 1,144 | 2,200 | 2,833 | 3,842 |
| 16〜22 | 1,144 | 1,566 | 2,200 | 3,250 |
| 23〜26 | 1,144 | 1,566 | 1,566 | 2,616 |
| 27〜令和4 | 1,211 | 1,688 | 1,688 | 2,854 |

**（注）** 財務省ホームページ（https://www.mof.go.jp）に基づいて作成。

## 3　所得税の課税状況

　所得税の課税状況について，夫婦子供2人世帯の給与所得者（給与年額）及び事業所得者（所得年額）の所得税負担の状況を示すと，次表のとおりである。

## 所得税負担額の累年比較（夫婦及び子2人の場合）

(単位：円、％)

| 区分 | 給与年額又は所得年額 | 200万円 税額 | 200万円 負担率 | 300万円 税額 | 300万円 負担率 | 400万円 税額 | 400万円 負担率 | 500万円 税額 | 500万円 負担率 | 700万円 税額 | 700万円 負担率 | 1,000万円 税額 | 1,000万円 負担率 |
|---|---|---|---|---|---|---|---|---|---|---|---|---|---|
| 給与所得者 | 昭和30 | 754,250 | 37.7 | 1,292,850 | 43.1 | 1,883,250 | 47.1 | 2,483,250 | 49.7 | 3,772,000 | 53.9 | 5,722,000 | 57.2 |
| | 40 | 303,370 | 15.2 | 641,245 | 21.4 | 1,036,040 | 25.9 | 1,454,775 | 29.1 | 2,389,250 | 34.1 | 3,889,250 | 38.9 |
| | 50 | 11,000 | 0.6 | 82,800 | 2.8 | 186,600 | 4.7 | 305,600 | 6.1 | 644,400 | 9.2 | 1,368,000 | 13.7 |
| | 60・61 | — | — | 42,525 | 1.4 | 125,100 | 3.1 | 225,400 | 4.5 | 522,450 | 7.5 | 1,169,000 | 11.7 |
| | 平成元〜4 | — | — | — | — | 57,500 | 1.4 | 130,500 | 2.6 | 296,500 | 4.2 | 821,000 | 8.2 |
| | 5 | — | — | — | — | 52,500 | 1.3 | 125,500 | 2.5 | 291,500 | 4.2 | 811,000 | 8.1 |
| | 7・8 | — | — | — | — | 28,050 | 0.7 | 90,100 | 1.8 | 226,100 | 3.2 | 680,000 | 6.8 |
| | 9 | — | — | — | — | 33,000 | 0.8 | 106,000 | 2.1 | 266,000 | 3.8 | 730,000 | 7.3 |
| | 10 | — | — | — | — | — | — | 6,000 | 0.1 | 166,000 | 2.4 | 625,000 | 6.3 |
| | 11 | — | — | — | — | 10,400 | 0.3 | 68,800 | 1.4 | 196,800 | 2.8 | 552,000 | 5.5 |
| | 12〜15 | — | — | — | — | 8,800 | 0.2 | 64,800 | 1.3 | 180,000 | 2.6 | 489,600 | 4.9 |
| | 16・17 | — | — | — | — | 39,200 | 1.0 | 95,200 | 1.9 | 210,400 | 3.0 | 550,400 | 5.5 |
| | 18 | — | — | — | — | 44,100 | 1.1 | 107,100 | 2.1 | 236,700 | 3.4 | 619,200 | 6.2 |
| | 19〜22 | — | — | — | — | 24,500 | 0.6 | 59,500 | 1.2 | 165,500 | 2.4 | 590,500 | 5.9 |
| | 23・24 | — | — | 11,500 | 0.4 | 43,500 | 1.1 | 78,500 | 1.6 | 203,500 | 2.9 | 666,500 | 6.7 |
| | 25・26 | — | — | 11,741 | 0.4 | 44,413 | 1.1 | 80,148 | 1.6 | 207,773 | 3.0 | 680,496 | 6.8 |
| | 27〜令和4 | — | — | 4,084 | 0.1 | 34,203 | 0.9 | 67,386 | 1.3 | 172,038 | 2.5 | 590,648 | 5.9 |
| 事業所得者 | 昭和30 | 782,000 | 39.1 | 1,323,375 | 44.1 | 1,914,750 | 47.9 | 2,514,750 | 50.3 | 3,806,125 | 54.4 | 5,756,125 | 57.6 |
| | 40 | 346,980 | 17.3 | 690,560 | 23.0 | 1,090,560 | 27.3 | 1,520,880 | 30.4 | 2,451,200 | 35.0 | 3,951,200 | 39.5 |
| | 50 | 93,672 | 4.7 | 226,688 | 7.6 | 396,024 | 9.9 | 602,028 | 12.0 | 1,104,036 | 15.8 | 2,109,384 | 21.1 |
| | 60・61 | 44,740 | 2.2 | 159,754 | 5.3 | 302,288 | 7.6 | 484,944 | 9.7 | 957,600 | 13.7 | 1,839,240 | 18.4 |
| | 平成元〜4 | — | — | 83,610 | 2.8 | 178,640 | 4.5 | 278,640 | 5.6 | 657,280 | 9.4 | 1,435,920 | 14.4 |
| | 5 | — | — | 78,610 | 2.6 | 173,640 | 4.3 | 273,640 | 5.5 | 647,280 | 9.2 | 1,420,920 | 14.2 |
| | 7・8 | — | — | 54,069 | 1.8 | 134,844 | 3.4 | 219,844 | 4.4 | 537,280 | 7.7 | 1,137,280 | 11.4 |
| | 9 | — | — | 63,610 | 2.1 | 158,640 | 4.0 | 258,640 | 5.2 | 587,280 | 8.4 | 1,187,280 | 11.9 |
| | 10 | — | — | — | — | 58,640 | 1.5 | 158,640 | 3.2 | 482,280 | 6.9 | 1,082,280 | 10.8 |
| | 11 | — | — | 34,888 | 1.2 | 110,912 | 2.8 | 190,912 | 3.8 | 437,824 | 6.3 | 917,824 | 9.2 |
| | 12〜15 | — | — | 20,312 | 0.7 | 94,712 | 2.4 | 169,112 | 3.4 | 376,608 | 5.4 | 856,608 | 8.6 |
| | 16・17 | — | — | 50,712 | 1.7 | 125,112 | 3.1 | 199,512 | 4.0 | 437,408 | 6.2 | 917,408 | 9.2 |
| | 18 | — | — | 57,051 | 1.9 | 140,751 | 3.5 | 224,451 | 4.5 | 492,084 | 7.0 | 1,032,084 | 10.3 |
| | 19〜22 | — | — | 31,695 | 1.1 | 78,195 | 2.0 | 151,890 | 3.0 | 449,260 | 6.4 | 1,062,274 | 10.6 |
| | 23・24 | 4,195 | 0.2 | 50,695 | 1.7 | 97,195 | 2.4 | 189,890 | 3.8 | 525,260 | 7.5 | 1,149,674 | 11.5 |
| | 25・26 | 4,283 | 0.2 | 51,759 | 1.7 | 99,236 | 2.5 | 193,877 | 3.9 | 536,290 | 7.7 | 1,173,817 | 11.7 |
| | 27〜29 | — | — | 43,632 | 1.5 | 90,087 | 2.3 | 173,539 | 3.5 | 481,340 | 6.9 | 1,080,871 | 10.8 |
| | 30〜31 | — | — | 43,632 | 1.5 | 90,087 | 2.5 | 173,539 | 3.5 | 481,340 | 6.9 | 1,139,578 | 11.4 |

(注) 給与所得者については、財務省ホームページ（https://www.mof.go.jp）に基づいて作成（同省の統計において事業所得者に係る公表がない。）。

事業所得者については、(社)日本租税研究協会「税制参考資料集（平成31年度版）」（同発行が同協会から財務省に移管したため同年度版後の発行がない。）に基づいて作成。

## 第2節　課税所得と非課税所得，免税所得

　所得税は，すべての所得に対して課税されるのであるが，所得税法は，特定の所得について，原則として申告や申請の手続きを要することなく，「所得税を課さない」としている。これを「非課税所得」という。
　非課税所得とされているものには，たとえば，次のようなものがある。
① 　利率年1％以下の当座預金の利子，いわゆる子供銀行の預貯金の利子等
② 　増加恩給，傷病者や遺族の受ける恩給及び年金
③ 　出張旅費の一定額
④ 　通勤手当の一定額
⑤ 　生活用動産の譲渡に係る所得
⑥ 　強制換価手続又はこれに準ずる任意換価手続による資産の譲渡に係る所得
⑦ 　文化功労者に対する年金，ノーベル賞として交付される金品，一定の学術奨励金等
⑧ 　学資金及び法定扶養料
⑨ 　心身に加えられた損害に対する損害賠償金等
⑩ 　皇室の内廷費及び皇族費
⑪ 　相続，遺贈又は個人からの贈与により取得するもの
⑫ 　オリンピックの成績優秀者に対して日本オリンピック委員会から交付される金品
⑬ 　国又は地方自治体からの保育その他の子育てに係る助成として支給される金品
⑭ 　ひとり親家庭高等職業訓練促進資金貸付事業の住宅支援資金貸付けによる金銭の貸付けに係る債務免除を受けた場合の経済的利益の価額
⑮ 　生活福祉資金貸付制度における緊急小口資金の特例貸付事業等による金銭の貸付けに係る債務免除を受けた場合の経済的利益の価額

⑯　新型コロナウィルス感染症生活困窮者自立支援金・住民税非課税世帯等に対する臨時特別給付金・子育て世帯への臨時特別給付金
⑰　非居住者のカジノ行為の賞金に係る一時所得（令和9年1月1日から令和13年3月31日）

　なお，宝くじの賞金のように，所得税法以外の法律で非課税とされているものもある。

　また，肉用牛の売却から生ずる所得のように，所定の申告や申請などの手続きを要件として所得税が免除されるものがあり，これを「免税所得」という。

## 第3節　所得税の納税義務者

　所得税の納税義務がある者を納税義務者という。所得税の納税義務者は原則として自然人（個人）であるが，法人が納税義務者となる場合もある。
　所得税の納税義務者は，個人が居住者と非居住者に，法人が内国法人と外国法人に区分されている。
　それぞれの意義及び納税義務の範囲は，次のとおりである。

### 1　居住者

　日本に住所又は引き続いて1年以上居所がある個人を居住者という。居住者は，「非永住者」に該当しない限り，国内及び国外で生ずるすべての所得について納税義務がある（無制限納税義務者という。）。

(注) 1　非永住者とは，居住者のうち，日本の国籍を有しておらず，かつ，過去10年以内において国内に住所又は居所を有していた期間の合計が5年以下である個人をいう。
　　　2　非永住者は，国内源泉所得及び国外源泉所得で国内において支払われ，あるいは国外から送金されたものについて納税義務がある。

### 2　非居住者

　居住者以外の個人，すなわち，日本に住所又は1年以上の居所を有しない個人を非居住者という。非居住者は国内で生ずる所得についてのみ納税義務がある（制限納税義務者という。）。なお，令和2年（新型コロナウイルス感染症の影響により令和3年に延期）に開催される東京オリンピック競技大会若しくは東京パラリンピックに参加をし，又は大会関連業務に係る勤務その他の人的役務の提供を行う一定の非居住者の一定の国内源泉所得（平成31年4月1日から令和3年12月31日までのものに限る）については，所得税が課されない（適用期限到来により廃止）。

## 3　内国法人

　日本に本店又は主たる事務所がある法人を内国法人という。内国法人は，国内において利子，配当等所定のものの支払いを受けるときには，その所得について納税義務がある。

　内国法人に対しては，法人税法により，全ての所得に法人税が課されるにもかかわらず，所得税の納税義務もあるとされているのは，源泉徴収の対象となる利子，配当等については，個人，法人の区別なく源泉徴収を行うとしている徴税上の便宜に基づくものである。したがって，所得税を課すこと（源泉課税）の実質は，法人税の前払いである。

　令和4年度税制改正において，事業者等の源泉徴収事務負担を軽減する観点等から，一定の内国法人が支払いを受ける配当等で完全子法人株式等及び関連法人株式等に相当する一定の株式等に係る配当等については，所得税を課さないこととし，その配当等に係る所得税の源泉徴収が不要とされた。

## 4　外国法人

　内国法人以外の法人を外国法人という。外国法人は，国内において生ずる所得のうち，利子，配当等所定のものの支払いを受けるときには，その所得について納税義務がある。

　外国法人については，法人税の課される所得が特定されている。したがって，外国法人に所得税を課すこと（源泉課税）の実質は，法人税が課される所得に関しては内国法人と異ならないが，法人税が課されない所得については，法人税との調整が行われないため，内国法人とは異なった意味を持っていることになる。

## 第4節　所得の種類

　所得税法では，所得をその発生原因ないし発生形態によって，①利子所得，②配当所得，③事業所得，④不動産所得，⑤給与所得，⑥退職所得，⑦譲渡所得，⑧山林所得，⑨一時所得及び⑩雑所得の10種類に区分し，それぞれに応じた所得金額の計算方法を定めている。

　これは，所得には，毎年繰り返し発生する回帰的なものと臨時に発生する非回帰的なものとがあり，さらに，前者に属するものにも，不労所得，資産と勤労との共同によって生ずるもの，勤労のみによって生ずるものなどがあって，担税力に応じた課税のためには（応能負担の原則），所得の大小（量的担税力）のほかに，このような所得の発生原因ないし発生形態の相違（質的担税力）をも考慮する必要があることによる。

## 第5節　所得金額の計算

### 1　所得金額の計算の仕組み

　所得税法は，10種類の所得金額（各種所得の金額）を合計した金額から，基礎控除，配偶者控除等の所得控除を差し引き，その残額である課税所得金額（課税標準）に対して超過累進税率を適用して所得税額を計算するという課税方式を原則としており，これを「総合課税の原則」という。

**(注)** 1　各種所得の金額の計算は，所得税額算定の基礎をなすものであり，所得の種類に応じての差異があるものの，基本的には，「収入金額－必要経費＝所得金額」である。
　　　2　税率を適用する対象（課税物件，所得税についていえば「所得」）を具体的に数量，金額などで示したものを「課税標準」という。
　　　3　総合課税の原則の例外として，退職所得及び山林所得については，他の所得と総合せず，それぞれの所得金額に税率を適用して税額を計算する方式（分離課税）が採用されている。
　　　　平成20年度税制改正において上場株式等の配当所得の申告分離課税制度が創設され，総合課税と申告分離課税のいずれかを選択できることとなった。

### 2　各種所得の内容と計算

#### (1)　利子所得

　利子所得とは，預貯金や公社債の利子，合同運用信託や公社債投資信託等の収益の分配などに係る所得をいう。

　利子所得については，「収入金額＝利子所得の金額」である。

　したがって，元本である公債又は社債の取得に要した借入金に係る支払利子があったとしても，それを収入金額から控除することはできない。

　利子所得については，原則として，支払時における源泉徴収（税率：20.315％，所得税・復興特別所得税15.315％，地方税5％）で課税関係を終了する源泉分離課税制度が採用されている。

　なお，平成25年度税制改正により特定公社債等（国債，地方債等）の利子等の

20％源泉分離課税が，平成28年1月1日以後の利子等については税率20.315％（所得税・復興特別所得税15.315％，地方税5％）の申告分離課税に変更された。ただし，源泉徴収されたものについては，申告不要とすることができる。

### (2) 配当所得

　配当所得とは，株主や出資者が受ける剰余金の配当，利益の配当，基金利息，公社債投資信託及び公募公社債等運用投資信託以外の投資信託等の収益の分配などに係る所得をいう。

　配当所得については，「収入金額－借入金の利子＝配当所得の金額」である。

　ここにいう「借入金の利子」とは，株式などを取得するための借入金に係る支払利子であり，そのうち控除できる金額は，株式などの保有期間に対応する部分に限られる。

　配当所得に対する課税は，他の所得と合算して課税する総合課税が原則であるが，年間10万円以下の配当等に係る確定申告不要制度や上場株式等に係る配当所得の課税の特例が設けられている。

　上場株式等に係る配当所得については，3％以上所有（判定の基礎となる株主として選定した同族会社と合算して3％以上になるものを含む。）の大株主を除き他の所得と区分して申告分離課税を選択することもできる。この申告分離課税の税率は，平成25年12月31日まで軽減税率（10％）により適用（源泉徴収選択口座における源泉徴収税率の軽減税率も同様）され，その後は20％（復興特別所得税込みの所得税15.315％，住民税5％）の本則の税率が適用されている。

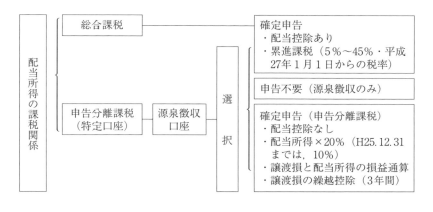

(注) 公募株式等証券投資信託の満期，解約によって生じる差益についての分配金は配当所得とされていたが，平成20年度税制改正において平成21年1月1日以後より譲渡所得として統一されることとなった。満期，解約以外の分配金については，従来通り配当所得として扱われる。

上場株式等に係る配当所得に係る本則の税率20％の適用に伴い，平成22年度税制改正により，非課税口座（NISA）内で，少額の上場株式等に係る配当所得及び譲渡所得等の非課税措置が，平成26年1月1日から適用されることになった。NISA とは，イギリスの ISA（Individual Saving Account）をモデルにした日本版 ISA（Nippon Individual Saving Account）制度についての愛称である。

現行の NISA（一般 NISA）制度の概要は，次のとおりである。

**一般 NISA の概要**

| 適用年月日 | 平成26年1月1日～令和5年12月31日 |
|---|---|
| 非課税対象者 | 20歳以上（口座を開設する年の1月1日現在）の居住者等 |
| 口座開設可能数 | 1人1口座 |
| 非課税期間 | 5年（ただし，移管により最大10年まで可能） |
| 非課税投資額 | 年120万円（平成27年まで100万円） |
| 非課税投資総額 | 最大600万円（平成27年まで最大500万円） |

(注) 1 平成26年度税制改正において，利便性向上のため非課税口座を開設する金融機関について1年単位での変更を可能とし，非課税口座を廃止した場合に再開設を認める見直しが行われた。
2 令和元年度税制改正により，海外転勤等により一時的に出国する場合においても，一定の継続適用届出書及び帰国届出書を提出することにより，継続してNISA 口座で商品を保有することが可能となった。
3 民法の成年年齢を20歳から18歳に引き下げる改正に伴って，令和5年1月1日以後に開設する非課税口座の年齢要件が18歳以上となる。

さらに，平成27年度税制改正により，0歳から19歳（令和5年1月1日以後は17歳）の居住者等に対して年間投資額80万円を上限とする「ジュニア NISA」の非課税措置が創設された。この制度は，令和2年度税制改正により，令和5年12月31日の期限をもって終了する。

平成29年度税制改正では，家計の安定的な資産形成を支援する観点から，少

額からの積立・分散投資を促進するための年間投資上限額40万円・非課税期間20年とする「積立NISA」の非課税措置が新たに創設された。ただし，積立NISAと一般NISAとは，選択適用となる。

令和2年度税制改正により，一般NISAの口座開設可能期間（令和5年12月31日まで）の終了にあわせ，特定非課税累積投資契約に係る非課税措置を創設して2階建ての新たな制度（新NISA）に改組され，積立NISAと選択適用となる。

**新NISAと積立NISAの概要**

|  | 新NISA（1階特定累積投資勘定・2階特定非課税管理勘定） | 積立NISA |
|---|---|---|
| 口座開設可能期間 | 令和6年1月1日～令和10年12月31日 | 平成30年1月1日～令和24年12月31日 |
| 投資方法 | 特定累積は定期的かつ継続・特定非課税は制限なし | 定期的かつ継続 |
| 非課税期間 | 5年 | 20年 |
| 非課税投資額 | 年122万円（特定累積20万円＋特定非課税102万円） | 年40万円 |
| 非課税投資総額 | 最大610万円 | 最大800万円 |

令和5年度税制改正において，岸田政権は「新しい資本主義」の実現に向けた「資産所得倍増プラン」の目標として，家計金融資産を貯蓄から投資にシフトさせるため，NISAの措置について，次のような抜本的拡充や恒久化が行われた。

(1) 積立NISAの勘定設定期間等（改正前：平成30年1月1日から令和24年12月31日まで）の末日が令和5年12月31日までとされた。

(2) 令和6年1月1日から開始される上記の新NISAが改組され，①口座開設可能期間の恒久化，②年間投資上限額の拡充，③非課税保有期間の無期限化などを含む抜本的な見直しが行われた。

改組後における新NISAの概要は，次のとおりとなる。なお，令和5年末までに一般NISAと積立NISAに投資した商品は，令和6年から適用となる新

NISA制度の外枠で引き続き非課税措置を適用できる。また，改組後の新NISA制度では，つみたて投資枠と成長投資枠との併用設定が可能とされた。

**新NISA（改組後）の概要**

|  | 積立投資枠<br>（特定累積投資勘定） | 成長投資枠<br>（特定非課税管理勘定） |
| --- | --- | --- |
| 口座開設可能期間 | 制限なし（恒久化） | 同左 |
| 投資方法 | 定期的かつ継続 | 制限なし |
| 年間非課税投資額 | 120万円 | 240万円 |
| 非課税保有期間 | 制限なし（無制限化） | 同左 |
| 非課税保有限度額（総枠） | 1,800万円 | |
|  |  | 1,200万円（内数） |

### (3) 不動産所得

不動産所得とは，土地や建物などの貸付け，地上権などの不動産に設定されている権利の貸付け，船舶や航空機の貸付けなどに係る所得をいう。

不動産，船舶及び航空機の貸付けを事業として行っていても，その所得は不動産所得となり，事業所得とはならない。

不動産所得については，「総収入金額－必要経費＝不動産所得の金額」である。

**(注)** 平成17年度税制改正により，不動産所得を生ずべき事業を行う民法上の組合又は投資事業有限責任組合の個人組合員（自ら組合事業に係る重要な業務の執行に関与し，契約を締結するための交渉等を自ら執行する個人組合員を除く）の当該事業に係る不動産所得の金額の計算上生じた損失（赤字）はなかったものとみなすこととされた（平成18年分以後の所得税について適用）。また，有限責任事業組合の個人組合員の組合損失額についても，その出資の価額を基礎として計算した金額を超える部分の金額は必要経費の額に算入しないこととされた。

必要経費とは，不動産の貸付けに係る総収入金額を得るために要した費用であり，原則として，事業所得の必要経費と同様である。

令和4年度税制改正により，税務調査時に簿外経費を主張する等の悪質な納税者への対応策として課税の公平性を確保するために，居住者（その年におい

第4章 所 得 税 55

て不動産所得を生ずべき業務を行う者）が事実の仮装・隠蔽に基づいて行った確定申告又は無申告の場合には，その簿外経費の額（一定の売上原価の額又は費用の額を除く）は，その者の各年分の不動産所得の金額の計算上，必要経費に算入しないとする措置が創設された（令和5年分以後の所得税について適用）。本措置は，事業所得若しくは山林所得又は一定の雑所得を生ずべき居住者の証拠書類のない簿外経費の額についても適用される。また，法人税においても同様に措置された。

(4) 事 業 所 得

事業所得とは，農業，漁業，製造業，卸売業，小売業，医師，弁護士，俳優，作家などのように，所定の事業を営んでいる者の事業に係る所得をいうが，山林所得及び譲渡所得に該当するものは除かれる。また，不動産，船舶及び航空機の貸付業に係る所得も事業所得から除かれる。平成26年度税制改正により，居住者等が，株式を無償又は有利な価額で取得することができる権利（ストックオプション）を発行法人から与えられた場合において，その権利を発行法人に譲渡したときは，当該譲渡の対価の額から当該権利の取得価額を控除した金額を，事業所得に係る収入金額，給与等の収入金額，退職手当等の収入金額，一時所得に係る収入金額又は雑所得に係る収入金額とみなして課税される。この改正は，平成26年4月1日以後に行う譲渡について適用される。

事業所得については，「総収入金額－必要経費＝事業所得の金額」である。

総収入金額には，本来の事業による収入金額（たとえば，商品の売上金額）のほか，商品を自分で消費した場合（自家消費）における商品の時価，商品に受けた損害に対して支払われる保険金や損害賠償金，いわゆる休業補償金なども含まれる。

収入金額の計算については，現金等により支払いを受けた時（現金主義）ではなく，各々の取引の形態からみて収入することが確定したと認められた時に収入があったものとして計算する，いわゆる「権利確定主義」がとられている。

必要経費とは，売上原価，給料，賃金，減価償却費，繰延資産の償却費，賃

借料，水道光熱費，固定資産税等の租税公課，貸倒損失等，総収入金額を得るために要した費用である。なお，家事関連費及び所得税・森林環境税・延滞税等は必要経費に算入することができない。

減価償却費，貸倒引当金，貸倒損失等の必要経費については，基本的には法人税の場合と同様であるので，次章を参照のこと。

ただし，家族従業員に対する支払給与については，原則として，一般の従業員に対する給与と異なり，必要経費とすることができない。

**(注)** 青色申告者については，家族従業員に対する支払給与が所定の要件を充足するものであり，それをあらかじめ税務署長に届け出ることにより，その給与を必要経費に算入できる。この給与を「青色事業専従者給与」という。

必要経費の計算についても，それらの費用を支払った時（現金主義）ではなく，原則として，その債務が確定した時に発生があったものとして計算する，いわゆる「債務確定主義」がとられている。

## (5) 給 与 所 得

給与所得とは，給料，賃金，賞与，俸給，歳費などに係る所得をいう。

給与所得については，「収入金額－給与所得控除額等＝給与所得の金額」である。

「給与所得控除額等」とは，給与所得控除額と特定支出控除額とをいい，「給与所得控除額」とは，給与所得を得るために必要な経費の概算控除等の性質を有しているものであって，収入金額の多寡に応じて法定されている。

また，「特定支出控除額」とは，給与所得者が一定の要件に該当する通勤費，転居費，資格取得費，単身赴任者の帰宅旅費，勤務必要経費及び職務遂行旅費（平成30年度税制改正で追加）等特定の支出をした場合において，それらの合計額が給与所得控除額を超える部分をいい，確定申告により，その超える額（特定支出控除額）を「給与所得控除後の給与等の金額」から控除できる。

平成26年度税制改正により，給与所得者の特定支出の控除の特例について，一律に，その年中の特定支出の額の合計額が給与所得控除額の2分の1を超え

**平成29年分から令和元年分の給与所得控除額**

| 給与等の収入金額 | | 給与所得控除額 |
|---|---|---|
| | 162.5万円以下 | 65万円 |
| 162.5万円超 | 180万円以下 | 収入金額×40% |
| 180万円超 | 360万円以下 | 収入金額×30%＋18万円 |
| 360万円超 | 660万円以下 | 収入金額×20%＋54万円 |
| 660万円超 | 1,000万円以下 | 収入金額×10%＋120万円 |
| 1,000万円超 | | 220万円 |

**令和2年分以後の給与所得控除額**

| 給与等の収入金額 | | 給与所得控除額 |
|---|---|---|
| | 162.5万円以下 | 55万円 |
| 162.5万円超 | 180万円以下 | 収入金額×40%－10万円 |
| 180万円超 | 360万円以下 | 収入金額×30%＋8万円 |
| 360万円超 | 660万円以下 | 収入金額×20%＋44万円 |
| 660万円超 | 850万円以下 | 収入金額×10%＋110万円 |
| 850万円超 | | 195万円 |

る場合には，その超える部分の金額を給与所得控除額に加算する見直しが行われた。この改正は，平成28年分以後の所得税について適用されている。

　平成25年分以降の給与所得控除額については，給与収入が1,500万円を超える場合は，給与所得控除額について245万円の上限が設けられることとなった。

　また，平成26年度税制改正により，給与所得控除の上限額が平成28年分の所得税について給与収入1,200万円を超える場合は230万円に，平成29年度以後の所得税について，給与収入1,000万円を超える場合は220万円に漸次引き下げられた。

　さらに，平成30年度税制改正において，基礎控除額の引上げに伴って，給与所得控除額を一律10万円引き下げ，給与所得控除額の上限額が適用される給与等の収入金額が850万円とされるとともに，その上限額が195万円に引き下げられた。

(6) 退職所得

　退職所得とは，退職手当，一時恩給，その他の退職により一時に受ける給与等（退職手当等）に係る所得をいう。

平成14年度改正により，従来の適格退職年金等と同様，確定給付企業年金法の規定に基づいて支給を受ける一時金で加入者の退職により支払われるものは退職手当等とみなすこととされた。

退職所得については，「(収入金額－退職所得控除額)×1／2＝退職所得の金額」である。

「退職所得控除額」は，退職所得が，一時にまとめて支給され，退職後の老後の生活保障的な意味を持つなど，担税力の弱いことを考慮したものであり，退職所得者の勤続年数等に応じて，次のように定められている。

① 勤続年数が20年以下の場合

　　40万円×勤続年数

　ただし，80万円に満たない場合には，80万円である。

② 勤続年数が20年を超える場合

　　800万円＋70万円×(勤続年数－20年)

なお，障害者となったことに直接基因して退職した場合は，この勤続年数に応じて計算される額に100万円を加算した額が退職所得控除額となる。

平成25年以降，勤続年数5年以下の法人役員等の退職手当等(特定役員退職手当等)については，退職所得控除額を控除した残高に対する2分の1を所得金額とする措置が廃止されている。

令和4年以降，勤続年数5年以下の法人役員等以外の退職手当等(短期退職手当等)について，短期退職手当等の収入金額から退職所得控除額を控除した残額のうち300万円を超える部分については，2分の1課税の平準化措置の適用から除外される。

(7) **譲渡所得**

譲渡所得とは，土地，建物，借地権，ゴルフ会員権などの資産の譲渡による所得をいう。

資産の譲渡には，借地権の設定等，契約により他人に土地を長期間使用させる行為で一定のもの(借地権の設定により収受する対価が土地の時価の2分の1を超

える場合等）も含まれる一方，棚卸資産（仮想通貨（暗号資産）を除く）又はこれに準ずる資産の譲渡，営利を目的として継続的に行われる資産の譲渡，山林の伐採又は譲渡による所得は譲渡所得とならず，事業所得，山林所得等となる。

譲渡所得は，土地等（借地権，その他土地の上に存する権利を含む）又は建物等（建物附属設備，構築物を含む）の譲渡に係るものと，それ以外の資産の譲渡に係るものとに区分されており，前者については，住宅建設の促進などを目的として分離課税が，後者については総合課税がとられている。

① 総合課税の譲渡所得

土地等及び建物等以外の資産の譲渡，たとえば，ゴルフ会員権の譲渡に係る所得である。

この譲渡所得については，資産の取得後5年を超えて行われた譲渡に係る長期譲渡所得と5年以内に行われた譲渡に係る短期譲渡所得とに区分されているが，いずれも，「総収入金額－（取得費＋譲渡費用）－特別控除額＝長期（短期）譲渡所得金額」である。

ここでいう特別控除額とは，譲渡益（総収入金額－（取得費＋譲渡費用））と50万円とのいずれか少ない金額であり（特別控除額を控除することにより，譲渡所得金額がマイナスになることはない），譲渡益に長期譲渡所得に係るものと短期譲渡所得に係るものとがある場合には，まず，短期譲渡所得から差し引く。

なお，長期譲渡所得については，その2分の1に相当する金額が，他の所得と総合され，総所得金額が計算される。

② 分離課税の譲渡所得

土地等又は建物等の譲渡に係る所得である。

この譲渡所得も，譲渡した年の1月1日現在で所有期間が5年を超えるものの譲渡に係る長期譲渡所得と，5年以内のものの譲渡に係る短期譲渡所得とに区分されている。

長期譲渡所得については，原則として課税長期譲渡所得金額に15％（地方税を含めて20％）の税率，短期譲渡所得については，原則として課税短期譲渡所得金額に30％（地方税を含めて39％）の税率が適用される。平成25年から

令和19年までは，復興特別所得税として基準所得税額の2.1％を所得税と併せて申告・納付することとされている。また，土地，建物等の譲渡損失は，土地，建物等の譲渡による所得以外の所得との損益通算及び翌年以降の繰越は認められない（特定の居住用財産の売却損等については，損益通算，繰越控除の適用がある）。また，その譲渡利益を，他の所得の損失と通算することもできない。

なお，土地等や建物等の譲渡所得については，次のような，特別控除，交換・買換えの課税の特例等が設けられている。

イ　特別控除

収用交換等のために土地等を譲渡 ……………………………… 5,000万円
居住用家屋あるいはその家屋とともに敷地を譲渡 ……………… 3,000万円
農地保有の合理化等のために農地等を譲渡 ……………………… 800万円
特定土地区画整理事業等のために土地等を譲渡 ………………… 2,000万円
特定住宅地造成事業等のために土地等を譲渡 …………………… 1,500万円
平成21年及び平成22年に取得した土地等を譲渡 ………………… 1,000万円

この特別控除額は，年間5,000万円が限度である。

(注)　1　空き家に係る譲渡所得の特別控除の特例

平成28年度税制改正により，空き家の発生を抑制し，地域住民への生活環境への悪影響を未然に防止する観点から，相続又は遺贈による一定の要件を満たす被相続人居住用家屋及びその敷地等を取得した個人が，平成28年4月1日から令和9年12月31日までの間に一定の譲渡をした場合には，居住用財産を譲渡した場合に該当するものとみなして，居住用財産（令和5年度税制改正：家屋について耐震基準適合又は全部取壊し若しくは除却が要件，令和6年1月1日以後の適用）を譲渡した場合の3,000万円（令和5年度税制改正：相続人の数が3人以上の場合は2,000万円，令和6年1月1日以後の適用）特別控除を適用できる制度が導入された。

2　所有者不明土地の収用の場合の特別控除の特例

令和元年度税制改正により，所有者不明土地の利用の円滑化等に関する特別措置法で定める土地収用法等の規定に基づいて資産が収用されて補償金を取得する場合が収用等に伴い代替資産を取得した場合の課税の特例の適用対象に追加された。これにより，この特例の適用を受けないとき，収

用交換等の場合の5,000万円特別控除の適用を受けることができる（令和元年6月1日以後適用）。

　3　低未利用土地等の譲渡に係る特別控除の特例

　　令和2年度税制改正により，低未利用地の利活用の促進と地域の価値向上支援等の観点から，個人が保有する低未利用土地等で一定の譲渡を令和2年7月1日から令和7年12月31日までの間にした場合に，長期譲渡所得の金額から100万円を控除することができる制度が創設された。

ロ　交換・買換えの特例

　土地や建物を同種の資産と交換した場合

　特定の事業用資産を買い換えた場合

　収用等により代替資産を取得した場合

　特定の居住用財産を交換し，あるいは買い換えた場合

　中高層耐火建築物等の建設のために交換し，あるいは買い換えた場合

　特定の交換分合により土地等を取得した場合

　国有財産とその隣接する土地等を交換した場合

　**(注)**　これらの特例は，譲渡資産の価額から取得資産の価額を差し引いた部分についてだけ，課税を行うというものである（課税の延期）。

ハ　税率軽減の特例

　長期所有の居住用財産を譲渡した場合

　優良住宅地の造成等のために土地等を譲渡した場合

ニ　そ　の　他

　(イ)　相続財産を相続税の申告書の提出期限後3年以内（ただし，平成5年12月31日以前に取得した相続財産を譲渡した場合は2年以内）に譲渡した場合には，相続税額のうち所定額を取得費に加算することができる。なお，相続により取得した土地等を譲渡した場合は，相続したすべての土地等（平成26年度税制改正：平成27年1月1日以後は，その譲渡をした土地等）に対応する相続税相当額を加算できる。

　(ロ)　令和2年度税制改正において，令和2年4月1日以後に配偶者居住権等が消滅し，その消滅につき対価を取得した場合における譲渡所得の金

額の計算上控除する取得費に係る規定が創設された。

③　株式等の譲渡に係る課税

　株式等（新株予約権付社債など一定のものを含む）の譲渡に係る所得については，その譲渡が営利を目的として行われたかどうかにより，譲渡所得，事業所得又は雑所得（譲渡所得等）に区分される。

　この譲渡所得等に対する課税については，個人投資家の市場参加の促進や証券市場の構造改革に資する等の観点から，数次にわたり改正等がされており，平成13年11月の改正においては，上場株式等に係る譲渡所得等の源泉分離選択課税制度が廃止されて申告分離課税へ一本化されるとともに，上場株式等の譲渡に係る軽減税率の特例，上場株式等の譲渡損失の繰越控除制度等が創設され，次いで，平成14年度改正においては，申告分離課税への一本化に伴う個人投資家の申告事務負担に配慮する観点から，証券会社に設定された「特定口座」を通じて行われる一定の上場株式等の譲渡についての所得金額の計算の特例，源泉徴収等の特例及び申告不要の特例が創設された。

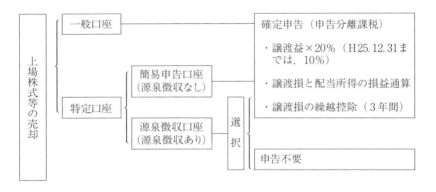

　平成24年から適用されることとなっていた少額の上場株式投資のための非課税措置（一般NISA）は，平成26年1月1日から適用されることとされた。この制度は，上場株式の配当，譲渡益について年間1人1口座の非課税口座を開設し，毎年新規投資額で100万円（平成28年以降120万円）を上限に5年間で500万円（平成28年以降は600万円）を投資した場合に，その非課税口座におけ

る保有期間10年以内の株式の譲渡益，その株式の配当については，非課税とされる。平成27年度税制改正においては「ジュニアNISA」，平成29年度税制改正においては「積立NISA」の非課税措置が創設されている。令和2年度税制改正により，一般NISAの口座開設可能期間（令和5年12月31日まで）の終了にあわせ，特定非課税累積投資契約に係る非課税措置を創設して2階建ての新たな制度（新NISA）に改組された。さらに，令和2年度税制改正による新NISAが，令和5年度税制改正において改組され，NISAの措置の抜本的拡充や恒久化が行われた。

また，令和5年度税制改正では，スタートアップへの投資促進の観点から，保有する株式を売却して令和5年4月1日以後に一定のスタートアップへの再投資を行った場合に，再投資分につき20億円を上限として株式譲渡益に課税しない制度が創設された。

### (8) 山林所得

山林所得とは，山林を伐採し又は立木のままでした譲渡に係る所得をいう。ただし，山林を取得した日以後5年以内に伐採し又は行った譲渡に係る所得は山林所得ではなく，事業所得又は雑所得となる。

山林所得については，「総収入金額－必要経費－特別控除額＝山林所得の金額」である。

必要経費は，山林の植林費，取得費，下刈費，伐採費，搬出費，仲介手数料その他山林の育成又は譲渡に要した費用である。ただし，山林所得の計算の簡便化のため，その年の15年前の12月31日以前から所有していた山林の譲渡に要した費用以外の必要経費の額は，伐採又は譲渡に係る総収入金額から伐採費などの譲渡費用を差し引いた額に「概算経費率50％」を乗じた金額（概算経費）とすることができる。この場合，概算経費の額と譲渡に要した費用との合計額が必要経費とされる。

特別控除額は，「総収入金額－必要経費」の金額と50万円とのいずれか少ない金額である。

## (9) 一時所得

　一時所得とは，利子所得，配当所得，不動産所得，事業所得，給与所得，退職所得，譲渡所得又は山林所得以外の一時的な所得をいう。営利を目的とする継続的行為から生じたものや労務その他の役務又は資産の譲渡の対価としての性質を有するものは含まれない。たとえば，懸賞の賞金品，競馬の馬券の払戻金，競輪の車券の払戻金，生命保険金の一時金，損害保険金の満期返戻金，法人からの贈与により取得する金品，遺失物拾得者（又は埋蔵物発見者）の受ける報労金，遺失物（又は埋蔵物）の拾得（又は発見）により所有権を取得した資産，売買契約の解除に伴い取得した手付金又は償還金等が該当する。

　一時所得については，「総収入金額－その収入を得るために支出した金額－特別控除額＝一時所得の金額」である。「その収入を得るために支出した金額」は，その収入を生じた行為をするため，又はその収入を生じた原因の発生に伴い直接要した金額に限られる。すなわち，その支出が収入を生んだ場合に限って，その支出を収入から控除する建前がとられている。

　特別控除額は，「総収入金額－その収入を得るために支出した金額」の金額と50万円とのいずれか少ない金額である。

　なお，一時所得は，その2分の1に相当する金額が他の所得と総合される。

**(注)**　生命保険金の一時金，損害保険金の満期返戻金に係る所得計算に関しては，別途，特別な計算方法が定められている。

## (10) 雑　所　得

　雑所得とは，利子所得，配当所得，不動産所得，事業所得，給与所得，退職所得，譲渡所得，山林所得及び一時所得のいずれにも該当しない所得をいう。

　たとえば，年金や恩給などの公的年金等，定期積金又は相互掛金のいわゆる給付補塡金，抵当証券の利息，公社債の償還差益又は発行差金，就職に伴う転居（旅行）費用として支払いを受けた金銭等で通常必要な範囲を超えるもの，役員又は使用人が職務に関連して取引先等から受けた金品等，作家あるいは著述家以外の者が受ける印税や原稿料，講演料や放送謝金，金銭や動産の貸付け

に係る所得，不動産の継続的売買に係る所得，保有期間が5年以内の山林の伐採又は譲渡に係る所得等（いずれも，事業から生じたものと認められるものを除く）が該当する。

雑所得については，「公的年金等に係る金額」と「公的年金等以外のものに係る金額」との合計額が雑所得の金額であり，公的年金等に係る金額は「公的年金等の収入金額－公的年金等控除額」であり，公的年金等以外のものに係る金額は「総収入金額－必要経費」である。

**(注)**「公的年金等」とは，国民年金法，厚生年金保険法，国家公務員共済組合法，地方公務員等共済組合法，私立学校教職員共済法，農業者年金基金法の規定に基づく年金，恩給及び過去の勤務に基づいて使用者であった者から支給される年金，特定退職年金共済団体が行う退職金共済制度に基づいて支給される年金，確定給付企業年金法の規定に基づいて支給を受ける年金，中小企業退職金共済法による分割退職金，小規模企業共済契約に基づいて支給される分割共済金等をいう。

「公的年金等控除額」は，受給者の年齢（65歳以上か否か）と収入金額の多寡に応じて法定されている。公的年金等控除は，給与所得控除とは異なり収入が増加しても控除額に上限がなく，年金のみで暮らす者と同じ控除が受けられる制度となっていた。そのため，平成30年度税制改正において，公的年金等控除額を一律10万円（公的年金等に係る雑所得以外の所得が，1,000万円を超え2,000万円以下である場合は20万円，2,000万円を超える場合には30万円）引き下げる見直しが行われた。

なお，平成23年分以降の公的年金等の収入金額が400万円以下でかつ年金以外の他の所得金額が20万円以下の場合は，その者についての確定申告は不要となった。ただし，これらの要件に該当する者であっても，平成26年度税制改正により，源泉徴収の対象とならない公的年金等の支給を受ける者は，平成27年分以後の所得税について，公的年金等に係る確定申告不要制度を適用できないこととされた。

定期積金の給付補塡金，抵当証券の利息などの金融類似商品の収益については，一律15％（復興特別所得税込は15.315％，ほかに地方税5％）の税率による源

泉徴収によって課税関係が終了する源泉分離課税が行われる。また、公的年金等、原稿料、放送謝金等については、支払いの際に源泉徴収が行われる。

## 3 所得税の計算の仕組み

### (1) 計算の概要

居住者は、その年分の全ての所得につき納税義務がある。

この納税義務に係る所得税の額は、まず、前章で述べたところで計算される各種の所得金額に対して、損益通算、純損失の繰越控除及び雑損失の繰越控除を行って、総所得金額、分離課税の事業所得等の金額、分離課税の譲渡所得金額、退職所得金額、山林所得金額及び株式等に係る譲渡所得等の金額を計算する。

次に、これらの所得金額から所得控除額を差し引いて、課税総所得金額、分離課税の課税事業所得等の金額、分離課税の課税譲渡所得金額、課税退職所得金額、課税山林所得金額及び株式等に係る課税譲渡所得等の金額を計算し、各々の課税所得金額に所定の税率を適用して税額を算出し、それらの税額を合計する。この税額を「算出税額」という。そして、この算出税額から税額控除を行ったものが所得税額（年税額）である。

なお、この所得税額（年税額）から源泉徴収税額と予定納税額を差し引いた金額が確定申告により納付すべき税額となる（赤字の場合は、還付税額）。

以上を簡単に図示すると、次のとおりである。

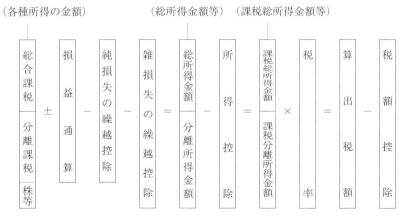

(注) 1　各種所得の分離課税のうち，居住用財産の買換え等の場合の譲渡損失及び特定居住用財産の譲渡損失については他の所得との損益通算ができる。
　　 2　各種所得の「株等」のうち，上場株式等に係る一定の譲渡損失については，上場株式等に係る配当所得等の金額との損益通算ができる。

## (2) 出国時課税制度の創設

　居住者が多額な含み益を有する有価証券等を，シンガポール等の有価証券譲渡益非課税国に出国して租税回避を図るという事態を防止するために，平成27年度改正により，有価証券等又は未決済デリバティブ取引等を有する居住者が国外に転出をする時に，その有価証券等の譲渡又は未決済デリバティブ取引等を決済したものとみなして事業所得，譲渡所得又は雑所得の金額を計算することとする出国時課税制度が創設された。

　この制度は，国外転出の年分の確定申告の提出時までに納税管理人の届け出をした場合には，国外転出時の有価証券等の価額で譲渡したものとみなされ，それ以外の場合には，その転出予定日の3か月前の日における価額で譲渡されたものとみなされて課税される。この場合，納税は猶予され，出国期間中に対象資産の売却を行わずに原則5年以内に帰国した場合には，納税猶予の対象となった所得税が免除されることとされている。

　この制度の適用対象者は，「出国時の有価証券の時価＋未決済デリバティブ取引等の利益の額又は損失の額≧1億円」の場合に課税の対象とされ，その適用は，平成27年7月1日以後に国外転出する場合，又は同日以後に非居住者に贈与・相続又は遺贈により有価証券等が移転する場合が対象とされる。

　なお，相続開始の日の属する年分の所得税につき，贈与・相続又は遺贈により非居住者に有価証券等の対象資産が移転した場合の出国時課税の適用を受けた居住者について生じた遺産分割等の事由により，非居住者に移転した当該資産が当初申告と異なることとなった場合の是正について創設時には措置されていなかったところ，平成28年度税制改正により，その居住者の相続人は，その事由が生じた日から4か月以内に，税額が増加する場合等には修正申告書を提出しなければならないこととし，税額が減少する場合等には更正の請求ができ

ることになった。この改正は，平成28年1月1日以後に遺産分割等の事由が生ずる場合について適用される。

### (3) 極めて高い所得に対する負担の適正化

令和5年度税制改正により，税負担公平性の観点から，所得が増えると税率が低下する，いわゆる「1億円の壁」を是正するために，個人でその者のその年分の基準所得金額が3億3,000万円を超えるものについては，その超える部分の金額の100の22.5に相当する金額からその年分の基準所得税額を控除した金額に相当する所得税を課する措置が講じられた（令和7年分以後の適用）。基準所得金額とは，申告不要制度を適用しないで計算した合計所得金額をいい，基準所得税額とは基準所得金額に係る所得税の額をいう。

### (4) 損益通算と純損失の金額

損益通算とは，不動産所得の金額，事業所得の金額，山林所得の金額又は譲渡所得の金額の計算上生じた損失（赤字）があるときに，これを法定の順序で他の各種所得の金額から控除することをいう。

株式等に係る譲渡所得等の金額又は先物取引に係る雑所得等の金額，及び生活に通常必要でない資産の譲渡等から生じた損失は，他の所得と損益通算できない。

平成26年度税制改正により，譲渡損失について，他の所得との損益通算及び雑損控除を適用することができない「生活に通常必要でない資産」の範囲に，主として趣味，娯楽，保養又は鑑賞の目的で所有する不動産以外の資産（ゴルフ会員権，リゾート会員権など）が追加された。この改正は，平成26年4月1日以後の資産の譲渡等により生ずる損失の金額について適用される。

平成20年度税制改正により，平成21年以降上場株式等の譲渡益と上場株式等の配当所得等（申告分離課税を選択したものに限る）との間の損益通算が認められることとなった。

令和2年度税制改正により，個人が，令和3年以後の各年において，国外中

古建物から生ずる不動産所得を有する場合においてその年分の不動産所得の金額の計算上国外不動産所得の損失の金額があるときは，その国外不動産所得の損失の金額のうち当該国外中古建物の償却費に相当する部分の金額は生じなかったものとみなし，損益通算ができないことになった。

損益通算の順序は法定されており，たとえば，総所得金額内の損益通算の順序は，次のとおりである。

① 不動産所得，事業所得の損失は，まず，経常所得（利子，配当，不動産，事業，給与及び雑所得）から控除する。
② 譲渡所得の損失は，まず，一時所得から控除する。
③ ①の通算により控除しきれない損失は，②の通算後の所得から控除する。
④ ②の通算により控除しきれない損失は，①の通算後の所得から控除する。

損益通算によって控除しきれない損失の金額を「純損失の金額」という。

## (5) 純損失の繰越控除等

純損失の金額のうちの所定のものについては，翌年分以降の総所得金額等の計算上，控除することができる。この制度を「純損失の繰越控除」という。

繰越控除できるものは，青色申告に係る純損失の金額のほか，「変動所得」の損失及び「被災事業用資産の損失の金額」であり，繰越控除できる期間は損失発生の翌年以降3年間（令和5年度税制改正：特定非常災害による損失は5年間）である。なお，この期間内は，連続して確定申告書を提出していなければならない。

ここでいう「変動所得」とは，漁獲から生ずる所得，原稿・作曲の報酬，著作権の使用料に係る所得，その他年々の変動の激しいものに係る所得をいい，法定されている。

「被災事業用資産の損失の金額」とは，不動産所得，事業所得又は山林所得を生ずべき事業に係る棚卸資産，事業用資産，繰延資産又は山林の災害による損失の金額をいう（保険金，損害賠償金等により補填された金額を除く）。

なお，青色申告書を提出した年分に生じた純損失の金額については，「純損

失の繰戻し」（純損失の金額に対応する前年分の所得税の額）の還付請求の対象とした金額を除き，その全額を繰越控除できる。

**(注)** 1　上場株式等に係る譲渡損失の繰越控除

　　その年の前年以前3年内の各年において，一定の上場株式等の譲渡により生じた損失の金額のうち，その年分の株式等に係る譲渡所得等の金額の計算上控除しきれない部分の金額（上場株式等に係る譲渡損失）については，株式等に係る譲渡所得等の金額の計算上生じた損失の金額はなかったものとみなす「株式等譲渡益課税の原則」にかかわらず，当該確定申告に係る年分の株式等に係る譲渡所得等の金額を限度として，その計算上控除できることとされた。なお，当該上場株式等に係る譲渡損失の金額の計算に関する明細書等の確定申告書への添付等が要件とされている。

　　2　特定中小会社が発行した株式に係る譲渡損失の繰越控除等の特例

　　いわゆるエンジェル税制の一つとして，中小企業の創造的事業活動の促進に関する臨時措置法に規定する特定中小会社が発行する株式を払込みにより取得した個人（同族株主等一定の者を除く）が，その取得の日から当該株式の上場等の日の前日までの間にした当該株式の譲渡により損失が生じた場合において，その損失をその年中の他の株式等の譲渡益から控除してもなお控除しきれない金額があるときは，一定の要件の下で，その控除しきれない金額をその年の翌年以降3年内の各年分の株式等に係る譲渡所得等の金額から繰越控除できる。

　　3　居住用財産の買換え等の場合の譲渡損失の損益通算及び繰越控除

　　確定申告書を提出する個人が，その年の前年以前3年内において生じた所有期間が5年超であった居住用財産の買換えにより生じた譲渡損失の金額（控除適用譲渡損失金額）を有し，その年12月31日において，買換えにより取得した居住用財産に係る住宅借入金等の金額を有するときは，その年分の総所得金額，退職所得金額又は山林所得金額の計算上控除適用譲渡損失金額相当額を控除できることとされた。ただし，まず損益通算による控除，そして純損失の繰越控除を行い，次にこの繰越控除，そして雑損失の繰越控除を行う。これは，令和5年12月31日までに譲渡したものに適用される。

　　この特例の適用に関しては，親族や同族会社等，特別の関係にある者に対する譲渡は除かれており，また，合計所得金額が3,000万円を超える年分については適用がなく，譲渡した前年又は前々年に他の居住用財産の譲渡の特例の適用を受けている場合等も適用がない。さらに，譲渡損失が生じた年分にその明細書を添付した確定申告書を提出期限内に提出するとともに，その後連続して確定申告書を提出していること，控除年分においては，その控除の明細書等の書類を添付することが必要である。

## 4　特定居住用財産の譲渡損失の損益通算及び繰越控除

令和5年12月31日までの間に，個人がその有する家屋又は土地等でその年の1月1日において所有期間が5年を超えるもので当該個人の居住の用に供しているもの（譲渡資産）を譲渡した場合において（親族等に対するものを除き，当該譲渡契約の締結日の前日において譲渡資産に係る一定の住宅借入金等を有する場合に限る），当該譲渡資産に係る譲渡所得の金額の計算上生じた損失の金額（当該譲渡資産に係る一定の住宅借入金等の金額から当該譲渡資産の譲渡の対価の額を控除した残額を限度とする）があるときは，一定の要件のもとで，その損失の金額をその年の翌年以後3年内の各年（合計所得金額が3,000万円以下の年分に限る）の総所得金額等から控除できることとされた。

## (6)　雑損失の繰越控除

雑損失の金額とは，納税者，生計を一にする配偶者その他の親族の有する資産（生活に通常必要でない資産及び事業用資産を除く）について災害，盗難又は横領により生じた損失の金額の合計額が，総所得金額等の合計の10分の1相当額など，所定の金額を超える場合におけるその超える金額をいう。

雑損失の金額については，その年分の総所得金額等から雑損控除として控除できるほか，控除しきれない金額は，翌年以降3年間（令和5年度税制改正：特定非常災害による損失は5年間）の繰越控除が認められている。これを「雑損失の繰越控除」といい，連続して確定申告書を提出していなければならない。

## (7)　総所得金額等の計算

「総所得金額等」とは，総所得金額，分離課税の土地等に係る事業所得等の金額，分離課税の譲渡所得金額，退職所得金額，山林所得金額，株式等に係る譲渡所得等の金額及び先物取引に係る雑所得等の金額をいう。

これらのうち，「総所得金額」は，退職所得及び山林所得以外の各種所得の金額を合算して求められるものであり，利子所得の金額，配当所得の金額，不動産所得の金額，事業所得の金額，給与所得の金額，短期譲渡所得の金額及び雑所得の金額（いずれも，分離課税以外のもの）の合計額と，長期譲渡所得の金額（分離課税以外のもの）及び一時所得の金額との合計額の2分の1に相当する

金額との合計額をいう。

　分離課税の土地等に係る事業所得等の金額，分離課税の譲渡所得金額等は，それらの各所得金額に対して，所定の方法により損益通算，純損失の繰越控除及び雑損失の繰越控除を行った後の金額である。

### (8) 所得控除と課税総所得金額等の計算

　「課税総所得金額等」とは，課税総所得金額，分離課税の土地等に係る課税事業所得等の金額，分離課税の課税譲渡所得金額，課税退職所得金額，課税山林所得金額及び株式等に係る課税譲渡所得等の金額をいう。

　課税総所得金額等は，総所得金額等から以下に述べる所得控除を行って求める。

　所得控除は，まず，雑損控除を総所得金額，分離課税の土地等に係る事業所得等の金額，分離課税の短期譲渡所得の金額，分離課税の長期譲渡所得の金額，分離課税の株式等に係る譲渡所得等の金額，分離課税の先物取引に係る雑所得等の金額，山林所得の金額，退職所得の金額の順序で差し引く。

　次いで，雑損控除以外の各種所得控除の合計額を，雑損控除を行った後の各所得金額から，雑損控除と同一の順序で差し引く。

① 雑損控除

　居住者，生計を一にする配偶者その他の親族（所得金額が基礎控除の額以下の者）の有する資産（生活に通常必要でない資産及び事業用資産を除く）について，災害又は盗難若しくは横領によって損失が生じ，あるいはそれらに係るやむを得ない支出を行った場合には，総所得金額等から一定額を控除できる。

　雑損控除の額は，災害関連支出の金額の有無等の区分により，次のとおり計算される。

　　ア　損失額のうち，災害関連支出が5万円以下（又は0）の場合

　　　　損失額－（合計所得金額×1／10）＝雑損控除額

　　イ　損失額のうち，災害関連支出が5万円超の場合

　　　　損失額－（a又はbの少ない金額）＝雑損控除額

　　　　　a：損失額－（災害関連支出額－5万円）

　　　　b：合計所得金額×1／10
　ウ　損失額の全部が災害関連支出の場合
　　　　損失額－（a又はbの少ない金額）＝雑損控除額
　　　　a：5万円
　　　　b：合計所得金額×1／10
**(注)**「損失額」とは，保険金，損害賠償金，その他これらに類するものにより補塡された金額を除いた額であり，「合計所得金額」とは，純損失の繰越控除及び雑損失の繰越控除等を適用しないで計算した，総所得金額等の合計額をいう。

　なお，資産について受けた損失の金額は，当該損失を生じた時の直前におけるその資産の価値を基礎として計算するものとし，その資産が家屋等の使用又は期間の経過により減価するものである場合には，その資産の取得価額から減価償却累計額相当額を控除した金額を基礎として計算することができる。

② 医療費控除

　居住者が，自己又は生計を一にする配偶者その他の親族に係る医療費を支払った場合には，総所得金額等から，その支出金額及び合計所得金額に応じて法定されている一定額（限度額：200万円）を控除できる。

　なお，「医療費」の範囲には，医師又は歯科医師による診療又は治療の対価，あん摩・マッサージ・指圧師・はり師・きゅう師・柔道整復師による施術，医薬品の購入の対価のほか，通院のための費用，保健師及び看護師による療養上の世話を受けるために通常必要と認められる費用も含まれる。

　従前においては健康診断のための費用は適用対象外であったが，一定の対象者の特定健診，特定保健指導に係る費用の自己負担分が医療費控除の対象として認められることとなった。

　また，平成28年度税制改正により，居住者が平成29年1月1日から令和3年12月31日までの間に，自己又は自己と生計を一にする配偶者その他の親族に係る特定一般用医薬品等購入費（スイッチOTC医薬品の購入費）を年間1万2,000円を超えて支払った場合において，当該居住者が健康の保持増進及び

疾病の予防への取組みとして一定の取組み（がん検診等医師の関与があるもの）を行っているときにおけるその年分の医療費控除については，その者の選択（この特例の適用を受ける場合には，上記の医療費控除の適用を受けることができない）により，その購入費用（年間10万円を限度）のうち1万2,000円を超える額（8万8,000円を限度）を所得控除できる特例制度（セルフメディケーション税制）が創設された。したがって，年間の医療費支出が10万円以下の場合でも特例制度の対象となる支出が1万2,000円を超えていれば，医療費控除の特例制度の適用を受けることができる。

令和3年度税制改正により，セルフメディケーション税制の適用期限（令和3年3月31日）を5年間延長し，対象となるスイッチOTC医薬品から医療保険療養給付費の適正化の効果が低いものが除外され，スイッチOTC医薬品以外で当該効果が著しく高いと認められるものが対象に加えられた（令和4年分以後適用）。

③ 社会保険料控除

居住者が，自己又は生計を一にする配偶者その他の親族が負担すべき社会保険料を支払った場合には，総所得金額等から全額を控除できる。

控除の対象となる「社会保険料」とは，健康保険，国民健康保険，雇用保険，厚生年金保険，国民年金，農業者年金等の保険料，国家公務員共済組合法の規定による掛金等，一定の保険料，掛金等である。

**(注)** 平成17年度税制改正により，国民年金の保険料について適用を受ける場合には，保険料の支払をした旨の証明書類を，確定申告書に添付等をし，又は年末調整の際に提出等をしなければならないこととされた（平成17年分以後の所得税について適用）。

ただし，平成19年分以後の所得税について「e-Tax」を利用して申告を行った場合には，その添付等を省略できる。

なお，給与所得者は，給与所得者の保険料控除申告書に記載すべき事項を電磁的記録により提供する場合には，平成30年度税制改正により新・旧生命保険料，介護保険料，新・旧個人年金保険料及び地震保険料の支出金額を証

する書類の，さらに令和4年度税制改正により社会保険料及び小規模共済の支出金額を証する書類の提出等に代えて勤務先に対し電磁的方法によって提供できることになった。

④ 小規模企業共済等掛金控除

居住者が，小規模企業共済等掛金を支払った場合には，総所得金額等から全額を控除できる。

控除の対象となる「小規模企業共済等掛金」とは，小規模企業共済法に規定する共済契約に基づく掛金（旧第二種共済契約を除く）及び身心障害者扶養共済制度の掛金，従業員拠出型の企業確定拠出年金の掛金等である。

⑤ 生命保険料控除

居住者が，自己又は配偶者その他の親族を保険金等の受取人とする一定の生命保険契約等に基づく保険料・掛金を支払った場合，あるいは自己又は配偶者を受取人とする一定の個人年金保険契約に基づく保険料を支払った場合には，総所得金額等から一定額（限度額：各5万円）を控除できる。

(注) 1 平成22年度税制改正により，介護医療保険控除が創設され，平成24年1月1日以降に締結した生命保険契約につき，控除限度額を4万円として適用される。これに伴い，一般生命保険料控除，個人年金保険料控除の控除限度額が4万円に引き下げられ，これらによる各保険料控除の合算適用限度額が12万円となる。

2 平成23年12月31日以前に締結した旧契約については，一般生命保険料控除及び個人年金保険料控除の適用限度額を従来どおりそれぞれ5万円とする。

3 新旧契約の双方がある場合，保険料控除はそれぞれ新旧の控除額に係る計算式により控除額を計算し，その合計額のうち適用限度額をそれぞれ4万円とする。

⑥ 地震保険料控除

自己又は生計を一にする配偶者その他の親族が所有している居住用家屋・生活用動産を保険の目的とし，かつ地震等による損害をてん補する保険金等が支払われる契約の保険料を支払った場合には最高50,000円の控除を受けることができる。なお，旧損害保険料控除の経過措置として，平成18年12月31日までに締結した長期損害保険契約等に係る保険料については，従前の損害保険料控除（最高15,000円）を適用するが，地震保険料控除と合わせて50,000

円が限度とされる。

⑦ 寄附金控除

　居住者が，国，地方公共団体，又は公益法人等若しくは認定NPO法人等に対する寄附，あるいは特定の政治活動に関する寄附等，所定の寄附金（特定寄附金）を支出した場合には，総所得金額等から一定額（合計所得金額×40％）を限度として，平成22年分より支出額から2,000円を控除した金額を控除することができる。

**(注)** 1　平成18年度税制改正において，従前の定額控除（適用下減額）10,000円が5,000円に引き下げられ，平成22年には更に2,000円まで引き下げられている。適用限度額は，合計所得金額の25％から30％（平成17年度改正），更に40％（平成19年度改正）とされ，寄附金控除は控除限度額の拡充が図られている。

　　　 2　平成20年度税制改正により，エンジェル税制に特定中小子会社への出資で一定の要件を満たすものは，1,000万円を限度として寄附金控除が適用される制度が追加された。

⑧ 障害者控除

　居住者本人，あるいは「控除対象配偶者」（平成29年度税制改正により，「同一生計配偶者」が対象となる）又は「扶養親族」が「障害者」である場合には，総所得金額等から1人27万円（重度の障害者（特別障害者）である場合には，40万円）を控除できる。平成22年度税制改正により，16歳未満の年少扶養親族の扶養控除が廃止されたため，扶養控除，配偶者控除に加算されていた同居特別障害者加算の35万円（同居特別障害者は75万円）が特別障害者控除に加算される。

**(注)** 1　控除対象配偶者とは，納税者と生計を一にする配偶者で合計所得金額が38万円（令和2年分以後は48万円）以下の者をいい，扶養親族とは，納税者と生計を一にする親族等で合計所得金額が38万円（令和2年分以後は48万円）以下の者をいう。

　　　　　また，障害者とは，児童相談所等の判定により精神薄弱者とされた者，身体障害者手帳に身体上の障害ありと記載された者，年齢65歳以上の者で福祉事務所長がこれらに準ずる者と認定した者等をいう。

　　　 2　平成29年度税制改正により，控除対象配偶者等の意義は，次のとおりとされた。

(1) 同一生計配偶者とは，居住者の配偶者でその居住者と生計を一にするもの（青色事業専従者を除く）のうち，合計所得金額が38万円（令和2年分以後は48万円）以下である者をいう。
(2) 控除対象配偶者とは，同一生計配偶者のうち，合計所得金額が1,000万円以下である居住者の配偶者をいう。

⑨ 寡婦控除・ひとり親控除

　居住者本人が寡婦又はひとり親である場合には，総所得金額等から一定額（27万円又は35万円）を控除できる。

　令和元年分以前については，寡婦（寡夫）控除としての取扱いであったが，令和2年度税制改正において，全てのひとり親家庭に対して公平な税制支援を行う観点から，婚姻歴や性別にかかわらず，一定の生計を一にする子を有する単身者について適用するひとり親控除（35万円）が創設されて，特別の寡婦控除（35万円）廃止及び寡婦控除（27万円）の見直しを行い，寡夫控除（27万円）がひとり親控除に統合された（令和2年分以後適用）。

　ひとり親とは，現に婚姻をしていない者，又は配偶者の生死不明な者のうち，生計を一にする子（合計所得金額が48万円以下）を有し，合計所得金額が500万円以下であって，その者と事実上婚姻関係と同様の事情にある者がいないものをいう。

　寡婦とは，①夫と婚姻した後，婚姻をしていない者のうち，扶養親族を有し，合計所得金額が500万円以下であって，事実婚関係にある者がいないもの，又は②夫と死別した後，婚姻をしていない者又は夫の生死が不明である者のうち，合計所得金額が500万円以下であって，事実婚関係にある者がいない者でひとり親に該当しないものをいう。

⑩ 勤労学生控除

　居住者本人が「勤労学生」である場合には，総所得金額等から27万円を控除できる。

　勤労学生とは，学校教育法1条に規定する学生，生徒又は児童等の一定の学校に通っている者で，自己の勤労に基づく事業，給与，退職又は雑所得

(給与所得等)を有する者のうち、合計所得金額が65万円(令和2年分以後は75万円)以下で、かつ、給与所得等以外の所得が10万円以下である者をいう。

  (注) 平成18年度改正において、この対象となる学校に、特定の法人が設置する専修学校等以外の専修学校等のうち一定の要件を満たすものが加えられた。

⑪ 配偶者控除

　居住者が、「控除対象配偶者」を有する場合は38万円を、「老人控除対象配偶者」を有する場合は48万円を、総所得金額等から控除できる。これを配偶者控除という。

　控除対象配偶者とは、居住者の配偶者で生計を一にするもの(青色事業専従者給与を受けるもの及び白色事業専従者を除く)のうち合計所得金額が38万円(令和2年分以後は48万円)以下である者をいい、老人控除対象配偶者とは、控除対象配偶者のうち、年齢が70歳以上の者をいう。

　平成29年度税制改正により、控除対象配偶者又は老人控除対象配偶者を有する居住者について適用する配偶者控除の額が、次のとおりとされた。

| 居住者の合計所得金額 | 控　除　額 ||
| --- | --- | --- |
| | 控除対象配偶者 | 老人控除対象配偶者 |
| 900万円以下 | 38万円 | 48万円 |
| 900万円超　　950万円以下 | 26万円 | 32万円 |
| 950万円超　　1,000万円以下 | 13万円 | 16万円 |

⑫ 配偶者特別控除

　居住者(合計所得金額が1,000万円以下の者に限る)が生計を一にする配偶者(青色事業専従者給与を受けている者、事業専従者及び他の者の扶養親族とされている者を除く)を有する場合には、控除対象配偶者であるか否か及び配偶者の合計所得金額の多寡に応じて算定される一定額(限度額：38万円)を総所得金額等から控除できる。

　なお、平成15年度税制改正において、過度な配慮を是正し、広く公平に負担を分かち合うとの基本的な考え方の下、この特別控除のうち控除対象配偶者に適用される部分は廃止された(平成16年分以後の所得税について適用)。

平成29年度税制改正により，配偶者特別控除の対象となる配偶者の合計所得金額を38万円超123万円以下とし，さらに平成30年度税制改正において，対象となる配偶者の合計所得金額要件を48万円超133万円以下とし，その控除額の算定の基礎となる配偶者の合計所得金額の区分が，それぞれ10万円引き上げられた。その控除額は，次のとおりとなる。

| 配偶者の合計所得金額 | | 居住者の合計所得金額と控除額 | | |
|---|---|---|---|---|
| 平成30年・令和元年分の所得要件 | 令和2年分以後の所得要件 | 900万円以下 | 900万円超 950万円以下 | 950万円超 1,000万円以下 |
| 38万円超 85万円以下 | 48万円超 95万円以下 | 38万円 | 26万円 | 13万円 |
| 85万円超 90万円以下 | 95万円超 100万円以下 | 36万円 | 24万円 | 12万円 |
| 90万円超 95万円以下 | 100万円超 105万円以下 | 31万円 | 21万円 | 11万円 |
| 95万円超 100万円以下 | 105万円超 110万円以下 | 26万円 | 18万円 | 9万円 |
| 100万円超 105万円以下 | 110万円超 115万円以下 | 21万円 | 14万円 | 7万円 |
| 105万円超 110万円以下 | 115万円超 120万円以下 | 16万円 | 11万円 | 6万円 |
| 110万円超 115万円以下 | 120万円超 125万円以下 | 11万円 | 8万円 | 4万円 |
| 115万円超 120万円以下 | 125万円超 130万円以下 | 6万円 | 4万円 | 2万円 |
| 120万円超 123万円以下 | 130万円超 133万円以下 | 3万円 | 2万円 | 1万円 |

⑬ 扶養控除

居住者が生計を一にする「扶養親族」を有する場合には，扶養親族1人につき，扶養親族の年齢等に応じた所定額を総所得金額等から控除できる。

「扶養親族」とは，居住者と生計を一にする親族（6親等内の血族，3親等内の姻族），都道府県知事から養育を委託された児童（里子）又は養護を委託された老人のうち，合計所得金額が38万円（令和2年分以後は48万円）以下の者をいう（青色事業専従者給与を受けている者及び事業専従者を除く）。

なお，令和2年度税制改正において，令和5年分以後の日本国外に居住する親族に係る扶養控除について，年齢30歳以上70歳未満の非居住者であって，①留学により国内に住所及び居所を有しなくなった者，②障害者，③その居住者からその年において生活費又は教育費に充てるための支払を38万円以上の送金等が確認できる者のいずれにも該当しないものは，その対象となる扶

養親族から除外し，扶養控除の対象にしない措置が講じられた。

**扶 養 控 除**

| | 年　齢　等 | 控除額 |
|---|---|---|
| 扶養控除 | 16歳以上18歳以下の扶養親族 | 38万円 |
| | 19歳以上22歳以下の扶養親族 | 63万円 |
| | 23歳以上69歳以下の扶養親族 | 38万円 |
| | 同居老親等以外の70歳以上の扶養親族 | 48万円 |
| | 同居老親等で70歳以上の扶養親族 | 58万円 |

⑭　基　礎　控　除

　基礎控除は，居住者については，無条件に，38万円を総所得金額等から控除できるとされていた。平成30年度税制改正において，経済社会の著しい構造変化の中で，様々な形で働く人をあまねく応援し，働き方改革を後押しする観点から，どのような所得にでも適用される基礎控除に負担調整の比重を移して控除額を10万円引き上げるとともに，合計所得金額が2,400万円を超える個人について控除額を逓減・消失させる所得控除方式が採用された。

　この結果，令和2年分以後の基礎控除額は，次のとおりとなる。

| 個人の合計所得金額 | 基礎控除額 |
|---|---|
| 2,400万円以下 | 48万円 |
| 2,400万円超　2,450万円以下 | 32万円 |
| 2,450万円超　2,500万円以下 | 16万円 |
| 2,500万円超 | 0円 |

⑮　所得金額調整控除

　平成30年度税制改正において，給与所得控除及び公的年金等控除の引下げに伴って，次の調整措置が設けられた。

ア　子育て世帯又は介護世帯である場合

　　その年の給与等の収入金額が850万円を超える居住者で一定の子育て世帯又は介護世帯に該当する場合には，給与所得控除額の上限は210万円とする。

イ 給与所得及び公的年金等に係る雑所得がある場合

その年の給与所得控除後の給与等の金額及び公的年金等に係る雑所得の金額がある居住者で，その合計額が10万円を超えるものの総所得金額を計算する場合には，当該各金額（各10万円を限度）の合計額から10万円を控除した残額（10万円を限度）を，給与所得の金額から控除する。

## (9) 所得税率

以上の各所得控除を行った後の課税総所得金額，土地等に係る課税事業所得等の金額，課税長期譲渡所得金額，課税短期譲渡所得金額，株式等に係る課税譲渡所得等の金額，課税退職所得金額及び課税山林所得金額に，所定の累進税率又は比例税率を適用して算出税額を求める。

① 課税総所得金額及び課税退職所得金額については，各金額の区分ごとに，所定の税率（累進税率）を適用した金額の合計額である。

一般的には，次の速算法が用いられている（45％は平成27年分以降に適用）。

| 課税総所得金額等 | 税　率 | 控　除　額 |
|---|---|---|
| 195万円以下の部分 | 5％ | 0円 |
| 195万円超　330万円以下 | 10％ | 97,500円 |
| 330万円超　695万円以下 | 20％ | 427,500円 |
| 695万円超　900万円以下 | 23％ | 636,000円 |
| 900万円超　1,800万円以下 | 33％ | 1,536,000円 |
| 1,800万円超　4,000万円以下 | 40％ | 2,796,000円 |
| 4,000万円超 | 45％ | 4,796,000円 |

（例）課税総所得金額が1,500万円の場合
15,000,000円×33％－1,536,000円＝3,414,000円

② 課税山林所得金額については，その5分の1に相当する金額につき，①によって計算した金額を5倍した金額である（5分5乗方式）。

③ 課税長期譲渡所得金額及び課税短期譲渡所得金額については，租税特別措置法所定の各税率を適用して計算した金額である。

④ 上場株式等以外の株式等の譲渡に係る譲渡所得等に対する税率は15％（地方税を含めて20％）である。上場株式等に係る譲渡所得等については特例が適用されており，税率は7％（地方税を含めて10％）で平成25年12月31日まで適用される。その後は，20％が適用される。

＜「財源確保法」による復興特別所得税＞

　東日本大震災からの復興のための施策を実施するために必要な財源確保のための「財源確保法」が可決成立し，平成23年12月2日に公布施行されている。その内容は，平成25年から令和19年までの25年間の各年分の所得税に係る基準所得税額に2.1％を乗じた金額が「復興特別所得税」として課税される。なお，そのほかに，同震災に係る臨時特例法等の制定により，種々の課税の特例が措置されている。

**参考：所得税率に応じた復興特別所得税との合計税率の例**（所得税率(％)×102.1％）

| 所得税率（％） | 5 | 7 | 10 | 15 | 16 | 18 | 20 |
|---|---|---|---|---|---|---|---|
| 合計税率（％） | 5.105 | 7.147 | 10.21 | 15.315 | 16.336 | 18.378 | 20.42 |

## (10) 平均課税による税額の計算

　一般的には，上記のような方法により，居住者の税額は計算されるのであるが，その所得の中には，漁獲，海苔の採取，魚・真珠等の養殖，原稿料，作曲料などのように，年により変動の激しい所得（変動所得），あるいは，プロ野球選手の契約金，不動産貸付けに係る権利金などのように，臨時に発生する所得（臨時所得）があり，これらの所得を有する納税者は，ほぼ平均して所得の発生する者との比較において，累進税率の関係から税負担が加重されることになる。

　そこで，このような，変動所得又は臨時所得の金額が総所得金額の20％以上である場合には，「平均課税」により税額計算ができることとされている。

　平均課税とは，課税総所得金額から「平均課税対象金額」の5分の4に相当する金額を控除したところで，まず，通常の方法により所得税額を算出し，次に，その所得税額に係る平均税率を「5分の4に相当する金額」に適用してそれに対応する所得税額を算出し，その合計額をもって，課税総所得金額に対す

る税額とするものであり、算式で示すと、次のとおりである。

　課税総所得金額＝平均課税対象金額（ａ）＋その他の所得金額（ｂ）
　ｂ＋ａ×１／５＝ｃ（調整所得金額），ａ×４／５＝ｄ（特別所得金額）
　ｃ×税率＝ｅ，ｄ×ｅ／ｃ＝ｆ
　ｅ＋ｆ＝課税総所得金額に対する税額

（注）　「平均課税対象金額」は，変動所得の金額と臨時所得の金額により算定される。その算定方法は，前年及び前々年分に変動所得があるかに応じて法定されている。

## (11) 税 額 控 除

　税額控除とは，一定の要件に該当する場合に一定の金額を算出税額から控除する制度であり，配当控除，外国税額控除等がある。

　たとえば，居住者が内国法人から受ける剰余金の配当や，利益の配当を有する場合には，算出税額から一定額（配当所得の10％又は５％）を控除できる。法人税と所得税の二重課税を排除する趣旨のものであり，これを「配当控除」という。

　また，居住者が外国に源泉のある所得について，その所在地国の法令により所得税に相当する税を課せられたときは，その外国に源泉のある所得に対応する所定額を算出税額から控除できる。国際間の二重課税を調整する趣旨のものであり，これを「外国税額控除」という。

　さらに，個人が，①住宅の取得等をして住宅借入金等を有するとき，②既存住宅の耐震改修をした場合，③既存住宅に係る特定の改修工事をした場合，又は④認定住宅等の新築等をした場合について，所得税額の特別控除が適用される。

① 　住宅借入金等を有する場合の所得税額の特別控除（住宅ローン税額控除）

　　個人が国内において，令和７年12月31日（令和４年度税制改正により延長）までに，居住用家屋（床面積が原則として50㎡以上の家屋に限る）を新築等により取得等をして居住の用の供した場合において，住宅ローン税額控除が適用される（合計所得金額が原則として2,000万円（令和４年度税制改正前：3,000万円）を超える年を除く）。なお，令和４年度税制改正により，住宅用家屋のうち

小規模（床面積が40㎡以上50㎡未満）で令和5年12月31日以前に建築確認を受けたもの（特例居住用家屋・特例認定住宅等）の新築等をした場合には，居住用家屋の新築等に該当するものとみなして，当該者の合計所得金額が1,000万円以下である年について適用できることとされた。

平成21年以降の住宅ローン税額控除制度の概要は，以下のとおりである。

(イ) 一般の住宅

| 居　住　年 | | 控除期間 | 住宅借入金の年末残高 | 控除率 |
|---|---|---|---|---|
| 平成21年 | | 10年 | 5,000万円以下の部分 | 1% |
| 平成22年 | | | 5,000万円 〃 | |
| 平成23年 | | | 4,000万円 〃 | |
| 平成24年 | | | 3,000万円 〃 | |
| 平成25年1月～平成26年3月 | | | 2,000万円 〃 | |
| 平成26年4月～令和3年12月 | 特定取得以外 | | 2,000万円 〃 | |
| | 特定取得（注）1 | | 4,000万円 〃 | |
| 令和1年10月～令和2年12月 | 特別特定取得（注）2 | 10年 | 4,000万円 〃 | |
| | | 11年目～13年目 | 4,000万円 〃（注）3 | |
| 令和3年1月～令和3年12月 | 特例取得以外（コロナ影響なし） | 10年 | 4,000万円 〃 | |
| | 特例取得（注）4 | 10年 | 4,000万円 〃 | |
| | | 11年目～13年目 | 4,000万円 〃（注）3 | |
| 令和3年1月～令和4年12月 | 特別特例取得（注）5 | 10年 | 4,000万円 〃 | |
| | 特例特別特例取得（注）6 | 11年目～13年目 | 4,000万円 〃（注）3 | |
| 令和4年1月～令和5年12月 | 新築等又は買取再販住宅（注）7 | 13年 | 3,000万円 〃 | 0.70% |
| | その他の住宅 | 10年 | 2,000万円 〃 | |
| 令和6年1月～令和7年12月 | その他の住宅 | 10年 | 2,000万円 〃 | |
| | 特定居住用家屋（注）8 | 不適用 | | |

**(注)** 1　特定取得とは，住宅の取得等に係る対価の額等に含まれる消費税等の額が，消費税引上げ後の8％又は10％の税率により課される消費税等である場合の住宅の取得等（特別特定取得を除く）をいう。
　　2　特別特定取得とは，住宅の取得等に係る対価の額に含まれる消費税等の額が，消費税引上げ後の10％の税率により課される消費税等である場合の住宅の取得等をいう。
　　3　特別特定取得に該当する住宅を取得等し，かつ，居住年が一定の場合において，適用年の11年目から13年目までの控除限度額は，次のいずれか少ない金額となる。
　　　① 住宅借入金等の年末残高×1％
　　　② 住宅の取得等に係る対価の額等×2％×1/3
　　4　特例取得とは，特別特定取得のうち新型コロナウィルス感染症等の影響により令和2年12月31日までに居住できなかった場合において，令和3年12月31日までに当該家屋に居住し，かつ，一定の期日までに当該契約が締結されている住宅の取得等をいう。
　　5　特別特例取得とは，特別特定取得のうち当該家屋に令和3年1月1日から令和4年12月31日までの間に居住し，かつ，一定の期間内に当該契約が締結されている住宅の取得等をいう。

6 特例特別特例取得とは、特別特例取得のうち当該契約が一定の期間内に締結されている特例住宅（床面面積が40㎡以上50㎡未満）の取得等をいう。ただし、合計所得金額が1,000万円を超える年は適用できない。
7 買取再販住宅とは、耐震基準に適合する既存住宅のうち宅地建物取引業者が特定増改築等をした家屋で一定ものの取得をいう。
8 特定居住用家屋とは、一定の省エネ基準を満たさないものの新築又は当該家屋で建築後使用されたことのないものの取得のうち一定の家屋をいう。

(ロ) 認定住宅等

| 居住年 | | 対象住宅 | 控除期間 | 住宅借入金の年末残高 | 控除率 |
|---|---|---|---|---|---|
| 平成21年 | | 認定住宅（注）1 | 10年 | 5,000万円以下の部分 | 1.20% |
| 平成22年 | | | | 5,000万円 〃 | |
| 平成23年 | | | | 5,000万円 〃 | |
| 平成24年 | | | | 4,000万円 〃 | |
| 平成25年1月～平成26年3月 | | | | 3,000万円 〃 | |
| 平成26年4月～令和3年12月 | 特定取得以外 | | | 3,000万円 〃 | |
| | 特定取得（注）5 | | | 5,000万円 〃 | |
| 令和1年10月～令和2年12月 | 特別特定取得（注）6 | | 10年 | 5,000万円 〃 | 1% |
| | | | 11年目～13年目 | 5,000万円 〃（注）7 | |
| 令和3年1月～令和3年12月 | 特例取得以外（コロナ影響なし） | | 10年 | 5,000万円 〃 | |
| | 特例取得（注）8 | | 10年 | 5,000万円 〃 | |
| | | | 11年目～13年目 | 5,000万円 〃（注）7 | |
| 令和3年1月～令和4年12月 | 特別特例取得（注）9 | | 10年 | 5,000万円 〃 | |
| | 特例特別特例取得（注）10 | | 11年目～13年目 | 4,000万円 〃（注）7 | |
| 令和4年1月～令和5年12月 | 新築等又は買取再販住宅（注）11 | 認定住宅（注）1 | 13年 | 5,000万円 〃 | 0.7% |
| | | 特定エネルギー消費性能向上住宅（注）3 | | 4,500万円 〃 | |
| | | エネルギー消費性能向上住宅（注）4 | | 4,000万円 〃 | |
| | 既存住宅 | 認定住宅等（注）2 | 10年 | 3,000万円 〃 | |
| 令和6年1月～令和7年12月 | 新築等又は買取再販住宅（注）11 | 認定住宅（注）1 | 13年 | 4,500万円 〃 | |
| | | 特定エネルギー消費性能向上住宅（注）3 | | 3,500万円 〃 | |
| | | エネルギー消費性能向上住宅（注）4 | | 3,000万円 〃 | |
| | 既存住宅 | 認定住宅等（注）2 | 10年 | 3,000万円 〃 | |

(注) 1 認定住宅とは、認定長期優良住宅及び認定低炭素住宅をいい、認定低炭素住宅は、平成24年から適用されている。
 2 認定住宅等とは、認定住宅、特定エネルギー消費性能向上住宅及びエネルギー消費性能向上住宅をいう。
 3 特定エネルギー消費性能向上住宅とは、エネルギーの使用の合理化に著しく資する住

宅用家屋をいう。
4 エネルギー消費性能向上住宅とは，エネルギーの使用の合理化に資する住宅用家屋をいう。
5 特定取得とは，住宅の取得等に係る対価の額等に含まれる消費税等の額が，消費税引上げ後の8％又は10％の税率により課される消費税等である場合の住宅の取得等をいう。
6 特別特定取得とは，住宅の取得等に係る対価の額に含まれる消費税等の額が，消費税引上げ後の10％の税率により課される消費税等である場合の住宅の取得等をいう。
7 特別特定取得に該当する住宅を取得等し，かつ，居住年が一定の場合において，適用年の11年目から13年目までの控除限度額は，次のいずれか少ない金額となる。
① 住宅借入金等の年末残高×1％
② 住宅の取得等に係る対価の額等×2％×1／3
8 特例取得とは，特別特定取得のうち新型コロナウィルス感染症等の影響により令和2年12月31日までに居住できなかった場合において，令和3年12月31日までに当該家屋に居住し，かつ，一定の期日までに当該契約が締結されている住宅の取得等をいう。
9 特別特例取得とは，特別特定取得のうち当該家屋に令和3年1月1日から令和4年12月31日までの間に居住し，かつ，一定の期間内に当該契約が締結されている住宅の取得等をいう。
10 特例特別特例取得とは，特別特例取得のうち当該契約が一定の期間内に締結されている特例住宅（床面積が40㎡以上50㎡未満）の取得等をいう。ただし，合計所得金額が1,000万円を超える年は適用できない。
11 買取再販住宅とは，耐震基準に適合する既存住宅のうち宅地建物取引業者が特定増改築等をした家屋で一定ものの取得をいう。

② 既存住宅の耐震改修をした場合の所得税額の特別控除

　個人が平成26年4月1日から令和5年12月31日までの間に，その者の居住用の家屋（昭和56年5月31日以前に建築された一定のものに限る）の耐震改修をして一定の要件を満たした場合に，当該住宅耐震改修に係る耐震工事の標準的な費用の額（補助金等を控除した一定の金額とし，250万円を限度とする）の10％に相当する金額を，当該個人のその居住の用に供した日の属するその年分の所得税の額から控除する。

③ 既存住宅に係る特定の改修工事をした場合の所得税額の特別控除

　個人で年齢50歳以上等である者又は高齢者等である親族と同居を状況としている特定個人が，当該特定個人が所有する居住用の家屋について高齢者等居住改修工事等をして，平成26年4月1日から令和5年12月31日までの間にその者の居住の用に供して（当該工事等の日から6月以内の居住に限る）一定の要件を満たした場合に，標準的費用額（200万円限度）の10％に相当する金額

を，当該特定個人のその居住の用に供した日の属する年分の所得税の額から控除する。

上記のほか，一般断熱改修工事等，多世帯同居改修工事等，住宅耐震改修等と併せて行う耐久性向上改修工事等をした場合についても，一定の税額控除が措置されている。

④ 認定住宅等の新築等をした場合の所得税額の特別控除

個人が，国内において認定住宅等を新築又は取得をして長期優良住宅普及促進法の施行日（平成21年6月4日）から令和5年12月31日までの間にその者の居住の用に供して（当該新築等の日から6月以内の居住に限る）一定の要件を満たした場合に，認定住宅等に講じられた構造及び設備に係る標準的費用額（650万円を限度）の10％に相当する金額を，その者のその居住の用に供した日の属する年分の所得税の額から控除する。

**(参考)** 特定の増改築等に係る住宅借入金等を有する場合の所得税額の特別控除

個人が借入金を利用してバリアフリー改修工事，省エネ改修工事，多世帯同居改修工事を含む特定の増改築等をした場合における当該住宅ローン控除は，適用期限（令和3年12月31日）の到来により廃止された。したがって，令和4年1月1日以降については，当該適用ができなくなった。

以上のほかに「e-Tax」を使用して申告を行った場合の「電子申告に係る所得税の税額控除（適用期限到来により，平成24年分までで廃止）」，「政治活動に関する寄附をした場合の所得税額の特別控除」，「認定特定非営利活動法人等に寄附をした場合の所得税額の特別控除」，「公益社団法人等へ寄附をした場合の所得税額の税額控除」，「修学支援として国立大学法人等へ寄附をした場合の所得税額の特別控除」などがある。

## 4 青色申告と白色申告

### (1) 青色申告のできる納税者

① 青色申告制度

納税者の記帳を改善し，申告納税制度の適正円滑な運営を図るために，昭

和25年に，いわゆる「シャウプ勧告」に基づいて，所得税及び法人税に創設された制度である。
② 青色申告ができる納税者
　事業所得，不動産所得又は山林所得を生ずべき業務を営んでいる者で，税務署長から青色申告の承認を受けた者は，一般の納税者が使用する「白色」の申告書と異なり，「青色」の申告書により確定申告書を提出できる。
　青色申告は，事業所得，不動産所得又は山林所得を生ずべき業務を営んでいる者で，所定の帳簿書類を備え付け，所定の事項を記帳している場合に認められる。青色申告の承認を受けた者を「青色申告者」，提出される申告書を「青色申告書」と呼称しており，税法上，青色申告者には種々の特典が認められている。

(2) 青色申告の申請手続
　青色申告を希望する者は，その提出しようとする年分（年）の３月15日までに，青色申告承認申請書を納税地の所轄税務署長に提出し，承認を得なければならない。ただし，その年の１月16日以後に業務を開始した場合は，業務開始の日から２月以内に，青色申告承認申請書を提出すればよい。
　税務署長は，帳簿書類の備付け，記録又は保存が法定どおり行われているかどうか等を調査し，承認又は却下の通知を書面により行うこととされているが，その年の12月31日までに承認又は却下の通知がなかったときは，その日において，承認があったものとみなされる（みなし承認）。

(3) 青色申告の備付け帳簿
　青色申告者は，原則として，全ての取引を借方及び貸方に仕訳する帳簿（仕訳帳），全ての取引を勘定科目別に分類して整理計算する帳簿（総勘定元帳），その他必要な帳簿を備付け，資産，負債及び資本に影響を及ぼす一切の取引を正規の簿記の原則に従い，整然かつ明瞭に記録し，その記録に基づいて，貸借対照表及び損益計算書を作成しなければならない。

(注) 平成17年度税制改正において，電子取引の取引情報に係る電磁的記録又はそれを出力した書面等につき，電子計算機を使用して作成する国税関係帳簿書類の保存方法等の特例に関する法律（電子帳簿保存法）に定める要件に適合する保存が行われていない場合には，青色申告の承認の取消し等の対象にすることとされた（平成17年4月1日以後に行う電子取引の取引情報について適用）。

ただし，この原則に代えて，現金出納帳，売掛帳，買掛帳，経費帳及び固定資産台帳の五つの帳簿（簡易帳簿）で記帳してもよいとされている。また，一定の小規模事業者については，税務署長への届出を要件として，現金主義による所得計算が認められていることから，その者については，現金出納に関する事項，減価償却資産に関する事項だけで足りるとされている。

青色申告者が提出する青色申告書には，損益計算書，貸借対照表，所得金額等の計算に関する明細書を添付しなければならない。

### (4) 青色申告の特典

青色申告者には，次のような特典が認められている。

① 青色申告（特別）控除

不動産所得又は事業所得を生ずべき事業を営む青色申告者で，帳簿書類を備え付け，取引内容を正規の簿記の原則に従って記録し，かつ，その記録に基づいて作成した貸借対照表及び損益計算書等，所得計算に関する明細書を添付した確定申告書を期限内に提出した場合には，それらの所得を通じて最高65万円を控除できる（青色申告特別控除）。

その後，平成30年度税制改正において，所得税見直しにより基礎控除が10万円引き上がる（48万円）ことを踏まえて，基礎控除との合計額が従前と同額（103万円）になるよう，青色申告特別控除額を調整して55万円に引き下げた。ただし，取引内容を正規の簿記の原則に従って記録する等，上記の55万円控除の要件に加えて，「電子帳簿保存」（令和3年度税制改正により，令和4年分以後の所得税について優良な電子帳簿の場合に限定された）又は「e-taxによる電子申告」の要件を満たした場合には，65万円を控除できる。

(注) 優良な電子帳簿とは，その年分の事業に係る仕訳帳及び総勘定元帳に係る電磁的記録等の備付け及び保存が国税の納税義務の適正な履行に資するものとして，一定の要件を満たしているものをいう。

なお，上記の特別控除を受ける者以外の青色申告者については，不動産所得，事業所得又は山林所得を通じて，最高10万円を控除できる（青色申告控除）。

② 引当金又は準備金に関する特例

貸倒引当金，返品調整引当金（平成30年度税制改正により，廃止），退職給与引当金等の引当金や，金属鉱業等鉱害防止準備金，日本国際博覧会出展準備金（適用期限到来により経過措置後に廃止），特定災害防止準備金等の準備金を設定し，その引当額等を必要経費に算入できる。

③ 償却に関する特例

減価償却資産の耐用年数の短縮，機械及び装置の増加償却，陳腐化した減価償却資産の償却の特例，特定設備等の特別償却等が認められている。

(注) 平成18年度税制改正において，耐震診断により耐震改修が必要とされた特定建築物について，「建築物の耐震改修の促進に関する法律」による認定を受けた計画に基づいて行う改修工事に伴い取得等する建物部分の取得価額の10％相当額を特別償却できる特例が創設された（所要の経過措置後に廃止）。

④ その他所得計算に関する特例

棚卸資産の評価方法についての低価法の選択適用

青色事業専従者給与の必要経費算入

家事関連費の必要経費算入

純損失の繰越控除，純損失の繰戻し還付請求

試験研究費が増加した場合等の所得税額の特別控除

雇用者の数が増加した場合の所得税額の特別控除

等がある。

⑤ 手続に関する特例

青色申告に対する更正については，原則として，帳簿書類を調査しないで行うことができず，また，推計課税もできない。その更正通知書には，更正

の理由を附記しなければならず、また、不動産所得、事業所得又は山林所得に係る更正の不服申立ては、異議申立てを経ないで、直接、審査請求することが認められる。

平成26年6月に成立した行政不服審査法の改正に伴って、平成28年4月1日以後にされた更正等の処分に対する不服申立てについては、青色申告者以外であっても、国税不服審判所長に対する審査請求と、処分を行った税務署長等に対する再調査の請求のいずれかを選択して行うことができるようになった。なお、異議申立ては、再調査の請求に名称が変わった。

### (5) 白色申告

「白色申告」とは、青色申告に対する用語であり、青色申告者以外の者の用いる申告書の用紙が白色であることから、その申告書を用いた申告を白色申告と称している。税法上の用語ではなく、俗称である。

白色申告者であっても、一定の者については、簡易な記帳義務がある。

なお、白色申告者に対する更正等については、原則として、平成25年1月以後は、理由附記を要することとされている。

## 5 帳簿等の記帳・記録・保存義務等

### (1) 帳簿の記帳義務

不動産所得、事業所得又は山林所得を生ずる業務を営んでいる居住者等（青色申告者を除く）は、その業務の取引に係る総収入金額及び必要経費に関する事項を、所定の簡易な方法に従い、整然かつ明瞭に記録しなければならない。

これは、記録及び記帳が、申告納税制度の重要な基礎をなすものであり、また、申告納税制度に内在している納税者の責務であるということから、昭和59年度税制改正（納税環境の整備）において、制度化されたものである。

### (2) 帳簿の記録保存

居住者等は、その業務に関して作成又は受領した帳簿及び書類を整理し、原

則として7年間,その他の帳簿及び書類は5年間,その者の住所地,居所地,事務所,事業所その他これらに準ずるものの所在地に保存しなければならない。

**(注)** 1 平成23年度税制改正により,平成26年1月1日以後においては,事業所得等を生ずべき全ての者について記帳義務・記録保存義務が課されることになった。

2 令和2年度税制改正により,令和4年分以後においては,その年において雑所得を生ずべき業務を行う居住者等で,その年の前々年分のその業務に係る収入金額が300万円を超えるものは,その年の取引のうち総収入金額及び必要経費に関する事項を記載した書類として,請求書,領収書等一定の書類について保存義務が課されることになった。

令和4年度税制改正により,記帳義務及び申告義務を適正に履行する納税者との公平性の観点に鑑み,納税者が,一定の帳簿(電磁的記録を含む)に記載し又は記録すべき事項に関し修正申告等があった時前に,税務調査において,当該帳簿の提示又は提出が求められ,かつ,①当該帳簿の不提示若しくは不提出又は当該帳簿に売上(業務に係る収入を含む)に関する事項(特定事項)の記載若しくは記録が著しく不十分である場合,②当該帳簿に特定事項の記録又は記載が不十分である場合のいずれかに該当するとき(当該納税者の責めに帰すべき理由がない場合を除く)は,その帳簿に記載すべき事項等に関して生じた申告漏れ等に課される過少申告加算税の額又は無申告加算税の額について,通常課される割合に10%(②は5%)に相当する金額を加重する措置が講じられた(令和6年1月1日以後の法定申告期限等から適用)。本措置は,申告納税方式による他の国税においても同様に適用される。

### (3) 総収入金額報告書の提出

不動産所得,事業所得又は山林所得を生ずべき業務を行う者で,これらの所得に係る総収入金額の合計額が3,000万円を超えるものは,確定申告書を提出している場合を除き,これらの所得を生ずる場所,基因となる事業又は資産の所在地,その総収入金額等を記載した「総収入金額報告書」を,その年の翌年3月15日までに提出しなければならない(総収入金額報告書の提出制度)。

これは,申告納税制度の適正な運営に資する観点から,確定申告義務の有無

にかかわらず，比較的大規模な事業所得者等から総収入金額の報告を求めるとともに，これらの者の適正な申告を期することを目的として，昭和59年度税制改正（納税環境の整備）の一環として，導入されたものである。

(4) 収支内訳書の添付

不動産所得，事業所得又は山林所得を生ずべき業務を行う白色申告者が確定申告書を提出する場合には，その総収入金額及び必要経費の内訳を記載した書類を確定申告書に添付しなければならない（収支内訳書の添付制度）。

この制度も，昭和59年度税制改正（納税環境の整備）の一環として，導入されたものである。

(5) 国外財産調書の提出

平成26年1月1日以降，その年の12月31日において国外財産の価額の合計額が5,000万円を超える居住者は，国外財産調書を翌年6月30日までに税務署長に提出が義務づけられ，提出の履行・不履行については，過少申告加算税等の5％加減算が行われる。

令和2年度税制改正により，相続開始年の国外財産調書について，その相続国外財産を記載しないで提出することができる記載の緩和化と，税務調査において納税者が指定された期限までに必要な資料を不提示又は不提出のときにおける加算税の軽減措置及び加重措置の特例を創設する見直しがされた。

(6) 財産債務調書の提出

従前は，合計所得金額が2,000万円を超える者については「財産債務明細書」の提出が義務付けられていたが，罰則規定等もないこともあり実効性に欠けていたことから，出国時課税との関連もあり，平成27年度税制改正により，合計所得金額が2,000万円超の納税者で，①その年の12月31日において有する財産の価額が3億円以上の者，又は，②同日において有する国外転出する場合の譲渡所得等の特例（国外出国時課税）の対象資産の合計額が1億円以上の者，につ

いて，財産の存在，有価証券の銘柄等，国外財産調書の記載事項と同様の事項を記載した「財産債務調書」の提出が義務付けられた。提出義務の履行・不履行については，過少申告加算税等の5％の加減算の措置が講じられている。この提出は，平成27年分の確定申告から適用される。

　令和2年度税制改正により，相続開始年の財産債務調書について，その相続財産債務を記載しないで提出することができる記載の緩和化が措置された。

　令和4年度税制改正において，上記の提出義務者のほか，その年の12月31日において有する財産の価額の合計額が10億円以上である居住者が提出義務者とされた（令和5年分以後について適用）。

(7) **マイナンバー（個人番号）の記載**

　社会保障・税番号制度（マイナンバー制度）の導入に伴い，平成28年1月からは，税務関係書類（申告書・申請書など）に個人番号の記載が必要となる。個人番号は，12桁の番号で，住民票を有する国民全員及び特別永住者等の外国籍の方に1人一つ指定され，市区町村から通知されている。たとえば，所得税の確定申告書の場合は，平成28年分以降の申告書が記載対象となる。また，個人番号カードは，税務関係書類を提出する際の本人確認が可能となる。

(8) **電子帳簿等保存制度と加算税**

　納税者等の帳簿書類の保存に係る負担を軽減する等のため，平成10年度税制改正において，一定の国税関係帳簿書類の保存義務者は，国税関係帳簿書類の全部又は一部を，所定の要件の下で，電子帳簿保存法による電磁的記録の保存等をもって当該帳簿書類の保存等に代えることができるとされた。

　令和3年度税制改正により，所得税の青色申告者が，正規の簿記の原則に従って整然かつ明瞭に記録した仕訳帳・総勘定元帳等に係る電磁的記録等による備付け及び保存が優良な電子帳簿の要件を満たしている場合において，当該電磁的記録等に記録された事項に関し修正申告等があった場合において過少申告加算税が課されるときは，過少申告加算税の額を5％軽減し（隠蔽仮装を除く），

スキャナ保存が行われた一定の国税関係書類に係る電磁的記録又は申告所得税に係る国税関係帳簿書類の保存義務者が行った電子取引の取引情報に係る電磁的記録に記録された事項に関し期限後申告等があった場合において重加算税が課されるときは，当該電磁的記録事項のうち隠蔽仮装された事実に係る部分については，重加算税の額が10%加算されることになった（令和4年1月1日以後に法定申告期限の到来する所得税に適用）。

(注) 1 保存義務者とは，国税に関する法律の規定により，国税関係帳簿書類を保存しなければならない者をいう。
　　2 電磁的記録とは，電子的方式，磁気的方式その他の人の知覚によっては認識することができない方式（電磁的方式）で作られる記録であって，電子計算機による情報処理の用に供されるものをいう。
　　3 電子取引とは，取引情報（注文書，契約書，領収証その他これに準ずる等の書類に通常記載される事項をいう）の授受を電磁的方式により行う取引をいう。例えば，インターネット等による取引が含まれる。

## 6　所得税の申告と納税

### (1)　所得税の申告義務

　総所得金額，退職所得金額及び山林所得金額の合計額から所得控除を行った金額により算出した税額（算出税額）が配当控除等の額を超える者は，原則として，翌年の2月16日から3月15日までの間に（還付申告については，1月1日から3月15日までの間），確定申告書を所轄税務署長に提出しなければならない。ただし，給与等の金額が2,000万円以下で，給与所得又は退職所得以外の所得金額が20万円以下である等の一定の者は，確定申告を要しない。

　他方，申告義務のない者であっても，雑損控除や医療費控除の適用によって，外国税額，源泉徴収税額又は「予定納税額」が年税額を上回っている場合には，申告を行って，それらの還付を受けることができる。

　なお，その年分の翌年以後に純損失又は雑損失の繰越控除を受けようとする者，あるいは純損失の繰戻還付を行おうとする者は，確定申告（確定損失申告）をしておく必要がある。

(注) 所得税法は，前年の所得の実績に基づいて計算した税額を本年分の所得税額の予定税額として，分割納付すべきものとしている。これを「予定納税額」という。

### (2) 所得税の納税義務

算出税額から税額控除を行ったもの（年税額）から，源泉徴収税額及び予定納税額を差し引いた金額（申告納税額）のある者は，その税額を申告期限の3月15日までに納付しなければならない。

ただし，その所得税額の2分の1以上を納付し，延納の届出書を提出すれば，残額については5月31日まで納付を延期することができる。なお，延納した場合には，年7.3％（ただし，各年の特例基準割合が年7.3％に満たない場合には，特例基準割合）の利子税が課せられる。

なお，平成28年度税制改正により，国税の納付手続きについて，インターネットを使用して行うクレジットカードによる国税の納付制度が創設された（平成29年1月4日施行）。

さらに，令和3年度税制改正により，国税の納付手段の多様化を図る観点から，スマートフォン決済アプリによる納付制度（税額30万円以下）が創設された（令和4年1月4日施行）。

### (3) 加算税制度の見直し

令和5年度税制改正において，税に対する公平感を損なう悪質な無申告行為を未然に抑止する観点から，次のようなものへの対応のとして加算税制度の見直しが行われた（令和6年1月1日以後の適用）。

① 高額な無申告に対する無申告加算税割合の引上げ

無申告行為のうち，社会通念に照らして申告義務を認識していなかったとは言い難い規模の高額無申告について，納税額（増差税額）が300万円を超える部分のペナルティとして無申告加算税の割合を30％に引き上げる措置が講じられた。

② 一定期間繰返し行われる無申告行為に対する無申告加算税等の加重措置

繰り返し行われる悪質な無申告行為を未然に防止し，自主的に申告を促し，納税コンプライアンスを高める観点から，3年間無申告である場合に無申告加算税又は重加算税を10％加重する措置が講じられた。

# 第5章 法　人　税

> **ポイント**
> (1) 法人税は，法人の所得に対して課税される税金であるが，法人の株主等に対する配当の所得に対しても課税されることから，法人税の課税と株主の配当課税との調整のため，個人所得税に配当控除制度及び法人の受取配当金の益金不算入制度が採用されている。
> (2) 会社等の普通法人，協同組合にはすべての所得について，公益法人等及び人格なき社団等には収益事業に係る所得について，法人税が課税される。
> (3) 「各事業年度の所得の金額」は，収益の額である益金の額から売上原価，販売費，一般管理費及び損失である損金の額を控除して計算されるが，その具体的な計算は，確定決算主義に基づいて，法人の確定した決算による利益金額に，法人税法上の「別段の定め」等による益金算入項目及び損金不算入項目を加算し，益金不算入項目及び損金算入項目を減算して算出される。
> (4) 益金の額は，商品等を引き渡したときに収益を認識する実現主義により，また，損金の額は，債務が確定したとき（債務確定主義）に計上する。
> (5) 収益の額のうち，法人税等の還付金等，特定の収益は益金不算入とされ，また，費用の額のうち，企業会計上，費用とされるものであっても，寄附金，交際費等，一定の費用については損金算入が規制されている。
> (6) 企業グループ内の各法人のうち，内国法人である親法人とその100％の子法人を一つの納税単位とする連結納税制度が見直されて，各法人が個別に法人税の計算及び申告を行うグループ通算制度に移行する改正が行われた。

## 第1節　法人税の概要

### 1　法人税とは

　法人税は，法人の所得に対して課される税金であり，広義の所得税である。法人税は直接税の国税であり，収入を得ているという事実に対して課税される収得税に分類される税金である。

　一方，所得税は個人の所得に対して課税されるものであるが，所得税は，法人の株主等に対する配当の所得に対しても課税されるために，法人税の課税された所得から分配された個人株主等に対する配当の所得税課税と法人税の競合が生ずる。

　このような法人税と個人株主の配当課税の関連を考える場合には，法人税の性格をどのように捉えるかという基本的な問題を考慮する必要がある。

### 2　法人税の性格

　法人税の性格に関しては，株主集合体説と独立課税主体説の二つの考え方がある。

#### (1)　株主集合体説

　この考え方は，法人は株主の集合体であるから，法人に課される法人税は株主の所得税の前取りであるというものであり，いわゆる法人擬制説に立脚した考え方である。

　このような考え方によれば，個人の株主が法人から受け取った配当は，法人税が課税されていることから，個人株主が受け取った段階で法人税と所得税の二重課税を調整する必要がある。また，個人株主が受け取った配当に対しては累進税率による所得税が課されるから，法人税率は一定の比例税率によることが妥当であるということになる。

## (2) 独立課税主体説

この考え方は、法人は、個人株主とは別個の存在であり、個人株主とは無関係に独立して法人税を課税するというものであり、法人実在説に立脚した考え方である。

このような考え方によれば、個人株主が受け取った配当については、二重課税の調整の問題は生じないし、また、法人税率は累進税率によることも可能となる。

## (3) わが国の法人税の性格

ところで、このような法人税の理念的な性格に対して、わが国の法人税法は、昭和25年以前は独立課税主体説に立っていたが、シャウプ勧告では、株主集合体説の考え方に立って、法人段階と個人株主段階の二重課税排除の調整として、個人株主の配当控除制度及び法人株主段階での受取配当の益金不算入制度を創設したことから、昭和25年の税制改革に基礎を置く現在の法人税も、基本的には株主集合体説に立った所得税の前取りという考え方によっているということができよう。

しかしながら、シャウプ勧告による税制改革後、株主集合体説とは異なった立場からの数次にわたる変更が加えられ、殊に、昭和63年において支払配当軽課制度が廃止され、また、法人株主の受取配当の益金不算入制度について、一定の関係法人間の場合を除いて、20％（現行50％）を益金の額に算入する制度改正が行われたことから、現行の法人税の性格は株主集合体説と単純に決めつけることはできないのが現状である。

現在の法人税の負担調整措置の仕組みは、次のとおりである。

| 個人株主における調整措置<br>（配当控除制度） | 法人株主における調整<br>（受取配当金の益金不算入制度） |
|---|---|
| 個人株主の受取配当については、その金額の10％の税額控除が認められる。なお、課税総所得金額が1,000万円を超える場合には、その超える部分の金額については5％が控除される。 | 完全子法人株式等・関連法人株式等（株式保有割合3分の1超）は全額益金不算入、非支配目的株式等（5％以下）は20％、その他の株式は50％が益金不算入となる。 |

## 3　法人の種類と法人税の納税義務

### (1)　内国法人と外国法人

　法人税法上，法人の意義については格別の定義がなされていないことから，一般の法人の意義に従うことになるが，わが国の法人には，会社法上の合名会社，合資会社，合同会社及び株式会社（旧有限会社法による有限会社），非営利型法人の一般社団法人及び一般財団法人，公益社団法人及び公益財団法人，特別の法律により設立されている協同組合，学校法人，宗教法人，公団，公庫等がある。

　法人税は，法人に対する所得に対して課税されるが，この法人は，内国法人と外国法人に分けられる。

　内国法人とは，日本国内（法人税法の施行地をいう）に本店又は主たる事務所を有する法人をいい，外国法人とは，内国法人以外の法人をいう。内国法人は，所得の源泉が国内にあるか国外にあるかを問わず，そのすべての所得について法人税の納税義務があるが，外国法人は国内に所得の源泉がある所得についてのみ納税義務を負っている。

### (2)　普通法人・協同組合等

　法人税法では，本店所在地等が国内か国外かという法人の区分のほかに，その目的設立の根拠法と事業目的によって普通法人，公共法人，公益法人等，協同組合等に区分して，それぞれの性質に応じて法人税の納税義務及び課税所得の範囲について規定している。

　このうち，普通法人は営利を目的とする法人であるから通常の法人税の納税義務があり，また，協同組合等は普通法人と同様にすべての所得について納税義務があるが，その組合員等の相互扶助の事業目的から，軽減された税率により法人税が課税される。協同組合等については，法人税法「別表第三　協同組合等の表」に掲げられている。

(3) **公益法人等**

　公益法人等とは，学校法人，社会福祉法人，宗教法人等，法人税法「別表第二　公益法人等の表」に掲げられている法人である。公益法人等については，設立の目的が公益的事業を営むことにあることから，その公益事業は非課税とされ，収益事業を営んでいる場合に限り，その所得について法人税の納税義務があるとされていた。

　従来の民法34条の公益法人の税制は，公益法人制度の改革を受けて，平成20年度税制改正により大幅に改正された。まず，公益社団法人及び公益財団法人が公益法人に加えられ，公益目的事業は非課税とされ，それ以外の収益事業は普通法人と同様の法人税課税が行われることとされた。この公益法人は特定公益増進法人として取り扱われ，また，収益事業から公益目的事業のために支出した金額については全額損金算入されることとされた。さらに，登記により設立が可能な一般社団法人及び一般財団法人も公益法人等に加えられ，このうち非営利性が徹底された法人や共益的事業を行う法人には収益事業について，通常の法人税課税が行われるが，それ以外の法人はすべての所得について普通法人と同様の法人課税がなされることとされた。

　民法34条により設立された法人は，上記の公益法人に移行するまでの5年間の期間は，従前の課税制度が適用されることとされた。

　公益法人等の収益事業とは，法人税法施行令5条において，物品販売業，製造業，請負業，不動産貸付業など34の事業が限定列挙されているが，その公益法人等の設立の目的とされている事業であっても，公益社団・財団法人を除き法人税法上，列挙されている収益事業に該当すれば課税の対象となる。

　このように収益事業の所得に課税されるのは，営利を目的とする普通法人が営む事業との競争関係が考慮されたものである。

(4) **公 共 法 人**

　公共法人は，国又は地方公共団体により拠出された資金を基に公共的な事業を営む法人であり，その財産や事業活動の利益が特定の個人に帰属するものではないことから，法人税は課税されない。非課税法人の公共法人の範囲は，法

人税法「別表第一　公共法人の表」に掲げられている。

### (5) 人格なき社団等

以上のような法人のほか，法人税法は，法人でない社団又は財団で代表者又は管理人の定めのある団体を「人格なき社団等」として法人とみなしている。人格なき社団等は，その行う事業のうち収益事業を営んでいる場合に限り法人税の納税義務を負う。この人格なき社団等の例としては，PTA，自治会，学会等がこれに当たる。

## 4　法人数の状況

法人のうち，令和3年度の内国普通法人の法人数は，別表1のとおりである。

**(別表1)　資本金階級別法人数の推移**

| 区　分 | 1,000万円以下 | 1,000万円超1億円以下 | 1億円超10億円以下 | 10億円超 | 合　計 |
|---|---|---|---|---|---|
| | 社 | 社 | 社 | 社 | 社 |
| 平成20年度分 | 1,500,226 | 1,072,658 | 23,069 | 7,412 | 2,603,365 |
| 25 | 2,213,762 | 357,797 | 18,224 | 6,120 | 2,595,903 |
| 30 | 2,360,231 | 356,224 | 15,960 | 6,134 | 2,738,549 |
| 令和元 | 2,383,332 | 354,025 | 15,185 | 5,878 | 2,758,420 |
| 2 | 2,428,112 | 355,168 | 15,002 | 6,089 | 2,804,371 |
| 3 | 2,487,278 | 356,459 | 14,537 | 6,112 | 2,864,386 |
| 構成比（令3年度） | ％<br>86.8 | ％<br>12.4 | ％<br>0.5 | ％<br>0.2 | ％<br>100 |

**(注)**　令和3年度の連結法人の内訳は，連結親法人1,836社，連結子法人15,868社である。
　　　本表は，「法人企業の実態（令和3年度分）」（国税庁）より作成した。
　　　端数処理を四捨五入により行っていることから，構成比について合計とその内訳の計とが一致しない場合がある。

法人数は，最近では伸び率は低下しているものの増加する傾向にある。平成22年度～同24年度では減少に転じているものの，平成26年度ではふたたび増加している。また，資本金が1億円以下の法人は全体の99.3％を占め，1億円超の法人は0.7％である。

また、欠損法人（所得金額が0又は負の法人）の割合は、別表2のとおりである。

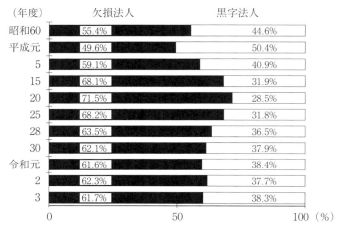

(注) 「法人企業の実態（令和3年度分）」（国税庁）に基づいて作成。

## 5　法人税の課税対象

法人税が課税される対象（課税物件又は課税客体）は、「各事業年度の所得」、「退職年金等積立金」、「法人課税信託の所得」などである。

なお、平成22年度税制改正により、会社が解散した場合の税制は、清算所得課税が廃止になり、通常の所得課税が行われる。

### (1)　各事業年度の所得

法人税が課税される一般的な所得は「各事業年度の所得」である。この「各事業年度の所得」とは、一事業年度の期間内に発生した所得をいう。各事業年度の所得の金額は、法人の確定した決算による利益を基礎として、後述する法人税法上の所定の規定（別段の定め）に基づいて、決算上の利益を加算・減算して算出される。

また、公益法人等及び人格なき社団等は、収益事業から生じた所得について

課税されるから、収益事業以外の事業から生ずる所得とは区分して経理して各事業年度の所得を算定する必要がある。

**(注)** 事業年度とは、定款等で定められている営業年度その他これに準ずる期間をいい、その期間が1年を超える場合には、その期間を1年ごとに区分した各期間（1年未満の期間が生ずる場合には、その1年未満の期間）とされている。また、事業年度の中途で解散又は合併が行われた場合には、その事実が発生した期間までを1事業年度とする「みなし事業年度」の規定がある。

(2) **退職年金等積立金**

退職年金業務を行う生命保険会社、信託会社、銀行、証券会社等の特定の法人の退職年金等積立金に対して課税される。したがって、一般の事業会社の法人には関係しない。

なお、この「退職年金等積立金」に対する法人税については、令和8年3月31日までに開始する各事業年度は、課税しない措置が講じられている。

## 6 法人の納税地

納税地とは、申告、申請、届出、納付等の法律上の手続きを行う場所をいう。

内国法人の納税地は、その法人の本店又は主たる事務所の所在地とされ、外国法人の納税地は、国内に支店等を有する場合には、その支店等の営業の拠点としての施設（恒久的施設という）がある所在地、支店等の施設がない場合で国内に不動産があり、これを貸し付けて対価を得ている場合には、その資産の所在地、それ以外の外国法人は麹町税務署の管轄区域内の場所とされている。

法人は、この納税地を所轄する税務署長に対して、申告や納税の手続きを行うことになる。

## 第2節　各事業年度の所得金額と税額計算の概要

### 1　各事業年度の所得金額の算定構造

　法人の課税標準である各事業年度の所得金額は，その事業年度の益金の額から損金の額を控除した金額である。

　これを税務上の損益計算書として示すと，次のとおりである。

税務損益計算書

| 損金の額 | ××× | 益金の額 | ××× |
|---|---|---|---|
| **所得金額** | ××× |  |  |
|  | ××× |  | ××× |

### 2　益金の額と損金の額

**(1)　益金の範囲**

　益金の額とは，商品や製品等の棚卸資産の販売による収入，土地建物等の固定資産の譲渡による収入，請負や役務の提供による収入，預金や貸付金の利子収入など，企業会計における収益の額に当たるもので，いわば，法人の純資産増加をもたらす一切の事実で資本等取引以外のものをいう。

　益金の額に算入すべき金額は，「別段の定め」のあるものを除き，その事業年度の①資産の販売，②有償又は無償による資産の譲渡，③有償又は無償による役務の提供，④無償による資産の譲受け，⑤その他の取引で資本等取引以外の取引に係る収益の額とされている。

　すなわち，収益の額は，有償取引による収益だけではなく，無償又は低額の資産の譲渡や役務の提供による場合も，その資産の時価による譲渡又は通常の役務提供の取引による収益と同様にみなされて収益の額が認識されることになる。

　なお，収益認識に関する新会計基準の公表を受けて，平成30年度改正により，

「法人税法22条の2」が創設され、原則の引渡基準が明確化される等の手当てがなされたほか、返品調整引当金及び長期割賦販売等による延払基準の制度が、経過措置を講じた上で廃止された。

### (2) 損金の範囲

損金の額とは、①その事業年度に販売した商品、製品等の売上原価、工事原価等の額、②その事業年度の販売費、一般管理費その他の費用の額（減価償却以外の費用でその事業年度終了の日まで債務の確定していないものを除く）、③その事業年度の災害等による損失の額をいい、企業会計上の費用及び損失の額に相当するもので、法人の純資産減少をもたらす一切の事実で資本等取引以外のものをいう。

この場合の資本等取引とは、法人の資本等の金額の増加又は減少を生ずる取引及び利益又は剰余金の処分をいう。

### (3) 公正処理基準と「別段の定め」

法人税法は、このような益金の額及び損金の額について、その内容を網羅的に規定しているのではなく、企業会計と同様の内容のものは、企業会計上の収益、費用及び損失の額に従って計算されることとされている。法人税法22条4項が、収益及び損金の額について、「一般に公正妥当と認められる会計処理の基準にしたがって計算されるものとする。」としているのは、このような意味を明らかにした規定である。

しかしながら、企業会計と法人税法（税務会計）の目的が異なることから、法人税法上は、企業会計上、収益、費用等とされるものであっても、益金又は損金としないものがあり、逆に、企業会計上、収益、費用等に該当しないものであっても益金又は損金とするものがある。

法人税法は、企業会計上の収益又は費用等の会計処理と異なる取扱いを「別段の定め」として規定し、それには、「益金算入」、「益金不算入」、「損金算入」及び「損金不算入」の各項目がある。

法人税法上の所得金額は、このような「別段の定め」の各項目の金額を、企業会計上の決算利益に加算、減算して算定する構造を採用している。このような調整計算を申告調整といい、法人税の申告の際に法人税申告書（別表四）によって行うことになる。

なお、法人税法の規定の中には、減価償却費や引当金のように、確定した決算において費用又は損失として経理すること（損金経理という）が所得金額の計算上、損金算入の要件とされているものがある。このような調整を「決算調整」という。

## 3　益金算入・益金不算入項目

益金とは、前述したように、商品、製品等の販売により発生した収益であるが、このような一般の収益に該当しないものであっても、法人税法が特別に益金の額に算入することとし、また、収益に該当する場合であっても益金の額に算入しないこととしているものがある。

この益金算入項目としては、たとえば、貸倒引当金等の取崩益、代替資産を取得しなかった場合の特別勘定の益金算入等がある。また、益金不算入項目としては、受取配当金の益金不算入、法人税等の還付金額の益金不算入、特定の事実に該当しない場合の評価益の益金不算入等がある。

## 4　損金算入・損金不算入項目

損金とは、売上原価、販売費、一般管理費及び損失の金額であるが、これらに該当しないものであっても、特別に損金の額に算入され、また、これらの費用、損失等に該当するものであっても、法人税法上、損金の額に算入されないものとがある。

損金算入項目としては、たとえば、貸倒引当金等の各種引当金及び租税特別措置法により認められている各種準備金の繰入れ、特別減価償却費の損金算入、繰越欠損金の損金算入、収用換地等における特別控除額の損金算入等がある。また、損金不算入項目としては、法人税、罰科金を納付した場合の損金不算入、

寄附金又は交際費等で一定の限度額を超える場合の損金不算入，引当金の限度額を超える部分の損金不算入，減価償却費で償却限度額を超える部分の損金不算入，一定の要件に該当しない役員給与及び過大な役員給与等の損金不算入等がある。

なお，引当金の繰入れ及び減価償却費等は，企業会計上の費用に該当するのであるが，法人税法上は，その損金算入限度額の計算を定めて，その範囲内の金額を損金の額に算入することとし，企業会計で計上した費用の金額の損金算入額を限定しているのである。

そこで，さらに詳しく，企業利益と課税所得との関係を見ることとする。

## 5　企業利益と課税所得の関連

　企業会計上の企業利益は，株主や債権者等に対して，法人の営業成績や財政状態を報告するためのものであるのに対して，法人税法上の所得金額の計算（税務会計）は，国に納付する法人税の額を適正に算定して税負担の公平を図る目的によるものである。このように，それぞれの会計の目的とするところが異なることから，法人税法上は，前述したような，益金の額と損金の額についての「別段の定め」の規定がなされているのであり，企業利益金額と課税所得金額は，この部分において必ずしも一致しないことになる。

　このように，企業会計と税務会計とはその目的を異にしていることから，税務会計における課税所得の計算を企業利益の計算とは別のものとして計算することも考えられる。これを「申告調整主義」（分離主義）といい，アメリカにおいて採用されている方式である。しかし，わが国の法人税法は，このような方式を採用せず，すでに述べたように，会社法上の確定した決算の利益金額を基にして，「別段の定め」に基づき，利益金額を加算，減算する調整（申告調整）を行って所得金額を算定する方式を採用している。これを「確定決算主義」という。

これを申告書の「別表四」で示すと、次のとおりである。

(別表四)

| 区　　　　分 | 金　　額 |
|---|---|
| 企業会計上の決算利益　① | ××× |
| 申告調整　加算　益金算入項目 | ××× |
| 　　　　　　　　損金不算入項目 | ××× |
| 　　　　　　　　小　　　計　② | ×××× |
| 　　　　　減算　益金不算入項目 | ××× |
| 　　　　　　　　損金算入項目 | ××× |
| 　　　　　　　　小　　　計　③ | ×××× |
| 法人税法上の所得金額（①+②-③） | ×××× |

上記の具体的な計算構造は、次のとおりである。

## 6　法人税額の計算

### (1) 法人税の基本税率

　法人税の税率は、全体としての租税収入確保の視点から、その時々の財政需要や経済情勢を反映して決定されるものであるが、国際的に税負担が重く、企業の海外流出による「産業の空洞化」のおそれがあること、経済の活性化を図る必要があることなどから、昭和63年の税制改革により、従前の42％から37.5％に引き下げられ、支払配当に係る軽課制度も廃止された。

　このような引下げによって、先進諸外国の法人税率との格差がかなり縮小されたが、しかし、なお、わが国の法人課税（事業税及び住民税を含む）の実効税率は、他国と比べて相対的に高いことから、企業活力と国際競争力に配意する

という観点からの基本税率の引下げの意見が強く主張された。

そこで、平成8年に税制調査会は、「法人課税小委員会」を設置して議論を行い、税率の引下げと課税ベースを適正化して拡大することによる「税収の中立性」を基点として議論を行い、法人税率を他の先進諸国並みに近づけることが望ましいという基本的方向に従って、平成10年度において、基本税率を3％引き下げて34.5％に、さらに、平成11年度に30.0％に引き下げる改正が行われた。その後さらに、平成23年11月の税制改正により、法人税の基本税率は25.5％に引き下げられ、平成27年度では23.9％、平成28年度には23.4％に、さらに平成30年度には23.2％に引き下げられることとされた。また、中小法人の年800万円以下の所得金額については、令和7年3月31日までの間に終了する事業年度は15％に軽減されている。その詳細は、第7節を参照。

これは、政府の成長戦略の柱の一つとして法人税率等の引下げを企業収益の拡大による賃金上昇と雇用拡大へ結びつけ、経済の好循環をねらったものである。

なお、法人税は、基本税率のほかに、特定同族会社の特別税率等の規定がある。

(2) **法人税の計算**

法人税の計算は、法人の決算利益に前述した税務調整の申告調整を行って所得金額を算出し、これに法人税率を乗じて法人税額を算定し、その税額から税額控除を差し引いて納付税額を算定する。

これを図解して示すと、次のとおりである。

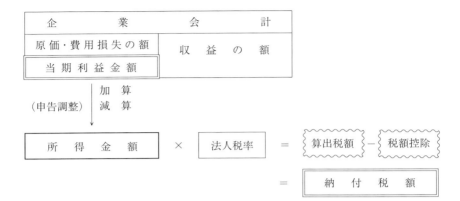

## 第3節　益金の計算

### 1　益金は何時計上するか

#### (1)　現金主義による収益の計上

　法人税法上，商品又は製品等の販売に係る収益を何時の時点の収益とするかという問題は，企業会計上の期間損益計算の決算利益から所得金額を計算する法人税法において重要な問題である。

　企業会計上の収益の計上時期の基準には，現金主義と発生主義とがある。

　現金主義とは，現実に現金を収入した時に収益に計上する方法である。たとえば，掛売りで商品を販売したために代金の収入が遅れる場合には，代金を現金で回収した時に収益に計上する方法である。この方法は，現実に販売代金等を収入したときに収益に計上する方法であるから，もっとも確実な会計処理の方法であるといえるが，その収入の時期は不確実であるから，収益の計上が不規則となり，信用取引が一般的である経済活動の下では適正な期間損益計算ができないという欠点がある。したがって，現金主義は，企業会計上も一般的には採用されず，法人税法上も，不規則な収益の計上による租税負担の不公平という観点から，原則として採用されていない。

#### (2)　実現主義による収益の計上

　発生主義とは，収益が発生した時に収益として計上する基準であり，たとえば，商品の販売が掛売りで行われた場合には，現実に収入する前であっても，商品を販売した時に収益に計上する方法をいう。信用取引が主流の経済取引の社会にあっては，損益計算を最も適正に行うことができることから，企業会計においても収益を計上する原則的基準とされている。

　しかし，発生主義による収益の計上であっても，その発生を何時の時点として捉えるかという問題があり，製造過程に発生する付加価値も広義の発生とし

て捉えることもできるが，その金額の認識と測定は極めて困難である。そこで，企業会計では，発生主義による収益の認識は，収益が実現した時と考えられており，発生主義のうちの実現主義の立場が採用されている。

このような実現主義は，①商品等の販売の時点で，法人の経済活動の大半が完了していること，②商品等の販売という客観的事実により収益を認識する方法であるから，その計上の時期を確定する上で客観性があること，③商品等の販売により現金と同じような売掛債権の資産を取得しているために，その認識に確実性があること，以上の点から企業会計上，収益計上基準の基本的な原則的基準とされている。

このような商品等の販売という事実を実現として捉えることから，これを販売基準又は引渡基準と呼ぶ場合もある。

法人税法上の収益計上の基準は，基本的には企業会計と同様であるが，税法では，この基準のことを引渡基準と呼んでいる。ただ，税法上，権利確定主義という場合もあるが，その内容は基本的には実現主義と同様と考えてよいであろう。

平成30年3月の「収益認識に関する会計基準」(企業会計基準第29号)等の公表を受けて，法人税法上の収益計上等について「引渡しの日」を原則とすることが明示(法人税法22の2①)されたほか，所定の規定が創設されている。

## 2　具体的な収益計上の取扱い

法人税法上の収益計上時期に関する具体的な取扱いについて，主要なものを概観しておくこととする。

### (1)　商品等の販売

商品，製品の通常の販売による収益は，その商品を相手方に引き渡した時に収益に計上するのが原則である。商品等の販売が遠隔地の取引先に対して行われた場合には，その引渡しの時を何時とみるかという問題が生ずるが，一般には，出荷基準と検収基準とがある。

出荷基準とは、さらに、現実に倉庫から出荷したとき、船積みしたとき、貨車、トラックに積み込んだときの各時点をいい、検収基準とは、相手方が商品、製品等を検収して引き取ったときに引渡しがあったものとする方法である。

このような複数の引渡しの時期のうち、いずれを選択するかは、法人が、販売した商品の種類、性質、契約内容等から合理的に選択することとし、その基準を継続して適用することにより認められるのである。

したがって、たとえば、国内販売の商品は倉庫から出荷したとき、輸出販売は、船に積み込んだときというように異なる基準であっても認められる。

### (2) 固定資産の譲渡

固定資産の譲渡による収益は、通常の場合には引渡しがあったときの収益に計上することとされているが、その固定資産が土地、建物等である場合には、法人がその譲渡契約の効力発生の日（契約締結日）の属する事業年度の収益とした場合には認められる。

また、山林や原野の譲渡の場合には、引渡しの日が明らかでない場合があるが、この場合には、①代金の相当部分（おおむね50％以上）の支払を受けた日と、②所有権移転登記の申請（登記申請書類の交付を含む）をした日との、いずれか早い日において、その引渡しがあったと判定することができることとされている。この取扱いは、棚卸資産の土地等についても同様に取り扱われる。

### (3) 割賦販売等

棚卸資産又は役務の割賦販売等をした場合には、金利相当部分を除き、前述した引渡基準等の原則的方法で収益に計上することになるが、賦払期間が2年以上、3回以上の分割払い、目的物の引渡し期日までに到来する賦払金額が販売等の対価の額の3分の2以下である資産の販売等（長期割賦販売等）については、その事業年度に代金の支払期限の到来した部分の金額に見合う販売等の収益と、その収益に対応する原価、費用の額をその事業年度に計上する延払基準の方法により収益及び費用の額を計算することができる。この延払基準は、資

産の販売や譲渡のほか，工事の請負（長期大規模工事を除く）及び役務の提供について適用され，損失が発生する場合も適用がある。

延払基準の方法とは，次の算式により計算される収益及び費用の額を計上する方法をいう。

$$\left\{\begin{array}{l}\text{長期割賦販売等の対価の額}\\ \text{又は長期割賦販売等の原価}\\ \text{（販売手数料等を含む）の額}\end{array}\right\} \times \frac{\text{分母の金額に係る賦払金であって当期中に支払期日の到来するものの額（注）}}{\text{長期割賦販売等の対価の額}}$$

**(注)** 前期末までに支払を受けた金額を除き，当期末に支払を受けた金額で翌期以後に支払期日の到来する金額を含む。

平成30年度税制改正において，収益認識に関する新会計基準を容認したことにより長期割賦販売等の延払基準が廃止された。ただし，平成30年4月1日前に長期割賦販売等に該当する資産の販売等を行った法人は，令和5年3月31日までに開始する各事業年度について，現行の延払基準により収益の額および費用の額を計算することができる。また，平成30年4月1日以後に終了する事業年度において，延払基準の適用をやめた場合の繰延割賦利益額を10年均等で収益計上することができる。

### (4) 委託販売等

委託販売とは，他の者に販売を委託する取引であるが，この場合の委託販売収益は，受託者に委託した商品等が現実に販売された時に収益に計上する。この場合，受託者が販売の都度，売上計算書を作成して委託者に送付しているときは，委託者が継続してその販売収益を売上計算書の到達した日の事業年度に計上することが認められる。

商品等を相手方に試用させて相手方が購入の申し出をした時に売買が成立する取引を試用販売というが，この場合の収益は，相手方が購入の意思表示をしたときに売上げに計上しなければならない。

また，予約者から予約金を徴収して行う予約販売の収益は，商品等を予約者に引き渡したときに売上げに計上することになる。

(5) **請負取引**

① 工事完成基準

　請負とは，当事者の一方がある仕事を完成することを約し，相手方がその仕事の成果に対して報酬を支払うことを約する取引である。この請負には，建物等の建設のように物の引渡しを要する請負と，運送契約のように物の引渡しを要しない請負とがある。

　このような請負契約による取引の収益の計上は，目的物の引渡しを要する請負の場合には，商品の販売と同様に，その目的物を引き渡したときに収益を計上し，目的物の引渡しを要しない請負にあっては，その役務の提供が完了したときに収益に計上することになる。このような収益計上基準を工事完成基準という。

　また，一つの契約で同種の長期工事を多量に請け負う場合，たとえば，5棟の建物の建設を請け負った場合で1棟ごとの引渡しの都度，代金を受け取るという契約では，その引渡量に応じて収益を計上しなければならない。これを部分完成基準という。

② 工事進行基準

　工事完成基準による場合には，工事完成後の引渡しの日の事業年度に多額の利益又は損失が発生する場合があり，この場合には，工事中の各事業年度においては損益が発生しないという事態が発生する。そこで損益の平準化という観点から，企業会計では工事の進捗度合に応じて，工事期間中の各事業年度に損益に計上する工事進行基準が認められている。このような基準は，国際会計基準で採用されているものであり，先進諸国の税法もこの基準によっている。

　わが国の法人税法においても，平成10年度税制改正により，長期大規模工事については，工事進行基準が強制的に適用されることとされた。なお，損失の工事も工事進行基準が適用される。

　長期大規模工事とは，次の要件を満たす工事をいう。

　イ　工事期間が1年以上，請負金額10億円以上（平成20年4月1日以降に契

ロ 契約において,請負対価の額の2分の1以上が工事の目的物の引渡しの期日から1年を経過する日後に支払われることとされていないもの

工事進行基準とは,次の方法で計算した収益及び費用の額を計上する方法である。

$$\begin{array}{l}請負対価の額又は\\その工事原価の額\end{array} \times 工事進行割合 - 計上済み収益・費用の額 = \begin{array}{l}当該事業年度の収益\\の額又は費用の額\end{array}$$

$$工事進行割合 = \frac{既に要した原材料費,労務費,その他の経費の合計額}{工事原価の額}$$

なお,長期大規模工事以外の工事は,黒字工事について,工事完成基準と工事進行基準の選択適用が認められていたが,平成20年度税制改正により,損失が生ずる工事についても適用が認められることとされた。

## (6) 貸付金利子・配当

貸付金や預貯金又は有価証券から生ずる利子については,その利子の計算期間の経過に応じて発生主義によって収益に計上することが原則である。しかしながら,金融機関等以外の一般の事業会社が有する貸付金等の利子は,その利払期が1年以内の一定期間に到来するものについて,継続してその利払期ごとに収益に計上することができる。

また,貸付けの相手先が債務超過等のために,その支払を督促したにもかかわらず当該貸付金から生ずる利子の額のうち当該事業年度終了の日以前6月(当該事業年度終了の日以前6月以内に支払期日がないものは1年)以内にその支払期日が到来したものの全額が当該事業年度終了の時において未収となっており,かつ,直近6月等以内に最近発生利子以外の利子について支払を受けた金額が全くないか又は極めて少額であること等,一定の要件の下に,実際に利子の支払いを受けるまでの間は,未収計上を見合わせることができることとされている。

受取配当金については，配当する会社が配当の決議を行った日が確定の時期となるが，実際に配当（通常の期間内の支払いのもの）を受け取った事業年度の収益に計上することもできる。いずれも，継続して経理することが必要である。

## 3　受取配当等の益金不算入

### (1)　制度の概要

法人税の性格（第1節2参照）で述べたように，法人税は，個人株主の所得税の前払いの性格として考えられていることから，その中間に位置する法人株主が配当を受け取った場合には，法人の収益として計上することになるが，所得金額の計算上，その配当金は益金の額に算入しないこととされている。このような受取配当等の全額が益金不算入とされるのは，歴史的に（平成27年改正前において）法人株主が保有する株式の保有割合が25％以上である株式の関係法人株式等の配当等に限られており，その他の株式等の受取配当等については，その配当金額の50％相当額が益金不算入とされていた。

この場合，配当を受け取った事業年度に借入金などの負債利子がある場合には，完全子法人株式等を除き配当等の元本に見合う部分の利子の額を受取配当等の額から控除した金額が益金不算入の対象となる。

なお，平成21年度税制改正により，内国法人が25％の持株割合を有する外国子会社から受ける剰余金の配当等の金額（支払配当が損金算入される配当は除く）について，その95％相当額の金額が益金不算入とする改正が行われ，それに対応して，間接外国税額控除制度が廃止された。

このような受取配当金の益金不算入制度は，平成27年度税制改正により，次のように大幅な改正が行われている。

① 　100％益金不算入
・完全子法人株式等（100％株式保有）→負債利子控除の適用除外（以前に改正）
・関連法人株式等（3分の1超の株式保有割合）→負債利子控除の適用
② 　20％益金不算入
・非支配目的株式等（5％以下の株式保有割合）→負債利子控除の適用除外

③ 50％益金不算入
　　・上記の株式以外の株式等→負債利子控除の適用除外
　なお，「剰余金の配当」ではないが，経済的に同様の効果が認められるものは，「みなし配当」として上記と同様の取扱いがなされる。

### (2) 控除される負債利子

　受取配当等の額から控除される負債利子の計算の適用は，関連法人株式等の配当金に限られるが，この計算においては，総資産あん分法と簡便法のいずれかを用いることとなる。

〔総資産あん分法〕
関連法人株式等に係るもの

$$\text{当期の支払利子総額} \times \frac{\text{当期末及び前期末の関連法人株式等の帳簿価額の合計額}}{\text{当期末及び前期末の総資産の帳簿価額の合計額に所定の調整を加えた額}} = \text{控除負債利子額}$$

　簡便法は，当期の支払利子総額に基準年度（平成27年4月1日から同29年3月31日までの間に開始した事業年度）の支払利子総額に上記の総資産あん分法により計算した基準年度の控除負債利子額の占める割合を乗じて計算する。

## 4　資産の評価益等

### (1) 資産の評価益

　法人が資産の評価換えを行って，その資産の帳簿価額を増額したとしても，原則としてその増額した部分の金額は，益金の額に算入されない。しかし，会社更生法や会社の組織変更に伴う評価換えなどの場合には，例外的にその評価益は益金の額に算入される。

　売買目的有価証券については，事業年度末の時価により評価され，その評価損益が益金又は損金の額に算入される。また，売買目的外有価証券のうち償還期限及び償還金額の定めのあるもの（転換社債を除く）は，帳簿価額と償還金額との差額のうち各事業年度に配分すべき金額をその帳簿価額に加算（アキュム

レーション）又は減算（アモチゼーション）することとされている。

(2) 還 付 金

　法人税や住民税などを納付した場合でも，法人税法上は，損金の額に算入されない（第4節10参照）。したがって，納付した法人税等が誤りであるとして還付を受けた場合には，その還付金は益金の額に算入されないことになる。

(3) 受 贈 益 等

　法人が資産の無償提供や債務の免除を受けた場合には，原則として，その時における資産の時価相当額又は債務免除の金額を受贈益や債務免除益として益金の額に算入する必要がある。

　ただし，もっぱら広告宣伝用に使用される看板，ネオンサインなどの贈与を受けた場合などは，受贈益はないものとされている。

　なお，製造業者が製品名や社名を表示している自動車や陳列ケースなど，明らかに広告宣伝用のものである場合には，その資産の時価の3分の2で評価した金額が益金に算入され，その金額が30万円以下の場合には，経済的利益はないものとして取り扱われている。

(4) デリバティブ取引による損益

　期末時に未決済のデリバティブ取引がある場合には，その期末時におけるみなし決済損益相当額を洗替方式により益金又は損金に算入される。

　また，デリバティブ取引に係る契約に基づき金銭以外の資産を取得した場合には，当該資産の取得の対価として支払った金額と時価との差額を益金又は損金に算入される。

## 第4節　損金の計算

### 1　損金は何時計上するか

　損金の額のうち，販売費及び一般管理費は，減価償却費を除き，債務の確定した日の属する事業年度の損金の額に計上するのが原則である。ただし，引当金等，法人税法に「別段の定め」がある場合は，その規定によることになる。
　このような債務の確定を損金の計上時期とする基準を債務確定基準といい，その判定は，その事業年度終了の日までに，次の要件のすべてに該当する場合をいう。
　(1)　その費用に係る債務が成立していること（債務成立要件）。
　(2)　その債務に基づいて具体的な給付をすべき原因となる事実が発生していること（給付原因事実の発生要件）。
　(3)　その債務の金額を合理的に見積もることができること（見積可能性要件）。
　売上原価については，会計上の計算概念であるから，それ自体は債務の確定は要しないが，その原価を構成する費用等については債務の確定を要することになる。
　造成団地の譲渡収益に対応する未完成工事の見積り計上や砂利採取地の埋戻し費用などは，工事や埋戻しの着手前であっても，その工事費用等を見積り計上できる。これは，造成団地の買主又は砂利採取地の地主との間で未完成工事や埋戻しについての契約上の債務が確定しているからであり，その意味で対外的には債務の確定として捉えることができる。
　また，災害等の損失は，債務の確定という要因は無関係であるから，その損失が発生したときに計上するのが原則であるが，損害賠償金の支払債務は債務の確定を要することになる。
　なお，短期前払費用の支払時の損金算入や一定数量を取得して経常的に消費する事務用消耗品，包装材料，広告宣伝用印刷物などの買入れ時の損金算入な

どの便宜的取扱いがある。

## 2　商品や製品の売上原価

### (1)　売上原価の計算

　商品や製品を販売した場合の収益に対応する売上原価は，損金の額に算入される。この原価の計算は，その売上げに個別に対応する商品等の原価を把握することが可能な場合には，売上原価を個別に計算することができるが，多量に販売される商品や製品にあっては，売上げの都度，個別に計算することは困難である。

　そこで，ある期間の総販売収益に対応する総原価を求めるという方法が合理的であり，企業会計上も同様の方法で行われている。

　その計算の方法は，次のとおりである。

（商品の当期売上原価の計算）

　　　期首棚卸高 ＋ 当期商品仕入高又は
　　　　　　　　　　当期製品製造原価 － 期末棚卸高 ＝ 当期売上原価

（製品の当期製造原価の計算）

　　　期首仕掛品棚卸高 ＋ 当期総製造費用 － 期末仕掛品棚卸高 ＝ 当期製品製造原価

### (2)　棚卸資産の評価

　前述の売上原価等の計算式から分かるとおり，売上原価を計算する場合に重要となるのが期末の棚卸資産の評価である。この場合の棚卸資産とは，商品，製品，半製品，仕掛品，原材料などであるが，この他に，建築用資材や消耗品，貯蔵品も含まれる。この期末に在庫となっている棚卸資産を評価することで，売上原価の計算が可能となる。この，棚卸資産の評価方法には，法人税法上，原価法と低価法がある。

　原価法には現在，個別法，先入先出法，総平均法，移動平均法，最終仕入原価法，売価還元法の6種類のものがあるが，いったん選定した評価方法を継続して適用しなければならないこととされている。

低価法とは，原価法による評価額と事業年度末における価額（税務上の時価）とを比較していずれか低い価額を採用する方法である。

　平成19年度税制改正により，企業会計の「棚卸資産の評価に関する会計基準」（平成18年7月5日・企業会計基準委員会）が公表され，平成20年4月1日以後開始する事業年度からは，棚卸資産の評価基準が，「正味売却価額」による低価法に一本化されることになったことを受けて，税法上も従前の再調達価額を「事業年度末における価額」に改められた。また，金地金などのトレーディング目的の棚卸資産（短期売買商品）についても，会計基準に合わせて，「時価評価金額」により評価を行うことに改められた（平成19年4月1日開始事業年度から適用）。

　平成21年度税制改正により，会計基準の変更に応じて，後入先出法及び単純平均法が認められなくなった（平成21年4月1日以後開始事業年度から適用）。また，低価法には，洗替え低価法（評価減前の価額を翌期の棚卸資産の取得価額とする方法）と切放し低価法（評価減後の価額を翌期の取得価額とする方法）とがあったが，平成23年度税制改正により，切放し低価法は，期末に評価損を計上した後に時価が回復しても戻入れ益が計上されないため過度に保守的であるとして，平成23年4月1日以後に開始する事業年度（平成23年6月30日前に終了する事業年度を除く）より廃止された。

　なお，設立1期の事業年度の場合には，その確定申告の提出期限までに届け出る必要があるが，その届出がない場合には，原価法のうちの最終仕入原価法によることになる。また，その変更は，税務署長の承認が必要である。

### (3) 棚卸資産の取得価額

　棚卸資産の期末の評価は取得価額が基礎とされるが，その取得価額とは，たとえば，資産の購入の場合には，その購入代価の他に，引取運賃や購入手数料等の買い入れのための費用等の付随費用が含まれる。また，買入事務，検収，整理，選別，手入れ等に要した費用の額，販売所等から販売所等へ移管するために要した運賃や荷造費等の費用の額なども含まれるが，それらの費用の額の

合計額が購入代金の3％以内の少額なものであれば含めなくてよいこととされている。自社で製造等した場合も同様である。

また，資産を贈与や交換又は債権の弁済（代物弁済）により取得した場合には，その資産の取得した時の時価に引取費用等の付随費用を加算して取得価額とする。

## 3　有価証券の評価

有価証券についても，棚卸資産と同様，その有価証券を譲渡する場合の譲渡原価等を算定する必要があるが，従前，有価証券の種類ごとに譲渡損益を事業年度の総計として計算することとされていたが，平成12年度税制改正により，有価証券の譲渡取引ごとに譲渡損益を計算することとされた。

この場合の有価証券の1単位当たりの帳簿価額の計算は，①売買目的有価証券，②満期保有目的等有価証券（償還期限の定めのある有価証券で満期保有目的で取得しその旨を帳簿書類に区分記載しているもの及び20％以上所有している企業支配株式等），③その他の有価証券の区分ごとに，かつ，その銘柄ごとに移動平均法又は総平均法により計算することとされている。また，売買目的有価証券については時価法が採用され，その結果，従前の低価法は廃止された。

有価証券を所有していなかった法人が有価証券を新たに取得した場合又は従来所有していた有価証券と区分及び種類の異なる有価証券を新たに取得した場合には，その取得した事業年度の確定申告期限までに，所轄税務署長にその評価方法を届け出る必要があるが，届け出がなかった場合には，移動平均法（従前は，総平均法の原価法）による。

## 4　減価償却資産の償却

### (1)　減価償却とは

減価償却資産とは，固定資産のうち，使用又は期間の経過によりその価値が減少する資産をいう。この減価償却資産は，それが使用不能となる場合や処分するまでの間，長年にわたって法人の事業に使用されるものであり，このため

に，各事業年度において減少した価値に相当する費用を損金として計上する必要がある。減価償却とは，このような価値の減少を見積もって使用期間に応じて減価償却費として費用配分する会計技術である。

その減価償却費の計算のために，法は，資産の使用可能期間である耐用年数を定めている（「減価償却資産の耐用年数等に関する省令」）。

### (2) 減価償却資産の範囲

法人税法上，減価償却資産とは，次の資産をいう。

建物及びその附属設備，構築物，機械及び装置，船舶，航空機，車両及び運搬具，工具，器具及び備品，無形減価償却資産（鉱業権，漁業権，商標権，営業権，ソフトウェアなど），生物（牛馬，果樹など）である。

また，減価償却できない資産には，土地や借地権，電話加入権，一定の美術品（複製等は除く）などがある。

しかし，減価償却資産であっても，使用可能期間が1年未満のもの，取得価額が10万円未満のものは，その事業の用に供した日の属する事業年度でその減価償却資産の取得価額に相当する金額を損金経理することにより，一時の損金として全額損金の額に算入することができる。また，取得価額が20万円未満の償却資産は，その取得価額の合計額について，事業年度毎に3年間で損金の額に算入する方法が選択できる。

この少額減価償却資産の取扱いについては，中小企業者等（資本金額が1億円以下の法人で常時使用する従業員が500人以下の法人，令和2年3月31日までに取得した資産については1,000人以下）が取得した30万円未満の少額減価償却資産については，その事業の用に供した事業年度において全額損金算入する特例が創設されたが，平成18年度税制改正により，平成18年4月1日から令和6年3月31日までの間に取得等し事業の用に供した当該資産については，その取得価額の合計額が300万円を超える場合には，その取得価額のうち年300万円に達するまでの金額を限度とすることとされた。

なお，令和4年4月1日以後に取得等をした減価償却資産については，その

取得価額が10万円未満であっても，貸付け（主要な事業として行われるものを除く）の用に供したものは，一時の損金とすることは認められないこととされた。

(3) **取得価額**

　減価償却資産の取得価額は，すでに述べた棚卸資産とほぼ同様である。購入又は製造の場合は，購入代金又は製造原価に購入手数料等の取得のための付随費用を加え，事業の用に供するために直接要した費用を加算して計算する。

　取得した資産の登録免許税や不動産取得税などの一定の租税公課は，取得した資産の取得価額に算入しないことができ，資産の購入のための借入金の利子も同様である。

(4) **減価償却費の計算**

　減価償却費を計算する方法（償却方法）にはいくつかの方法があるが，建物の償却方法は，平成10年4月1日以後平成24年3月31日以前に取得したものは旧定額法，平成24年4月1日以後に取得したものは定額法に限られている。平成28年度税制改正により，新たに平成28年4月1日以後に取得をされた建物附属設備及び構築物並びに鉱業用減価償却資産のうち建物，建物附属設備及び構築物の償却方法について，定率法が廃止された。

　減価償却の方法が2以上ある場合には，棚卸資産の評価方法の届出と同様に税務署長に届け出て選択することになるが，その届出がない場合には，（平成19年4月1日以後に取得された減価償却資産については）定率法（ただし，鉱業用減価償却資産及び鉱業権は生産高比例法）によることとされている。

　税法上は，法人の相当な減価償却費の額を規定しているのではなく，所得の計算上，減価償却費として損金の額に算入できる限度額について，上記の各方法により計算される金額としているのである。したがって，法人が費用として損金経理した減価償却費の額が，その償却限度額を上回る場合には，その上回る金額は損金の額に算入されないことになり，申告書に加算する必要がある。

　この減価償却制度は，平成19年度税制改正により大幅に改正されている。ま

ず，平成19年４月１日以後に取得する資産については，残存価額が廃止されるとともに，耐用年数経過時点において１円の備忘価額まで償却することが可能とされた。また，同年３月31日以前に取得した減価償却資産については，償却可能限度額（取得価額の95％）まで償却した事業年度等の翌事業年度以後５年間で，備忘価額（１円）まで均等償却が可能とされている。

さらに，従前の旧定率法の償却方法が改正されて，250％定率法が導入された。この250％定率法は，平成23年12月の税制改正により，定率法による償却速度を主要国並みに見直すという観点から，平成24年４月１日以後に取得する減価償却資産については，200％定率法に引き下げられた。

定率法と定額法の償却限度額の計算方法は，次のとおりである。

イ　定率法の償却限度額

定率法は，取得当初に多額の減価償却費を計上できるが，毎事業年度一定の割合で償却限度額が逓減する方法である。

償却限度額(旧定率法) ＝ 期首帳簿価額(第１回目は取得価額) × 定率法による償却率

平成19年４月１日から平成24年３月31日までの間に取得した減価償却資産の250％定率法または平成24年４月１日以後に取得した減価償却資産の200％定率法の償却限度額は，次のとおり計算される。

(1) 通常の減価償却限度額＝減価償却資産の帳簿価額×定額法による償却率の2.5倍（250％）または2.0倍（200％）による償却率

(2) この減価償却費が法定耐用年数から経過年数を控除した期間内に，その時の帳簿価額を定額法で全額償却すると仮定して計算した償却額を下回る事業年度の減価償却限度額＝当該定額法により計算される減価償却費の額

つまり，250％定率法及び200％定率法は，加速的に減価償却費の計上を容認するとともに，一定期間経過後は残存法定耐用年数に係る期間の定額法による減価償却費の費用計上を容認して備忘価額まで償却するという制度である。

ロ　定額法の償却限度額

定額法は，毎事業年度一定額が減価償却費として計算され，税法上は，その一定額を償却限度額とする方法である。

償却限度額(旧定額法) ＝ （取得価額 － 残存価額）× 定額法による償却率

　平成19年4月1日以後取得した減価償却資産については，「取得価額×定額法による償却率」となる。

(**注**)　「平成19年3月31日以前に取得をされた減価償却資産の償却率」，「平成19年4月1日から平成24年3月31日までの間に取得をされた減価償却資産の償却率，改定償却率及び保証率」，「平成24年4月1日以後に取得をされた減価償却資産の償却率，改定償却率及び保証率」は，「減価償却資産の耐用年数等に関する省令」の「別表七」，「別表八」，「別表十」においてそれぞれ定めている。

　なお，法人税法上は，減価償却費として損金算入するためには，確定した決算において減価償却費として費用に計上（損金経理という）する必要がある。したがって，決算において減価償却費を費用として計上（損金経理）しなかった場合には，申告調整で減価償却費を損金の額に算入することはできないことになる。

　また，減価償却費については，「償却額の計算に関する明細書」（「申告書別表16」）を記載して，法人税申告書に添付しなければならない。

　なお，投資促進等の政策税制として，特別償却制度等の特別措置が認められている。

### (5)　特別償却制度等の特例措置

　住宅政策，中小企業対策等の種々の政策的要請から，法人が特定の設備等を取得した場合には，普通償却額のほかに特別償却額を損金の額に算入することが認められている。この特別償却には，取得価額の一定割合を償却する「狭義の特別償却」と普通償却を割増する「割増償却」とがある。

　特別償却（狭義）の一例としては，①中小企業者等が機械等を取得した場合の特別償却，②共同利用施設の特別償却，③医療用機械等の特別償却，④DX投資促進の取得資産の特別償却，⑤カーボンニュートラルに向けた設備投資の特別償却の投資促進税制などがある。また，割増償却としては，①障害者を雇用する場合の機械等の割増償却，②倉庫用建物等の割増償却，等がある。

なお，令和３年度税制改正により新たに設けられた特別償却制度として，上記④の企業のデジタル化による企業変革（DX）を促進するために事業適用設備等の取得に係る特別償却及び⑤の脱炭素につながる設備投資促進のための特別償却が新設されている。

上記の特別償却（狭義）は，一定割合の法人税額の特別控除の選択適用が認められているものもある。また，特別償却の適用上生じた償却不足額の１年間の繰越しが認められている。

この制度は，法人が特別償却に代えて，特別償却限度額以下の金額を特別償却準備金として損金経理又は剰余金の処分により積み立てた場合には，積立金は損金の額に算入される。

### (6) 資本的支出と修繕費

減価償却資産を使用している途中で，その資産に修繕等を加える場合があるが，この場合に，その修繕等が単なる修繕費に該当するのであれば，その全額が損金の額に算入される。しかし，その修繕や改造によって，その減価償却資産の使用可能期間が延びたり，価額が増加する場合には，法人税法上，一時の損金算入は認められず，資本的支出として，資産の取得価額に算入する必要がある。

法人の支出した修繕等に要した費用が，いわゆる資本的支出か修繕費かという判断は，きわめて困難なために，税務の執行上，法人税基本通達において形式的基準を設定して，その基準により判断することが認められている。

なお，この資本的支出については，従前，その資産の取得価額に加算して減価償却費を計算していたが，平成19年４月１日以後に行った資本的支出については，資本的支出額を新たな資産の取得価額として，減価償却費の計算をすることとされた。なお，定率法を採用している場合において，平成23年12月の税制改正により平成24年４月１日以後に資本的支出を行った場合にはその資本的支出により新たに取得したものとされる追加償却資産については，200％定率法により償却を行い，平成24年３月31日以前に取得された旧減価償却資産は250％定率法により償却を行うことになる。

## 5 繰延資産等の償却

### (1) 繰延資産とは

　法人税法上の繰延資産とは，法人が支出した費用でその支出の効果が1年以上に及ぶものをいい，資産の取得価額及び前払費用は除かれることとされている。

　税法が定めている繰延資産には，次のように会社法上の繰延資産と税法上の繰延資産の2種類がある。

　会社法上の繰延資産としては，創立費，開業費，開発費，株式交付費，社債等発行費がある。

　税法上の繰延資産としては，①自己が便益を受ける公共的施設又は共同的施設の設置や改良のために支出する費用（アーケードや会館の建設費用の負担金など），②資産を賃借したり使用するために支出する権利金等（建物の賃借に当たり支出する権利金など），③役務の提供を受けるために支出する権利金等（建物を賃借するための権利金など），④広告宣伝用資産の贈与費用などがある。

### (2) 繰延資産の償却費の計算

　創立費，開業費等の会社法上の繰延資産の償却は，自由償却とされており，支出時の一時の損金算入も認められる。

　税法上の繰延資産の償却限度額は，次の計算式で算定される。

$$償却限度額 = 繰延資産の額 \times \frac{当期の月数}{支出の効果の及ぶ期間の月数}$$

　なお，この支出の効果の及ぶ期間については，法人税基本通達において種類毎に定められている。

### (3) 社債発行差金等

　平成19年度税制改正により，社債発行差益の益金算入制度が改組され，法人が社債の発行その他の事由により金銭債務の債務者となった場合において，その金銭債務に係る収入額が債務額を超え，又はその収入額が債務額に満たない

場合には，次の計算式により計算した金額を，各事業年度の所得の金額の計算上，益金の額又は損金の額に算入することとされた。

収入額が債務額を超える場合の各事業年度の益金算入額

$$(収入額 - 債務額) \text{ 又は} (債務額 - 収入額) \times \frac{当該事業年度の月数}{償還期間の月数}$$

## 6 資産の評価損

　資産を評価換えして帳簿価額を減額した場合には，原則として損金の額に算入されないこととなっているが，資産（預貯金や売掛金等の債権を除く）のうち，棚卸資産が災害により著しく損傷したこと，著しく陳腐化したこと等の場合には，その評価減の金額を評価損として損金の額に算入することができる。

　固定資産についても災害により著しく損傷したこと，1年以上遊休状態にあること，所在場所の状況が著しく変化したこと等により資産の価額が帳簿価額より低下したなどの事実が生じた場合には，評価損の計上が認められる。

　また，有価証券については，上場有価証券（企業支配株式を除く）の価額が著しく低価して回復の見込みがないこと，非上場有価証券等で発行法人の資産状態が著しく悪化したため，価額が著しく低価したなどの場合に評価損の損金算入が認められる。

## 7 役員・使用人に対する給与

### (1) 損金算入の役員給与

① 支給時期が1月以下の一定の期間ごとで，かつ，支給額が同額である「定期同額給与」

　いわゆる通常の定期・定額の役員報酬であるが，このほかに，①「これに準ずる政令で定める給与」として，定期給与の額で当該事業年度開始の日の属する会計期間開始の日から3月（確定申告期限の延長の指定を受けている内国法人にあっては，その指定の月数に2を加えた月数）を経過する日までにその改定がされた場合の給与で，当該改定前の各支給期における支給額が同額である

こと及び当該改定以後の各支給期における支給額が同額である定期の給与，②経営状況の悪化等により定期の給与が改定された場合（減額された場合に限る）の改定前と改定以後の支給額がそれぞれ同額である定期給与，③継続的に供与される経済的利益の額が毎月ほぼ一定であるもの，が含まれる。

また，職制上の地位の変更等により改定された定期給与は，定期同額給与として取り扱われる。

なお，平成29年度税制改正により，税及び社会保険料等の源泉徴収後の手取額に同額の給与が追加されている。

② 所定の時期に確定額を支給する旨の定めに基づいて支給する「事前確定届出給与」

この事前確定届出給与の適用を受けるためには，税務署長に対して，①その適用を受けようとする役員の氏名及び役職，②その支給時期及び支給期ごとの支給額等，③当該給与に係る職務の執行を開始する日ほか，所定の必要事項について記載した届出書を役員給与に係る定めに関する決議をする株主総会等の日から1月を経過する日（その日が，会計期間開始日から4月を経過する場合には，4月を経過する日）までに届出をする必要がある。なお，同族会社以外の法人が，定期給与を受けていない役員に支給する金銭給与については届出不要とされる等の簡略化が図られている。

③ 同族会社に該当しない法人が業務を執行する役員に対して支給される「業績連動給与」

いわゆる業績連動型報酬といわれている役員給与で，役員等の業務執行役員のすべてに支給する利益に関する指標を基礎として算定される給与で，その算定方法が，報酬委員会での決定等の適正手続きを経ており，かつ，有価証券報告書への記載等によりその内容が開示されていること等の一定の要件を満たす役員給与が該当する。

平成28年度税制改正において，その算定指標の範囲にROE（自己資本利益率）その他の利益に関連する一定の指標が含まれることが明確にされ，さらに，平成29年度税制改正により，「株式の市場価格の状況を示す指標」，「売

上高の状況を示す指標」が追加され，また，その算定期間についても，当該事業年度のほか，事業年度後の事業年度，将来の所定の時点もしくは期間に拡大されて，この給与体系が利用しやすいように制度改正が行われている。このような改正を受けて，「利益連動給与」から「業績連動給与」に名称変更されている。

また，一定の株式と新株予約権（適格株式・適格新株予約権）については，確定額の限度要件が緩和されて，「確定した数」を限度とする改正（平成29年度）が行われている。その結果，業績連動指標を基礎として算定される数の新株予約権を交付する給与で，確定した数を限度とするもの及び同様の指標を基礎として「無償で取得され，若しくは消滅する数」が業績連動給与の対象に含められることとされている。

この給与の支給対象に，非同族法人と完全支配関係のある同族法人の支給する給与が含まれることとされている。

令和元年度税制改正では，コーポレートガバナンス改革の実質化を進める目的から，次のような見直しが行われた。

　　イ　業務執行役員が報酬委員会等の委員でないことの要件を除外し，業務執行役員が自己の業績連動給与の決定等に係る決議に参加しないことの要件を追加。

　　ロ　報酬委員会等の委員の過半数が独立社外役員であること及び委員である独立社外役員のすべてが業績連動給与の決定に賛成していることの要件を追加

④　退職給与の適正額

役員の退職給与は，原則として株主総会等で支給金額が確定した時の事業年度の損金の額に算入される。ただし，実際に支給した事業年度に損金経理した場合には，その損金経理した事業年度の損金の額に算入することも認められる。

また，役員の退職給与は，報酬の後払い（費用性）や過去の功労報償（利益処分性）としての性格を有しているために，法人が損金経理した場合に限

り，費用性のある退職給与として損金算入されることとされていたが，平成18年度税制改正により，損金経理は要件とはされないこととされた。

なお，役員の退職給与の額が，業務に従事した期間や退職の事情，同業種，同規模法人の支給状況等に照らして不相当に高額である場合には，その不相当に高額な部分の金額は損金不算入とされる。

役員の退職給与は，現実に退職した場合ではなく，常勤役員が非常勤となった場合や，取締役から取締役相談役等に分掌変更されたために報酬が半分以下に激減した場合などに支給された給与については，退職給与として取り扱われる。なお，使用人が役員になった場合に使用人期間の退職給与を打切り支給した場合は，使用人退職給与となる。

この退職給与のうち，利益その他の指標を基礎として算定されるものは，役員給与の業績連動給与の要件を満たすことができない場合には，損金不算入となる（平成29年度税制改正）。

⑤　新株予約権による給与
⑥　使用人兼務役員の使用人の職務に係る適正な給与

使用人兼務役員とは，部長，課長などの職制上の地位を有し，常時，使用人としての職務に従事している役員のことである。ただし，社長，副社長，代表取締役，専務又は常務，監査役などは使用人兼務役員にはなれない。また，同族会社の役員で，みなし役員と同様の一定割合の株式を保有している株主グループに属しかつ一定の株式持分割合を有している役員も使用人兼務役員にはなれない。

(2) **損金不算入の役員給与**
①　上記(1)以外の役員給与
②　不相当に高額な部分の役員給与（退職給与を除く）の額

役員に対して支給する役員給与の金額が，その職務内容，会社の収益状況，使用人に対する給与の支給状況等からみて，不相当に高額である場合には，その高額な部分の金額は損金の額に算入されない（実質基準）。また，定款や

株主総会で定められている給与限度額を超えて支給された場合には，その超える部分の金額は損金の額に算入されない（形式基準）。

この場合において，二つの基準による過大給与額がある場合は，いずれか多い金額が損金不算入とされる。
③　不相当に高額な役員退職給与の額
④　事実を隠ぺい又は仮装して経理して支給した役員給与の額
⑤　使用人兼務役員の使用人としての職務に対する賞与で，他の使用人に対する賞与の支給時期と異なる時期に支給したものの額

### (3) 過大な使用人給与の損金不算入

使用人給与は原則として損金の額に算入されるが，役員の親族等に対する給与のうち，不相当に高額な部分の金額は損金不算入とされる。

## 8　交際費課税

### (1) 制度の趣旨

法人が支出する交際費は，企業会計上は，その全額が費用とされるが，法人税法の上では，損金の額に算入できる金額が制限されている。この制度は昭和29年に租税特別措置法に創設されたものである。創設当初の損金算入規制は相当緩やかであったが，年々損金不算入割合が引き上げられ，昭和57年には，資本金が5,000万円を超える法人については交際費等の支出額の全額が損金不算入とされるとともに，資本金5,000万円以下の法人は300万円，1,000万円以下の法人は400万円までの交際費等の金額が損金の額に算入される（定額控除）こととされた。その後，この定額控除の金額のうち10％相当の金額が損金不算入とされ（平成6年度），さらにその損金不算入割合が20％に引き上げられ（平成10年度），さらに定額控除額が一律400万円に引き上げられ（平成14年度），1億円以下の法人の交際費等について400万円の定額控除を認め，その損金不算入割合も10％に引き下げられた（平成15年度）。そして，平成18年度には，交際費等の範囲から1人当たり5,000円以下の一定の飲食費を除外する改正が行われてい

る。

　さらに，最近の社会経済情勢を踏まえた「経済危機対策」の一つとして，資本金1億円以下の法人に係る交際費課税について，平成21年4月1日以後終了する事業年度から定額控除限度額が400万円から600万円に，平成25年度税制改正では800万円に引き上げられた。

　また，平成26年4月1日以後に開始する事業年度より，資本金1億円以下の法人の交際費等については，上述の定額控除限度額（800万円）を超える部分の金額又は交際費等のうち接待飲食費の50％相当額を超える部分の金額のいずれかの金額が損金不算入額とされるようになり（つまり，資本金1億円以下の法人は，接待飲食費の50％相当額の損金算入と定額控除限度額までの損金算入のいずれかを事業年度ごとに選択可能），資本金1億円超の法人の交際費等については，接待飲食費の50％相当額を超える部分の金額が損金不算入額とされるようになった。

　ただし，令和2年4月1日以後に開始する事業年度より，資本金100億円を超える法人の交際費等については，その全額が損金不算入とされるようになった。

　交際費課税制度は，当初，交際費の冗費性と濫費性から，その支出を抑制して自己資本の充実を図るというものであったが，支出額の全額が原則として損金不算入とされる制度に至っては，このような制度の趣旨，目的は薄れ，交際費等の支出に対する社会的批判に応えたペナルティーとしての課税であるということができよう。

**(注)**　定額控除は，資本金の額が5億円以上の法人又は相互会社等の「100％子法人」には適用されない。

## (2) 交際費支出額等の状況

　資本階級別の交際費等の支出額及び損金不算入割合等の状況（令和元年度）は，次のとおりである。なお，交際費支出額は，平成10年度5兆0,639億円であったものが同23年度2兆8,785億円と減少傾向にあった。その後，同24年度以降令和元年度では3兆9,402億円と増加傾向にあったものが同2年度，同3年度はコロナ禍等の影響で2兆9,605億円，2兆8,507億円と減少している。

| 区　　分 | 支出額<br>(A) | 損金<br>不算入額<br>(B) | 損金不算入<br>割　合<br>(B)／(A) | 1社<br>当たり<br>((A)／全法人) | 営業収入<br>10万円<br>当たり |
|---|---|---|---|---|---|
| （資本金階級別） | 億円 | 億円 | ％ | 千円 | 円 |
| 　　　　　1,000万円以下 | 18,811 | 796 | 4.2 | 758 | 523 |
| 1,000万円超　5,000万円以下 | 4,565 | 616 | 13.5 | 1,549 | 180 |
| 5,000万円超　1億円以下 | 1,507 | 565 | 37.5 | 2,817 | 94 |
| 1億円超　　10億円以下 | 700 | 604 | 86.4 | 5,772 | 60 |
| 10億円超 | 1,500 | 1,434 | 95.6 | 32,202 | 54 |
| 小　　　　計 | 27,082 | 4,015 | 14.8 | 951 | 232 |
| 連　結　法　人 | 1,425 | 1,369 | 96.0 | 77,614 | 46 |
| 合　　　　計 | 28,507 | 5,384 | 18.9 | 995 | 193 |

（出所）「法人企業の実態（令和3年度分）」（国税庁）。

### (3) 交際費等の損金不算入額

交際費等の損金不算入額の計算（1年決算の場合）は，次のとおりである。

① 資本金1億円超の法人

支出する交際費等の額が損金不算入

② 資本金1億円以下の法人（大法人との間にその大法人による完全支配関係がある普通法人等一定の法人を除く）

年800万円（定額控除限度額）を超える部分の金額（接待飲食費の50％損金不算入制度との選択制）

### (4) 交際費等の意義

税法上，損金不算入の対象となる交際費等は，通常，交際費といわれているよりもその範囲は広い。税法上の交際費等とは，交際費，接待費，機密費その他の費用で，法人が，その得意先，仕入先その他事業に関係がある者に対する接待，供応，慰安，贈答その他これらに類する行為のために支出するものをいう。

しかし，①専ら従業員の慰安のために行われる運動会や旅行等のために通常要する費用，②カレンダー，手帳，扇子等の少額の広告宣伝用物品の贈答に要する費用，③新聞，雑誌等の出版物等の取材費で通常要する費用，④1人当た

り5,000円以下の一定の飲食費（平成18年度改正）は，交際費等には含まれない。なお，上記④については，一定事項（飲食等の年月日，参加者の数，要した費用の額，飲食店等の名称及び所在地等，その他飲食等に要した費用であることを明らかにするために必要な事項）を記載した書類を保存している場合に限り適用される。

### (5) 交際費等の範囲

① 交際費等に含まれる費用

交際費等に含まれるかどうかの判断に迷う費用で交際費等とされる具体例として，次のものをあげておく。
- ○現金の割戻しに代えて売上高に応じて得意先を旅行，観劇などに招待する費用
- ○取引先の従業員に対する結婚祝金などの費用
- ○会議後に行われる昼食程度の懇親会に要する費用を超える費用
- ○下請工場，特約店，代理店などにするための運動費用
- ○創立記念祝賀会に通常要する費用を超えて支出した費用
- ○マンション建設の近隣対策として行う旅行，観劇等の招待に要する費用
- ○百貨店等の進出に当たり，周辺商店等の同意を得るための運動費用

② 交際費等に含まれない費用
- ○現金による割戻しに代えて売上高に応じて事業用資産又は少額物品（おおむね3,000円以下）を交付する費用
- ○抽選により一般消費者を旅行等に招待するための費用
- ○新製品説明会などのための費用
- ○一般の工場見学者に対する製品の試飲，飲食のために要する費用
- ○会議に関連して茶菓，弁当などの飲食物を供与するための費用

## 9　寄附金課税

### (1) 寄附金の意義と制度の概要

寄附金とは，寄附金，拠出金，見舞金その他いずれの名義をもってするかを問わず，法人が行った金銭その他の資産の贈与又は経済的な利益の無償の供与

をいう。このような寄附金は、その典型的なものが民法上の贈与であるが、贈与とは何らの反対給付を伴わない無償の財産等の供与である。寄附金の支出総額は、令和3年分で1兆224億円に達している。

このような無償の任意の財産の贈与等が、収益を得るために通常必要であるかという点については疑問があり、利益処分性を有する面も否定できない。このように、寄附金は、事業関連性や費用控除性に問題があることから、法人税法上の寄附金課税制度は、その支出額について一定の限度額を設けて、その限度額までの金額を損金算入とし、それを上回る部分の金額を損金不算入としたものである。

なお、公共的な寄附である国等に対する寄附金、慈善的寄附で公益性が高いとして財務大臣が指定した指定寄附金は、その全額が損金の額に算入される。また、特定公益増進法人（教育又は科学の振興、文化の向上、社会福祉への貢献等に著しく寄与するものとして法律で定められている法人）等に寄附した場合には、次に述べる一般寄附金の損金算入限度額とは別枠（（資本金等の額×$\frac{3.75}{1,000}$＋所得金額×$\frac{6.25}{100}$）×$\frac{1}{2}$としたもの）で損金算入が認められる。

### (2) 寄附金の損金算入限度額

通常の寄附金の損金算入限度額（1年決算法人）は、次のように計算される。

（資本金等の金額 × $\frac{2.5}{1,000}$ ＋ 所得金額 × $\frac{2.5}{100}$）× $\frac{1}{4}$
　　　〈資本基準〉　　　　　　〈所得基準〉

## 10 租税公課

法人税や法人道府県民税、法人市町村民税及び所得税額控除を選択した所得税・外国法人税などの租税公課は、企業会計上は費用として控除されるが、法人税法上、損金不算入とされ、それ以外の酒税、事業税、固定資産税、利子税等は損金の額に算入される。

## 11 貸倒損失

### (1) 法律上の貸倒れ

　貸倒損失の一つの形態として，債権者である法人が，金銭債権である貸金等を切捨て又は放棄する場合がある。このような場合として，①会社更生法による更生計画認可の決定や民事再生法による再生計画認可の決定などの一定の事実の発生により切り捨てられる場合，②関係者の協議決定により切り捨てられる場合，③弁済不能と見込まれる場合に書面で債務免除する場合（債務者の債務超過の状態が相当期間継続し，弁済を受けられないと認められる場合に限る），などがある。

　この場合には，法律的に債権の全部又は一部が消滅したのであるから，その事実が発生した日の属する事業年度の損金の額に算入されることになる。しかし，回収可能な貸金等を放棄した場合には，原則として寄附金とされる。

### (2) 事実上の貸倒れと形式上の貸倒れ

　債務者の資産状況，支払能力などからみて，金銭債権の全額が回収できないことが明らかになった場合には，法人が貸倒損失として損金経理することにより損金算入することができる（事実上の貸倒れ）。この場合，その貸金等に担保物があるときは，それを処分した後でなければ貸倒れとして損金経理をすることはできない。

　また，この他に，売掛債権については，一定期間取引停止後弁済がない場合等の形式上の貸倒れによる貸倒損失が認められている。

## 12 引当金と準備金制度

### (1) 引当金と準備金

　法人税法上は，かつて，貸倒引当金，賞与引当金，退職給与引当金，返品調整引当金，製品保証引当金，特別修繕引当金の六つの引当金が認められていたが，平成10年度税制改正により賞与引当金，製品保証引当金，特別修繕引当金

(経過措置等あり）が廃止され，平成15年には退職給与引当金が廃止された。また，平成30年度税制改正において，返品調整引当金は経過措置が講じられて廃止された。

　法人が，これら法定する引当金以外の引当金を繰り入れて費用として計上しても，税法上は損金の額に算入することはできない。この引当金は，法人が損金経理により繰り入れることが要件とされている。

　準備金は，青色申告法人のみ繰入れが認められている政策的目的によるもので租税特別措置法に規定されている制度である。この準備金の積立は，損金経理のほかに，利益又は剰余金の処分により積み立てることができる。

　以下では，主要な引当金制度の概要を述べることとする。

(2) 貸倒引当金

　法人が保有する一定の金銭債権については，将来の回収不能による貸倒損失の発生に備えて損金経理により貸倒引当金として繰り入れ，損金の額に算入することが認められている。その繰入限度額は，個別評価額と一括評価額の二つの計算による金額の合計額である。なお，繰り入れた貸倒引当金は，翌期において利益に戻し入れ，再度，期末で繰り入れることとされている。

　平成23年12月の税制改正において，法人実効税率の５％の引下げに伴う課税ベース拡大の一環等として，平成24年４月１日以後に開始する事業年度から銀行，保険会社等以外の大法人には貸倒引当金の損金算入制度が廃止されることとなり，貸倒引当金の繰入額の損金算入が認められる法人は，①中小企業者等，②銀行，③保険会社，④上記の②又は③に準ずる一定の法人，及び⑤金融に関する取引に係る金銭債権を有する一定の法人に限定されることになった。⑤の法人については，対象となる金銭債権が一定の金銭債権に限定される。

　中小企業者等とは，①普通法人のうち，資本金の額若しくは出資金の額が１億円以下の法人（大法人との間に完全支配関係がある法人等を除く）又は資本若しくは出資を有しないもの，②公益法人等又は協同組合等及び③人格のない社団等をいう。

① 個別評価額による繰入額

次の金額が繰入限度額の金額となる。これは，平成10年度の税法改正以前の債権償却特別勘定の繰入れが貸倒引当金に移行されたものである。

　イ　会社更生法による更生計画認可の決定や民事再生法による再生計画認可の決定，債権者集会の決定等の一定の事由により債権の棚上げや長期分割払いによる返済が行われる場合において，翌期首から５年経過後に返済することになる部分の金額（担保権の実行その他により取立て等の見込みがあると認められる部分の金額は除く）

　ロ　債務者の債務超過の状態が相当期間継続し，かつ，その事業に好転の見通しがないこと，災害，経済事情の急変などにより多大な損害が生じたことにより債権の取立てが見込めない部分の金額

　ハ　債務者が不渡手形を出して手形交換所の取引停止処分を受けたり，会社更生法の更生手続の開始の申立て等，一定の事実が発生した場合に売掛金や貸付金等の額から実質的に債権とみられない部分の金額や取立て等の見込みがあると認められる部分の金額を控除した金額の50％相当額

② 一括評価額による繰入額

　イ　対象となる金銭債権

　　　金銭債権のうち売掛金，貸付金，その他これらに準ずる債権から上記の個別評価額の対象となった債権の額を控除した金額が繰入れの対象となるが，ここでの「その他これらに準ずる債権」には，仕入の前渡金，土地購入等の手付金，保証金，前払給料等は含まれない。

　ロ　繰入限度額

　　　一括評価の対象金銭債権の帳簿価額の合計額 × 繰入率 ＝ 繰入限度額

　　　この場合の繰入率は，原則は，①その法人の過去３年間の貸倒実績率を用いることとされているが，資本金１億円以下の中小企業者等の一定の法人については（貸倒実績率に代えて）②法定繰入率の選択適用が認められている。法定繰入率を採用する場合には，同一の取引先に対して売掛金等の債権と買掛金等の債務がある場合には，実質的に債権とみられない金額と

して対象金銭債権の帳簿価額から控除する必要がある。

法定繰入率は，次のとおりである。

① 卸売業・小売業（飲食業等を含む）……10/1,000
② 製造業……8/1,000
③ 金融業・保険業……3/1,000
④ 割賦販売小売業等……7/1,000（令3改正前は13/1,000）
⑤ その他……6/1,000

現行の貸倒引当金制度の概要は，次のとおりである。

〔中小企業者等の貸倒引当金制度〕

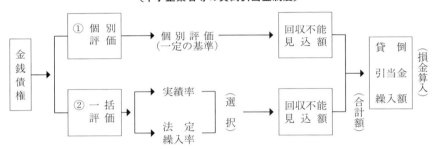

## 13 不正行為等に係る費用

従前，法人が賄賂や脱税協力の不法行為等に関して支払った場合についての損金算入の可否については，明文の規定は措かれていなかったが，法人税法の解釈上，脱税協力費用については最高裁判例により損金不算入とされた。また，判例又は学説等では，不法行為に係る費用支出についての損金算入も消極に解される等，見解が区々となっており，必ずしも明確な定説は存していない状況であった。

そこで，平成18年度税制改正により，事実の隠ぺい又は仮装して国税又はそれ以外の租税の負担を減少させ又は減少させようとする場合には，その隠ぺい仮装行為に要する費用は損金不算入とすることが法律により明文化されるとともに，いわゆる賄賂又は外国公務員等に対する不正な金銭又は利益等の供与の

費用又は損失が損金不算入とされた。

また，①罰金，科料，過料，②延滞税，加算税等，③独占禁止法による課徴金などの費用も損金不算入とされる。

## 14 オープンイノベーション促進税制

一定の事業会社が令和2年4月1日～同6年3月31日までの間に，一定のベンチャー企業の株式を出資の払込みにより取得した場合は，設立10年未満又は15年未満等の一定の要件を満たすことでその株式の取得価額の25％相当分の所得控除が認められる。この場合には，特別勘定として経理した金額が限度とされ，また，当該株式を譲渡した場合や，配当の支払いを受けた場合等には，特別勘定のうち，その部分の特別勘定の金額を取り崩して益金の額に算入する必要がある。なお，一定の要件の下で5年間保有した株式は，この益金算入は適用されないこととされている。

令和4年度税制改正により，企業のスタートアップと既存企業の協働によるオープンイノベーションを更に促進する観点から，ベンチャー企業の売上高に占める研究開発費の額の割合が10％以上の赤字法人は設立10年以上15年未満の研究開発型スタートアップとして追加され，また，特別勘定の取崩の益金算入の適用は，5年間の保有要件が3年に縮減される改正が行われた。

さらに，令和5年度税制改正により，令和5年4月1日以後にスタートアップ企業の成長に資する一定のM&A（議決権の過半数の取得）を行った場合のその取得した発行済株式についても，オープンイノベーション促進税制の対象とする改正が行われた。

## 第5節　その他の税務計算

### 1　圧縮記帳と特別控除

#### (1) 圧縮記帳の目的

　圧縮記帳とは，特定の理由で取得した資産について，一定の金額を「圧縮損」として損金の額に算入して取得資産の帳簿価額を減額（圧縮記帳）する制度である。その結果，帳簿価額を減額した部分の金額について課税の対象にならないことになる。しかし，その圧縮記帳した金額は，それ以降の事業年度において，減価償却費が少なく計上され，また譲渡原価としての控除が認められないことになる。その意味で，圧縮記帳は課税の延期という機能を有しているということができる。

#### (2) 圧縮記帳制度の内容

　圧縮記帳の対象となる制度には，法人税法によるものと，租税特別措置法によるものとがある。法人税法による制度は，その法人の取引の実態や担税力を考慮したものであるのに対して，措置法の制度は土地政策等の政策目的によるものが多い。
　圧縮記帳が認められる主な制度とその仕組みは，次のとおりである。
　　イ　法人税法の圧縮記帳
　　　㋑　国庫補助金等で取得した固定資産
　　　㋺　工事負担金等で取得した固定資産
　　　㋩　保険金等で取得した固定資産
　　　㊁　交換により取得した特定の資産
　　ロ　租税特別措置法の圧縮記帳
　　　㋑　収用等に伴い取得した代替資産
　　　㋺　特定の資産の買替えにより取得した資産

㈥ 換地処分等に伴い取得した資産など
ハ 等価交換の場合の圧縮記帳の仕組み

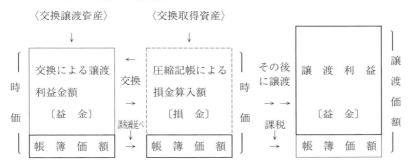

### (3) 収用換地等の特別控除

収用などにより資産を譲渡した場合には圧縮記帳が認められるが，この収用等による資産の譲渡が，買い取り申し出から6か月以内に行われ，かつ，圧縮記帳を適用しない場合には，その譲渡益のうち5,000万円までの金額を損金の額に算入することができる。このほかにも，土地区画整理事業等のために譲渡した場合の2,000万円控除などの制度がある。

(注) 平成21年度改正により，平成21年と22年の間に取得した土地等について，①5年間保有土地の譲渡についての1,000万円の特別控除，②その土地の取得後10年内の他の土地の譲渡につき80％（60％）の圧縮記帳が認められている。

## 2 借地権の設定等

土地については，譲渡のほかに賃貸も行われているが，この賃貸の場合には，借地権等の設定が行われ，権利金の授受が行われる慣行の地域がある。このような借地権の設定等における税務の取扱いの概要を述べることとする。

まず，法人（土地所有者）が，その代表者又は同族関係会社に，その建物等の敷地として利用するために土地を貸し付け，借地権設定等の対価としての権利金を授受しなかった場合には，税法上は権利金を収受し，それを借主（借地人）に贈与したものとして課税が行われる。すなわち，借地人が役員であれば

役員給与，法人であれば寄附金として取り扱われる。この場合，借地人が法人の場合には，権利金相当額（借地権）の受贈益の課税が行われる。

借地権の設定等に当たり，権利金を授受しない場合であっても，相当な地代（土地の更地価額に対して，おおむね年6％の地代）を授受する場合があるが，この場合には，正常な取引として権利金の認定課税は行われない。

また，権利金や相当の地代を授受しない場合であっても，土地を更地のまま利用する場合，将来，借地人が土地を返還等する場合に無償で返還することとし，それを所轄税務署長に届け出ている場合には，権利金の認定課税は行われない。しかし，この場合，法人（土地所有者）が相当の地代相当額を借地権者の個人や法人に贈与したものとして，給与（報酬等）又は寄附金の課税が行われる。

なお，この借地権の設定等により，その土地の時価が2分の1以下に下落した場合には，その土地の借地権部分を譲渡したものとして，時価の下落割合に対応する帳簿価額をその譲渡原価として損金の額に算入することが認められる。

## 3　欠損金の繰越控除と繰戻し

### (1)　青色欠損金の繰越控除

法人の当期開始前9年以内の各事業年度に生じた欠損金額は，当期の損金として控除することができる。これを繰越欠損金の控除という。平成28年度税制改正により，同30年4月1日以後開始事業年度からは10年以内とされた（ただし，平成30年4月1日前に開始した事業年度において生じた欠損金額の繰越期間は9年である）。

この繰越欠損金の控除は，欠損金が発生した事業年度に青色申告書を提出しており，以後，連続して確定申告書を提出している場合に認められるもので，控除対象事業年度が青色申告でなくともよい。

法人実効税率の5％の引下げに伴う財源措置の一環として，平成23年12月の税制改正により，大法人（資本金の額が1億円超の法人）の青色申告書を提出した事業年度の欠損金及び後述の災害による損失金の繰越控除制度における控除

限度額について，繰越控除をする事業年度の繰越控除前の所得金額の80％に制限され，平成24年4月1日以後に開始する事業年度から適用された。この制度は，平成27年度改正によりさらに縮減されたが，平成28年度税制改正において再度改正され，平成27年1月1日から同28年3月31日までに開始する事業年度は65％，平成28年4月1日から同29年3月31日までに開始する事業年度は60％，平成29年4月1日から同30年3月31日までに開始する事業年度は55％，同30年4月1日以降開始事業年度は50％に，段階的に引き下げられることとされた。なお，中小法人等は，この改正の対象から除外され，改正前の100％の控除限度額が存置されている。また，新設法人（7年まで）及び更生会社（手続開始決定から7年）は100％控除が認められる。

令和3年度税制改正により，コロナ禍の事態を踏まえて，DXカーボン・ニュートラル等，事業再構築・再編に係る投資に応じた範囲内で最大100％の控除が時限的に認められる手当てがなされた。

なお，特定株主等による特定支配関係（発行済株式数の50％超の支配関係）を有することとなった欠損金額等を有する法人が，その特定支配日から5年以内に，旧事業を廃止し，その業務規模のおおむね5倍を超える資金借入れ等を行うこと等一定の事由に該当するときは，その該当する日の属する事業年度前において生じた欠損金額につき青色欠損金の繰越控除制度を適用しないこととするとともに，当該事業年度開始の日から3年以内（その特定支配日から5年を限度）に生ずる資産の譲渡等損失の額を損金の額に算入しないこととされた。

(2) その他の欠損金の繰越控除

青色申告書を提出しなかった年度の損失であっても，災害（地震等の自然災害及び爆発などの人為災害）によって生じた部分（災害損失金）については，9年間（平成30年4月1日以後は10年間）の繰越控除ができる。なお，**(1)青色欠損金の繰越控除**で記述したように，大法人に係る欠損金の繰越控除制度における控除限度額（平成30年4月1日以後に開始する事業年度は，所得金額の50％）に関して，災害損失金についても同様の改正がなされている。

また，会社更生等の開始決定等があった時において，債務免除等があった場合には，前事業年度から繰り越された欠損金額のうち，債務免除等を受けた金額の合計額に達するまでの金額は損金の額に算入されることとされている。この場合，その欠損金額に青色欠損金及び災害損失の欠損金額が含まれている場合には，青色欠損金及び災害損失の欠損金額がないものとされる。それは会社更生等の債務免除益等にかかる欠損金控除が優先されるということである。

　また，平成22年度税制改正により，清算所得課税が廃止されて通常所得課税へ移行されたことに伴い，平成22年10月1日以後に解散した場合に残余財産がないと見込まれるときの期限切れ欠損金については，青色欠損金等の控除後の所得金額を限度として損金算入が認められることになった。

### (3) 欠損金の繰戻し還付

　欠損金額が発生した事業年度の前1年以内に開始した事業年度の法人税のうち，次の算式により算出される税額の還付を請求することができるという欠損金の繰戻しの制度がある。

$$還付所得年度の法人税額 \times \frac{欠損年度の欠損金額}{還付所得年度の所得金額}$$

　ただし，財政再建のために，平成4年4月1日から令和6年3月31日までの間に終了する各事業年度に生じた欠損金額については，解散，事業の全部譲渡等の一定の事実が発生した事業年度の前1年内に終了した事業年度を除き，この欠損金の繰戻し還付の措置は適用しないこととされている。なお，この適用については，中小企業者等に該当する法人の設立の日を含む事業年度の翌事業年度からその事業年度開始の日以後5年を経過する日を含む事業年度までの各事業年度の欠損金等一定の事由に該当する場合には，この繰戻し還付の停止措置の適用はなく繰戻し還付の請求が認められていたが，平成21年度税制改正により，資本金1億円以下の法人，公益法人等，協同組合等，一定の中小企業者等については，この制度の適用が認められることとなった（平成21年2月1日以後に終了する事業年度から適用）。

## (4) 震災損失の繰戻し還付の特例

東日本大震災に係る震災特例法により，平成23年3月11日から平成24年3月10日までの間に終了する各事業年度（震災欠損事業年度）において生じた繰戻対象震災損失金額がある場合には，その震災欠損事業年度開始の日前2年以内に開始したいずれかの事業年度（還付所得事業年度）の法人税額のうち，次の算式により，繰戻対象震災損失金額に対応する部分の金額について，繰戻し還付を請求することができる制度が創設された。

$$\text{還付所得事業年度の所得金額} \times \frac{\text{還付所得事業年度に繰り戻す繰戻対象震災損失金額}}{\text{還付所得事業年度の所得金額}}$$

還付請求をする場合には，「震災損失の繰戻しによる還付請求書」に必要事項を記載の上，震災欠損事業年度の確定申告書と併せて税務署に提出する必要がある。

## 4 組織再編成による移転資産の譲渡損益等

### (1) 株式交換・移転の譲渡損益

独占禁止法上，純粋持株会社が解禁され株式交換と株式移転の制度が商法に導入されたことに伴い，平成12年度において，法人税法上も株式交換・移転についての課税の特例が創設された。

株式交換等により，特定親会社が特定子会社の株式を帳簿価額以下で受け入れたこと，金銭等の対価が5％未満であることの要件を満たす場合には，その株主について，特定子会社株式の帳簿価額引継ぎによる譲渡益課税の繰り延べが認められていた。

なお，平成18年度税制改正により，この株式交換等の税制は法人税法の分割・合併等の組織再編成税制の枠組みの中に取り入れられ，その結果，従来の組織再編成の適格要件と同様に，100％の特殊関係がある場合，50％超の特殊支配関係がある場合で一定の要件を備えた場合及び共同事業で一定の要件を備えた場合における株式交換及び株式移転で，完全親法人の株式以外の資産が交付されない適格株式交換及び適格株式移転については，旧株式の譲渡損益の計上を

繰り延べることとされた。これに対して，非適格株式交換等については，土地等，有価証券等の時価評価資産について時価評価を行い，その評価損益は益金又は損金の額に算入される。なお，平成29年度税制改正により，時価評価の対象資産から，帳簿価額の1,000万円未満の資産が除外されている。

### (2) 適格組織再編成の譲渡損益等

　平成13年度税制改正により，企業組織再編成に係る商法改正が行われたことに照応して，適格組織再編成における移転資産の譲渡損益を繰り延べ，不適格組織再編成の場合の譲渡課税制度の導入と合併の場合の清算所得課税の廃止等，大幅な法人税法の改正が行われた。

　適格組織再編成とは，一定の要件を具備した分割，合併，現物出資及び事後設立をいう。たとえば，分割の場合でいえば，分割法人と分割承継法人とが100％の持分関係にある場合の分割のほか，50％超100％未満の持分関係で，①分割法人の分割事業の主要な資産及び負債が引き継がれていること，②分割法人の分割事業の従業者の概ね80％以上が分割承継法人において引き続き業務に従事することが見込まれていること，③分割法人の分割事業が分割承継法人に引き続き営まれることが見込まれている場合の分割（注），さらに，もう一つの形態は，共同事業を行うための分割で，分割法人が分割承継法人の株式を継続して保有することが見込まれていること及び上記①ないし③の要件を満たしている分割である。適格合併，適格現物出資についても，ほぼこれに準ずる要件を満たしている場合をいう。

**(注)** 　平成30年度税制改正において，組織再編成後に完全支配関係にある法人間での従業者又は事業の移転が見込まれている場合も，当該各引継要件を満たすこととされた。

　なお，平成29年度税制改正において，税制適格要件の金銭不交付の対価要件が緩和されて，合併法人が被合併法人（株式交換親法人が株式交換完全子法人）の発行済株式の3分の2以上を有する場合には，その他の株主に対して交付する対価を除外して対価要件を判定することとされたほか，分割型分割の支配関係

継続要件，共同事業を行うための合併，分割型分割，株式交換及び株式移転に係る株式継続保有要件を緩和する等の改正が行われている。

さらに，適格分割の範囲に，分割法人が行っていた事業の一部を分割型分割により新たに設立する分割承継法人に承継させる分割で一定の要件を備えた分割が加えられるとともに，「100％子法人株式の全部を分配する現物分配」が分割型分割と同様に取り扱う規定等が整備されている。

適格分割型分割（分割法人の株主に新株が交付される分割）又は適格合併による資産等の移転は，帳簿価額による資産の引継ぎとして譲渡損益はないものとし，適格分社型分割（分割法人に新株が交付される分割）又は適格現物出資により資産等の移転は，帳簿価額による資産等の譲渡とし，譲渡損益の計上が繰り延べられる。このほか，被合併法人の繰越欠損金の引継ぎ等の規定の創設，引当金等の引継ぎ等の詳細な規定が整備されている。

平成19年度税制改正により，合併等の対価として，100％親会社の株式のみが交付される三角合併等（平成19年5月1日以後の合併）について，現行の組織再編税制の枠内で，「資産の移転に伴う譲渡損益の課税の繰延べ」，「被合併法人等の株主における旧株の譲渡損益の課税の繰延べ」が可能とされた。また，三角合併による租税回避防止の観点から，企業グループ内の法人間で，軽課税国に所在する実体のない外国親会社の株式を対価とする合併等が行われた場合において，合併法人等にも事業の実体が認められないときは，適格合併等に該当しないこととされ，かかる合併等で軽課税国に所在する実体のない外国親会社の株式が対価として交付された場合は，その合併等の時に株主の旧株の譲渡益に対して課税されることとされている。

なお，不適格組織再編成の場合の資産等の移転は譲渡損益として認識される結果，従前の合併の場合の清算所得課税は廃止された。

### (3) 自社株式を対価とした特別事業再編にかかる株式譲渡益の課税の繰延

平成30年度税制改正により，一定の要件を満たす事業再編（特別事業再編）に基づき，認定を受けた事業者の自社株式を対価として，株式（出資を含む

を譲渡した場合には，その譲渡損益の計上が繰り延べられることになった（所得税についても同様）。

令和3年度税制改正において，新たに，会社法改正で創設された株式交付制度により，買収会社が自社の株式を買収対価としてM&Aを行う場合に，対象会社株主の譲渡損益の課税を繰り延べる制度が創設された。

## 5 グループ法人内取引等に係る課税制度

### (1) 制度創設の背景

法人課税制度は，平成13年度税制改正において組織再編成税制が創設されて，一定の要件を満たす適格組織再編成については，一般の課税関係とは異なる課税の繰延べの制度が創設された。さらに，平成14年度改正により，単体課税制度から完全支配関係にある法人グループの連結納税制度が創設されている。このような企業グループ内取引の課税制度の創設等の影響により，最近の法人の組織形態は多様化しており，従前の法人分社化の傾向から，関連会社を100％の子会社化によるグループ経営の強化を図り，グループ統合のメリットを追求する傾向が顕著になったことが指摘されているところである。

このような法人組織の多様化の実体を背景として，法人グループ間の取引による新たな課税関係の発生が，グループ内の経営資源の適正配分と効率化を阻害しているという実態があること，加えて，独立したグループ内の法人間における資産取引に伴う租税回避的な行為も顕著であり，これを防止する必要があること等から，これらの一定の法人グループ内取引の実態に即した課税制度の創設が求められていた。

このような企業側の資源の適正配分の要請と不当な租税回避の防止という側面から，平成22年度税制改正により，企業グループ内の法人間における一定の資産の譲渡について課税の繰延べが創設されるととともに，企業グループ内の法人間での受取配当や寄附金の課税制度について，一般とは異なる取扱いによる課税が行われるに至っている。その概要は，次のとおりである。

## (2) 100％グループ内法人間取引の損益の調整

① 連結納税制度では，連結法人が譲渡損益調整資産（固定資産・土地・有価証券・金銭債権等）をその連結法人との間に連結完全支配関係がある他の連結法人に譲渡した場合には，その譲渡損益調整資産に係る譲渡利益額又は譲渡損失額に相当する金額を損金の額又は益金の額に算入し，その譲渡損益調整資産に係る譲渡損益の額を実質的に連結所得金額に反映させないこととされている。この場合，その後において，当該譲渡損益調整資産につき，譲り受けた連結法人において譲渡等（譲渡・償却・評価換え・貸倒れ・除却等）が生じた場合には，譲渡した連結法人が，当該資産の譲渡損益の額に相当する金額の全部又は一部を益金の額又は損金の額に算入することとされている。

平成22年度税制改正では，従前，連結納税制度固有の制度であった上記譲渡損益の額の繰延べ制度の対象が，100％グループ内法人間の取引にまで拡大されることとされた。

すなわち，内国法人（普通法人又は協同組合等に限る）が譲渡損益調整資産を完全支配関係がある他の内国法人（普通法人又は協同組合等に限る）に譲渡した場合には，当該資産に係る譲渡利益額又は譲渡損失額に相当する金額を損金の額又は益金の額に算入することとして，当該資産の譲渡損益の額を所得の金額の計算に反映させないこととされたものである。この場合，その後，譲渡損益調整資産につき，譲受法人において譲渡等をされた場合には，連結納税の場合と同様に，譲渡法人において，譲渡損益に相当する額の全部又は一部を益金の額又は損金の額に算入することとされる。なお，棚卸資産，帳簿価額1,000万円未満の資産等はこの制度の適用対象外とされている。

この制度は，平成22年10月1日以後に行う譲渡損益調整資産の譲渡損益について適用される。

**（注）** この改正に伴い，完全支配関係において認められていた適格事後設立資産の移転に関する譲渡損益の繰延制度は廃止されている。

② 完全支配関係にある内国法人間で贈与（寄附）が行われた場合には，支出法人の寄附金は全額損金不算入とされ，収受した法人については受贈益の全額が益金不算入とされる。

### (3) 大法人の「100％子法人」の中小企業向け特例措置の不適用

　資本金1億円以下の法人に適用される下記の「中小企業向け特例措置」については，資本金の額が5億円以上の法人又は相互会社等の「100％子法人」には適用されないこととされた。

　また，平成23年6月の税制改正により，完全支配関係がある複数の発行済株式数の全部を保有されている法人についても，中小企業向けの特例措置が適用されないこととされた。

$$\left(\begin{array}{l}\text{軽減税率，特定同族会社の特別税率の不適用，貸倒引当金の法定繰入率，}\\\text{交際費等の損金不算入制度の定額控除制度，欠損金の繰戻による還付制度}\end{array}\right)$$

## 6　連結納税制度

### (1) 連結納税制度の概要

　連結納税制度は世界の主要な各国で採用している制度であり，わが国においても，組織再編による企業の国際競争力の維持・強化を図る面から，平成14年度税法改正により，平成14年4月1日以後に開始し，かつ，平成15年3月31日以後に終了する事業年度から導入された。

　この連結納税制度は，企業グループ内の各法人のうち，内国法人である親法人とその100％の子法人（内国法人の普通法人に限る）の所得金額と欠損金額とを通算して，企業グループを一つの納税単位として法人税を課税する制度である。企業グループにとっては，企業経営の実態に即した適正な納税が期待できる制度であるといえよう。なお，100％未満の子法人や関連法人及び清算法人は対象とはされない。

## (2) 連結所得金額の計算

連結所得金額は，次により計算される。

① 次の②以下のような別段の定めのあるものを除き，原則として，各連結法人の個別の益金の額の合計額から損金の額の合計額を控除したものが連結所得の金額となる。

② 受取配当等の益金不算入……連結法人株式等からの配当については，負債利子を控除せず，その金額を益金不算入とする。

③ 寄附金，交際費の損金不算入

寄附金の損金不算入額は，連結の資本等の金額，連結所得金額を基に連結法人を一体として計算する。交際費の損金不算入についても，親法人の資本金額に応じて，一体として計算する。なお，連結法人が，その連結法人との間に連結完全支配関係がある他の連結法人に対して支出した寄附金については，その全額が損金不算入とされる。

④ 連結欠損金額の繰越し……連結欠損金額は，通常の9年間（平成30年4月1日以後に開始する連結事業年度において生ずる連結欠損金額については10年間）の繰越控除が認められている。なお，連結子法人の連結開始事業年度前の欠損金の持ち込みは認められていなかったが，平成22年度税制改正により，連結納税の開始・加入に伴う資産の時価評価制度の適用対象外となる連結子法人のその開始・加入前に生じた欠損金額を，その個別所得金額を限度として，連結納税制度の下での繰越控除の対象とされることになった。

また，税制改正により，連結欠損金の繰越控除限度額が，繰越控除しようとする連結事業年度の繰越控除前の連結所得の金額の50％相当額（平成30年4月1日以後に開始する連結事業年度に適用）とされた。

## (3) 連結法人税額の計算

連結所得の金額に対する法人税率は，原則として，個別法人に課税する場合と同様の税率が適用されるが，親法人が協同組合等及び特定の医療法人等であ

る場合には20％（個別では19％）の税率が適用される。

　なお，経過措置として2年間（平成14年4月1日から平成16年3月31日までの間に開始する連結事業年度）は，財源不足を考慮して連結付加税として2％の税率が上乗せされることとされていたが，平成16年度税制改正により廃止された。

### (4) 内部取引及び適用開始時と加入時の資産評価

　連結グループ内の法人間で資産の取引を行った場合の譲渡損益は，その資産が連結グループの外へ移転等されたときに計上することとされている。これとは逆に，連結納税の適用開始や連結法人に新しく加入する場合には，当該法人の資産を時価評価し，評価損益を計上する必要がある。ただし，「帳簿価額1,000万円未満の資産」は，この時価評価資産から除外された（平成29年10月1日以後の開始又は加入から適用）。

　ただし，親法人や株式移転で設立の完全子法人，長期保有（5年超）の子法人，適格合併や一定の株式交換による子法人等は，この適用対象から除外されている。なお，平成14年1月1日以前からの100％子法人は，長期保有の子法人として取り扱われる。

### (5) 適用の届出

　連結納税の申告の適用は，法人の選択によることとされているが，一旦，連結納税制度を選択した場合は，継続して適用する必要がある。

　この制度の適用を受けるためには，所定の期日までに，連結法人のすべての法人の連名で，必要な事項を記載した承認申請書を連結親法人の納税地の所轄税務署長を経由して，国税庁長官に提出する必要がある。なお，平成14年度から連結納税制度を適用する法人については，平成14年9月末を承認申請期限とするなどの経過措置が講じられていた。

### (6) 申告及び納付

　連結親法人は，連結事業年度終了の日の翌日から2月以内に連結確定申告書

を提出し，連結法人税額の納付を行う必要がある。提出期限は，一定の場合に原則として2か月延長することができることとされている。

なお，連結子法人は，上記の提出期限までに，連結法人税額の個別帰属額等を記載した書類を，その所轄の税務署に提出し，連帯納付の責任を負うことになる。

(7) 連結納税制度からグループ通算制度への移行

連結納税制度については，適用の実態や経営の実態を踏まえて，さらに企業の事務負担の軽減等の観点から簡素化等の見直しを行い，損益通算の基本的な枠組みは維持しつつ各法人が個別に法人税等の計算及び申告を行うグループ通算制度に移行することとする改正が行われた。その概要は，下記のとおりである。なお，この制度は企業における準備等を考慮して，令和4年4月1日以後に開始する事業年度から適用することとされている。

① 個別申告方式の採用

企業グループ全体を一つの納税単位とし，一体として計算した法人税額等を親法人が申告する現行制度に代えて，各法人が個別に法人税額等の計算及び申告を行うこととされる。

② 損益通算・税額調整等

欠損法人の欠損金額をグループ内の他の法人の所得金額と損益通算する。具体的には，欠損法人の欠損金額の合計額を所得法人の所得の比で配分して所得法人において損金算入する。他方で，この損金に算入された欠損金額を欠損法人の欠損金額の比で配分して当該法人の益金の額に算入する。

研究開発税制及び外国税額控除は，企業経営の実態を踏まえ，現行制度と同様，通算グループ全体で税額控除額を計算する。

③ 開始加入時の時価評価と繰越欠損金の持込み

組織再編税制との整合性を考慮して，これらの評価・持込み制限の対象を縮小する。

④ 親法人も子法人と同様，グループ通算制度の適用開始前の繰越欠損金を

自己の所得の範囲内でのみ控除することとされる。

なお，通算グループ内に大法人がある場合には，中小法人特例は適用されないこととされる。

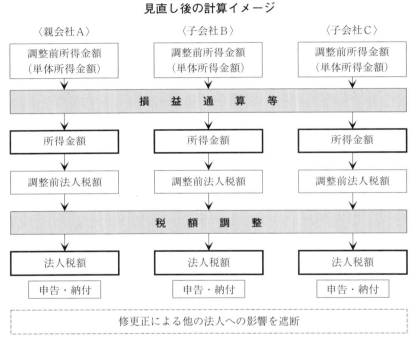

(財務省資料)

## 第6節　国際課税

　わが国の企業等と外国企業等の国際間の取引についての課税関係の形成は，国際課税の領域として分類されて，そこで派生する課税上の諸問題について，国内法及び租税条約により個別に措置して，その課税上の問題点の解決のための法制度等が整備されている。そこでは，外国法人や非居住者については，国内源泉所得についてわが国の法人税や所得税が課税されるが，国内に支店等の恒久的施設（PE）がある場合に，その国内源泉所得については，国内にある支店等（PE）に帰属するものとしてわが国の法人税等が課税されるという総合主義が採用されていた。この点について，OECDモデル租税条約の改定の影響により，OECD加盟国は，PEに帰属する所得のみを申告対象とする帰属主義を採用することとされたことから，わが国もこれに合わせるべく，平成26年度税制改正により，帰属主義を採用することとされた。

　また，デジタル経済が進展するなか，企業が市場国に物理的な恒久的施設（PE：Permanent Establishment）を設けずにビジネスを行っている場合に市場国が課税を行えないことや，一部の多国籍企業がアグレッシブなタックス・プランニング（ATP：Aggressive Tax Planning）により企業グループの税負担軽減を図る行動をとるようになるなど，企業の経済活動の実態に税制が対応できていないことが指摘されるようになった。

　そこで，2021年10月，OECD/G20でこれらの解決に向けての基本的な合意がなされた。具体的には，「第1の柱（Pillar One）」と「第2の柱（Pillar Two）」から構成される二つの柱についての合意である。

　「第1の柱」では，対象企業グループ（売上高200億ユーロ超かつ売上高税引前利益率10％超の企業グループ（ただし，資源採掘業及び規制金融業を除く））の利益のうち利益率10％を超える超過利益の25％部分の課税権をネクサスをもつ市場国に配分することとされたが，これには伝統的な国際課税の原則，すなわち「恒久的施設（PE）なければ課税なし」及び「独立企業原則」とは異なる新たな課税

方法が採り入れられている。この「第1の柱」は，2023年前半に多国間条約の署名，翌2024年に多国間条約の発効が目標とされている（さらに，各国国内法の改正も必要とされる）。

「第2の柱」は，売上高7.5億ユーロ以上の多国籍企業グループを対象に，各国で（国際的に合意された最低税率である）15％以上の税率で課税されることとするものであるが，これには海外の軽課税国に子会社等がある場合に親会社の所在国側で子会社等の税負担が最低税率（15％）に至るまで合算課税を行う「所得合算ルール（IIR）」のほか，これを補完するための制度として海外の軽課税国に親会社等関連企業が存在する場合に子会社等の所在国側が親会社等の税負担が最低税率（15％）に至るまで合算課税を行う「軽課税所得ルール（UTPR）」，また，外国政府によるこれらルールに基づく課税を避けるため自国に所在する企業の税負担が最低税率（15％）に至るまで課税を行う「国内ミニマム課税（QDMTT）」が含まれる。このうち，わが国では令和5年度税制改正で「所得合算ルール（IIR）」が整備され，残る「軽課税所得ルール（UTPR）」及び「国内ミニマム課税（QDMTT）」については令和6年度以降の税制改正での導入が予定されている。

国際課税の主要な領域は，国際間の取引を利用して租税軽減を図る取引について，税負担の公平の観点から，その租税軽減を防止するいくつかの規制税制が措置されているが，その主な制度の概要は，以下のとおりである。

## 1　移転価格税制

移転価格税制（transfer pricing）とは，国内の法人が国外の関連企業（国外関連者）との間で取引を行った場合に，その取引価格が他の第三者（非関連者）との通常の取引価格（独立企業間価格）と異なる価格で行ったことにより，わが国におけるその取引による所得が減少している場合に，その取引が独立企業間価格で行われたものとみなして，わが国の法人の所得金額を算定する制度である。この制度は，昭和61年に，諸外国の移転価格税制に対抗するために導入されたものである。

国外関連者とは，外国法人で，法人との間に，持株関係，実質的支配関係又はそれらが連鎖する関係のあるものをいう。持株関係には，①二つの法人のいずれか一方の法人が他方の法人の発行済株式等の50％以上を直接，間接に保有する関係（親子関係），②二つの法人が同一の者によってそれぞれその発行済株式等の50％以上の株式等を直接，間接に保有される関係（兄弟関係）が含まれる。実質的支配関係とは，一定の事実が存在することにより一方の法人が他の法人の事業の方針の全部又は一部につき実質的に決定できる関係のことである。

独立企業間価格の算定には，①独立価格比準法（CUP法），②再販売価格基準法（RP法），③原価基準法（CP法），④その他これらに準ずる方法がある。

令和元年度税制改正により，移転価格税制について，OECD移転価格ガイドラインの改訂内容等を踏まえ，独立企業間価格の算定方法としてディスカウント・キャッシュ・フロー法を加えるとともに，評価困難な無形資産取引に係る価格調整措置が導入された。また，この制度の更正期間及び更正の請求が6年から7年に延長された。

## 2　タックスヘイブン税制

タックスヘイブン（tax haven）とは，課税避所ということであり，いわゆる軽課税国に子会社を設立して，そこに所得を留保することにより，親会社への配当を行わないこととすれば，わが国の課税が行われないという結果となる。タックスヘイブン税制は，このような国際的な租税回避に対処するために，昭和53年に導入された制度である。

この制度は，わが国の法人が軽課税国（平成27年度税制改正により，法人税率が20％未満の国）に発行済株式の50％超を保有する子会社等（特定外国子会社等）を設立して（注）その特定外国子会社等の利益を留保している場合には，親会社の持株割合に応じて留保利益を親会社の所得に合算して，わが国の所得として課税するものである。

この制度の適用となる納税者は，特定子会社等の発行済株式等の10％以上を

保有するわが国の法人であり、課税対象留保金額は、わが国の税法を適用して計算した所得金額から、前7年以内の事業年度の欠損金を控除し、さらに、配当やその国の法人税等を控除した金額である。

タックスヘイブン税制については、平成29年度税制改正において、次のような総合的な見直しがなされている。

① 合算対象となる外国法人の判定について見直しが行われ、トリガー税率（租税負担割合基準）が廃止された。

② 「適用除外基準」が「経済活動基準」として改組され、内容の整備が行われた。

③ 部分合算課税の対象所得の範囲が「一定の受動的所得」として改組され、対象となる範囲が拡大された。

　　また、令和元年度税制改正により、特定外国関係会社の範囲から、①持株会社である一定の外国関係会社、②不動産保有に係る一定の外国関係会社等が除外されている。

**(注)** 外国法人が議決権（剰余金の配当等に関するものに限る）の異なる株式又は請求権の異なる株式を発行している場合には、この50％超の判定は、
　① 株式の数の割合
　② 議決権の数の割合
　③ 請求権に基づき分配される剰余金の配当等の金額の割合
のいずれか多い割合で行うこととされた。

## 3　過少資本税制

この制度は、外国の法人がわが国に外資系企業を設立するにあたり、出資を極力少なくして、借入金を多くすることにより、その借入利子を損金とすることによって、法人税を減少させるという租税負担軽減策を規制するための制度である。

すなわち、その法人の海外の外国親会社等からの借入金が、その海外の外国親会社等が保有する内国法人の自己資本持分の3倍を超える場合（ただし、内国法人全体の借入金総額が、法人の自己資本の額の3倍以下である場合には適用がない）

には，その超過額に対応する支払利子は，損金の額に算入しないというものである。

### 4 過大支払利子税制

この制度は，所得金額に比して過大な支払利子を支払うことを通じた租税回避を防止するための措置として，対象純支払利子等の額のうち調整所得金額の一定割合（基準値・現行20％）を超える部分の金額につき当期の損金の額に算入しないこととする制度である。

令和元年度税制改正により，税源侵食リスクに応じて利子の損金算入制限を強化する趣旨から，対象純支払利子等に関連者だけではなく第三者に対する支払利子を含むこととし，調整所得の計算上，国内外の受取配当金の益金不算入額を加算しないこと，基準値が50％から20％に引き下げられた。

なお，①純支払利子等の額が2,000万円以下，②国内企業グループ（持株割合50％超）の合算純支払利子等の額が合算調整所得金額の20％以下の場合には適用除外とする改正が行われている。なお，損金不算入とされた支払利子等の額は，7年間繰り越して損金算入が可能とされている。この改正は，令和2年4月1日以後に開始する事業年度について適用される。

なお，この規定と前記3の規定による損金不算入額がある場合には，その損金不算入額が大きい方の制度が適用される。

### 5 子会社の配当と同株式譲渡による租税回避防止

法人が一定の支配関係にある子会社から一定の配当を受ける場合には，株式の帳簿価額からその配当のうち益金不算入相当額等を減額することとされる。

なお，令和4年度税制改正により，適用除外要件等の改正が行われている。

## 第7節　税額の計算

　法人税額の計算の概要は，第2節の6において述べたが，ここでは，最終的に納付すべき税額の計算に関係する各種の制度の概要について述べることとする。

### 1　各事業年度の所得に対する法人税率

　各事業年度の所得に係る法人税率（基本税率）は，平成30年度税制改正により，平成30年4月1日以後令和7年3月31日までに開始する事業年度について23.2%とされているが，中小企業者は軽減税率19%とされ，さらに特別措置法により15%に軽減されている。その税率の主な内容は，次のとおりである。

| 区　　分 | | 税　率 |
|---|---|---|
| 普通法人 | 中小法人・一般社団法人等（相互会社を除く）　年800万円以下の部分 | ※ 19%（15%） |
| | 　年800万円超の部分 | 23.2 |
| | 資本金1億円超の法人，相互会社 | 23.2 |
| 人格のない社団等 | 年800万円以下の部分 | ※ 19（15） |
| | 年800万円超の部分 | 23.2 |
| 協同組合等及び特定の医療法人 | 年800万円以下の部分 | ※ 19（15） |
| | 年800万円超の部分 | 19 |
| 一定の公益法人等 | 年800万円以下の部分 | ※ 19（15） |
| | 年800万円超の部分 | 19 |

※　資本金の額が1億円以下の普通法人等一定の中小企業者等の軽減税率は，令和7年3月31日までの間に終了する事業年度については15%とされている。
(注) 1　中小法人とは，期末資本金の額が1億円以下の法人（資本金の額が5億円以上の法人の完全子法人等を除く）をいい，一般社団法人等（一般社団・財団法人，公益社団・財団法人）及び人格のない社団等を含む。
　　 2　特定の協同組合等で，年10億円を超える所得に対しては22%。
　　 3　「一般社団法人等」とは，一般社団法人・一般財団法人・公益社団法人・公益財団法人をいう。

## 2 税額控除

### (1) 税額控除とは

　税額控除とは，基本税率を乗じて算出された法人税額から控除するものであるが，この制度には，所得税額控除，外国税額控除，仮装経理に基づく過大申告の場合の更正に伴う法人税額の控除，試験研究費の法人税額の特別控除，給与等の支給額が増加した場合の法人税額の特別控除，平成28年度税制改正により創設され令和2年度税制改正で拡充された「企業版ふるさと納税」等がある。

　企業版ふるさと納税は，法人が，地域再生法における認定地方公共団体が行う「まち・ひと・しごと創生寄附活用事業」に関連する寄附金（「特定寄附金」）を支出した場合に，法人住民税及び法人事業税において税額控除を受けることができ，また，法人住民税から税額控除が一定の金額に満たない場合は，青色申告書を提出する法人は所定の手続きを行うことにより法人税において税額控除を受けることができる制度である。

### (2) 所得税額控除

　所得税額控除とは，法人が利子や配当等の支払を受ける際に源泉徴収された所得税（預貯金利子は全額，利子，配当は元本所有期間等を考慮した一定金額）を控除するものであり，法人税の前払いとしての所得税を精算するためのものである。

　この控除を受ける場合には，所得税として源泉徴収され損金の額に算入されている所得額を損金不算入とする申告調整を行い，その所得税額の内容を記載した申告書別表を添付する必要がある。

## (3) 外国税額控除

　内国法人が，外国において事業を行ったことにより課された外国法人税を控除する制度である。内国法人の所得は，国外の所得を含む全世界所得について課税されることから，外国法人税を納付した場合のわが国法人税との二重課税を排除するためのものである。この規定を受ける外国法人税は，損金不算入とされる。

　平成23年6月の税制改正により，複数の税率の中から納税者と外国当局等との合意により税率が決定される税について，最も低い税率を上回る部分は，外国法人税に該当しないものとされた。この改正は，平成23年6月30日以後に納付することとなる外国法人税について適用される。

　この外国法人税額控除制度に関して，国際的二重課税が発生していない部分についてわが国の法人税額から控除可能となっている彼我流用問題などから，平成23年12月の税制改正において，法人税率の引下げに伴い，平成24年4月1日以後に開始する事業年度において納付することとなる外国法人税の額について，外国税額控除の対象から除外される高率な外国法人税の水準を50％超から35％超に引き下げる等の改正が行われた。

　なお，外国子会社からの配当について，当該子会社等が支払った外国法人税額が控除される間接税額控除制度は，外国子会社からの配当の益金不算入制度の創設によって廃止された。

## (4) 試験研究費の税額控除

　研究開発税制の「試験研究費の税額控除制度」には，①試験研究費の額に係る税額控除制度（一般型），②中小企業技術基盤強化税制，③特別試験研究費の額に係る税額控除制度（ＯＩ型）があるが，①と②はいずれかの選択適用とされている。

　この場合の「試験研究費」は，製品の製造，技術の改良や考案，発明に係る試験研究のために要する費用，対価を得て提供する新たな役務の開発に係る試験研究のために要する費用，で一定のものである。また，「特別試験研究費」

は，国や大学等と共同して行う試験研究に係る費用，等の一定の費用をいうものである。

①の一般型の税額控除制度の控除限度額の基本は，「試験研究費の額×税額控除率＝税額控除限度額」により算定される。なお，増減試験研究費の割合が9.4％（令3改正前は8％）超又は以下のそれぞれにより「税額控除率」は変動し，税額控除上限は一律に法人税の額の25％相当額を限度とする制度であった。

令和5年度税制改正により，試験研究費増加のインセンティブをさらに強化するための見直しが行われ，増減試験研究費の割合について12％（令和5年改正前は9.4％）を境に税額控除率が変動する仕組みとなり，また新たに，試験研究費の増加割合に応じて税額控除上限が変動する仕組みが導入されるなど，従来よりもメリハリのある制度に改められた。

②の中小企業技術基盤強化税制における「税額控除率」は12％とされており，これに所定の特例の控除率が上乗せされることとされている。基本的には，①の制度と同様の制度である。

③の制度は，オープンイノベーション（OI型）といわれる試験研究費控除であり，特別試験研究費の額に一定の控除率を乗じた金額に相当する法人税額が控除される。

### (5) 給与等の支給額が増加した場合の法人税額

所得拡大促進税制ともいわれていた「給与等の支給額が増加した場合の法人税額の税額控除」制度は，国内雇用者に対して支給する給与の額が，平均給与等支給額の増加等の一定の要件を充たした場合に，その増加額に対する一定の割合の法人税額の税額控除が認められる制度であったが，令和3年度税制改正により，新規雇用者の給与支給額に変更された。すなわち，その事業年度（令和3年4月1日から同4年3月31日までの間に開始する年度）において，新規雇用者給与等支給額の前期からの増加割合が2％以上の場合には控除対象新規雇用者等支給額の15％（教育訓練費増加要件を満たす場合には20％）の税額控除が認められる（人材確保等促進税制）。

令和4年度税制改正において，大企業等の措置として，令和4年4月1日から同6年3月31日までの間に開始する各事業年度については，継続雇用者の給与総額の対前年度増加率が3％以上の場合に，基本控除率は15％であるが，対前年度増加率4％以上の場合にはさらに10％の上乗せ，教育訓練費の対前年度増加率が20％以上の場合にはさらに5％の上乗せがなされる（つまり，最大で30％となる）改正が行われている（賃上げ促進税制）。その控除の上限額は，当期の法人税額の20％とされている。

なお，資本金10億円以上，かつ，常時使用従業員数1,000人以上の企業は，「マルチステークホルダー方針」を公表したことを経済産業大臣に届け出ていることが要件とされている。

中小企業における所得拡大促進税制として，従前，継続雇用者給与等支給額の増加要件が撤廃され，雇用者給与等支給額が前年度の同支給額（比較雇用者給与等支給額）の1.5％以上の増加割合であれば（令和3年度税制改正），原則として，その増加額の15％の法人税の税額控除ができる制度とされている。なお，教育訓練費増加割合等の一定の要件を満たしている場合には，その税額控除率は25％であり，上限は法人税額の20％とされている。

この中小企業の制度においても，令和4年に改正され，令和4年4月1日から同6年3月31日までの間に開始する各事業年度については，基本控除率は15％であるが，雇用者全体の給与総額が対前年度支給総額の2.5％以上の増加の場合には15％の上乗せ，さらに，前記増額割合で，かつ，教育訓練費の対前年度増加率が10％以上の場合には10％の上乗せの改正が行われている。控除の上限額は，当期の法人税額の20％とされている。

## 3 特定同族会社の留保金額に対する特別税率

3人以下の株主等がその発行済株式等の50％超又は一定の議決権の総数の50％超の数を有する場合の会社を同族会社というが，この同族会社にあっては，その利益を株主に配当として分配せずに社内に留保する傾向が強いが，そうすると，配当した法人の株主の所得課税と比べると，配当所得の所得税課税が延期

されることになる。そこで，配当した法人としない法人の個人株主の所得課税における公平を維持する観点から設けられているのが，同族会社の留保金課税である。

すなわち，同族会社の当期の留保所得金額（賞与や配当等社外に流出した金額及び法人税と住民税を控除したもの）から，留保控除額を控除した課税留保所得金額に，一定の税率を乗じた留保税額が法人税額に加算されることになる。

このような留保金課税制度は，1株主グループによる株式等の保有割合が50％超の特定同族会社に限定して適用されることとされている。

ア　留保控除額の計算

　同族要件

　　1株主グループによる株式等の保有割合が50％超

　留保控除額

　　① 所得基準額……所得等の金額×40％（中小法人にあっては50％）　　｜最も多い金額
　　② 定額基準額……年2,000万円
　　③ 積立金基準額……期末資本金の25％相当額－利益積立金

イ　不適用の対象法人

　適用対象となる特定同族会社から「資本金の額又は出資の額が1億円以下である会社」が除外され，中小企業の内部留保の充実を図ることが可能とされる制度となっている。

ウ　税率

　　㋑ 課税留保所得金額が年3,000万円以下の金額　　　　　10％
　　㋺ 課税留保所得金額が年3,000万円超1億円以下の金額　　15％
　　㋩ 課税留保所得金額が年1億円超の金額　　　　　　　　20％

## 4　土地譲渡益に対する法人税率

土地の譲渡益課税は，土地取得及び土地保有における課税とともに，その時々の地価の状況に応じた国民経済的見地からの土地税制が施行されているが，平成8年の税制改正では，従前のバブル経済時における土地の地価高騰に対処す

るための制度を緩和する改正が行われた。その結果，法人が平成8年1月1日以降に行った土地の譲渡益については，5年超の長期保有土地につき5％，2年超5年以内の短期保有土地につき10％，2年以内の超短期保有土地については15％の追加課税が行われることになったが，その後の土地価格の状況に対応して，平成10年1月1日以後の譲渡について超短期保有土地の譲渡益課税を廃止するとともに，長期保有土地及び短期保有土地の譲渡益の追加課税は，現在適用しないこととされている。

土地税制の改正の概要は，次のとおりである。

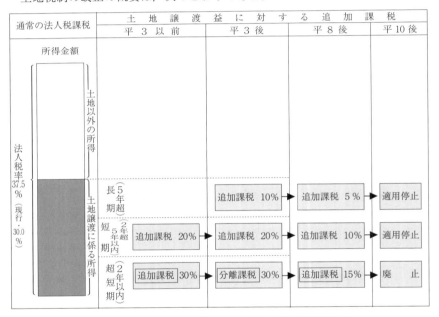

**(注)**　「税制調査会・参考資料」（平成8年11月22日）に基づき作成した。

## 5　使途秘匿金の支出がある場合の課税の特例

この制度は，平成6年4月1日から平成26年3月31日までの間に使途が明らかでない支出を行った場合には，その支出額に対して40％の特別税率による法人税が上乗せして課税する制度であるが，平成26年度税制改正により，適用期

限が撤廃され，恒久的制度とされた。

　ただし，資産の譲受けその他の取引の対価として支出されたもののうち，相当と認められる金額や帳簿に相手方の氏名等を記載しないことに相当の理由がある場合には，使途秘匿金には含まれず，この適用はない。

　なお，平成20年度税制改正の遅れから，平成20年4月1日以後，同月30日前に支出されたものは，この制度の適用はない。

## 第8節　地方法人税の課税制度

### 1　制度の創設とその趣旨

　地方交付税の不交付団体における地方消費税の実質増収額の遍在を是正するための措置として，平成26年度税制改正により地方法人税が創設された。具体的には，道府県民税法人税割の標準税率は5.0％から3.2％に1.8％引き下げ，市町村民税法人税割の標準税率は12.3％から9.7％に2.6％引き下げることに対応して，課税標準法人税額（基準法人税額）を課税標準とする税率4.4％の国税である地方法人税が創設された。この地方法人税の税収は，全額が地方交付税の財源とされる。

### 2　制度の概要

　地方法人税の納税義務者は，法人税を納める義務がある法人であり，課税の対象は，法人の各事業年度の基準法人税額である。基準法人税額とは，各事業年度の所得の金額につき，所得税額控除，外国税額控除及び仮装経理に基づく過大申告の場合の更正に伴う法人税の控除を適用しないで計算した法人税の額（課税標準法人税額）である。

　税額は，課税標準法人税額に地方法人税の税率を乗じて計算し，特定同族会社の留保金課税の適用がある法人は，所得に係る法人税額に地方法人税率を乗じた金額と課税留保金額に係る法人税額に地方法人税率を乗じて計算した税額の合計額となる。

　なお，平成28年度及び平成28年11月の税制改正により，令和元年10月1日以後に開始する課税事業年度から地方法人税の税率は10.3％に引き上げられている。

　申告は，原則として各事業年度の終了の日の翌日から2月以内に行うこととされている。

# 第6章　相続税・贈与税

> **ポイント**
>
> (1) 相続税とは，被相続人から相続，遺贈又は死因贈与により財産を取得した個人に対して課税される国税である。
> (2) 相続税が課税される財産には，民法上の本来の相続財産の他に，相続税法上，相続財産とみなされる財産とがある。みなし相続財産には，生命保険金，退職手当金，遺言により著しく低い価額で財産の譲渡を受けた場合等の経済的利益がこれに該当する。
> (3) 相続税の計算は，まず，各相続人の取得した財産の課税価格を計算して，その合計額から基礎控除額を控除して課税遺産額を算定する。そして，各相続人が法定相続分で取得したものとした場合の税額を計算し，その金額に，各相続人の課税価格のその合計額に占める割合を乗じて各相続人の税額を求めて，その税額について配偶者に対する相続税の軽減，未成年者控除等を行って各人の納付すべき相続税額を算定する。
> (4) 贈与税は，個人から死因贈与以外の贈与により財産を取得した個人に課税される国税であり，生前贈与により相続税を免れることを防止するための相続税の補完税である。
> (5) 贈与税の課税の対象となるのは，民法上の贈与により取得した本来の贈与財産と，その効果が本来の贈与財産の取得と同様である「みなし贈与財産」がある。みなし贈与財産には，資産の低額譲受，債務免除等による経済的利益などがこれに該当する。
> (6) 贈与税は，贈与により取得した財産の価額の合計額から，配偶者控除額，基礎控除額を差し引いた残高に対して累進税率を乗じて計算する。
> (7) 60歳以上の贈与者等から18歳以上の子供らが贈与により財産を取得した場合には，受贈者の選択により暦年課税方式に代えて，贈与時に贈与税（非課税枠：累積で2,500万円，住宅取得等資金は3,500万円，税率：一律20％）を支払い，その贈与者の相続開始による相続税額から，その支払った贈与税額を控除して相続税額を計算する相続時精算課税制度がある。この制度は，令和5年度税制改正により基礎控除制度（各年110万円）の創設及び災害により評価額が減少した場合の評価額が見直された。非上場株式等に係る相続税，贈与税の納税猶予制度は，大幅な納税猶予制度の特例が措置され，令和元年度には，個人事業者の事業承継税制が創設された。また，直系尊属から住宅取得資金の贈与の特例，教育資金の一括贈与を受けた場合の贈与税の非課税制度（限度：1,500万円），結婚，子育て資金の贈与が非課税制度（限度1,000万円）がある。
> (8) 相続及び贈与により取得した財産の課税価格は，その課税時期における財産の時価であるが，その評価に当たっては，「財産評価基本通達」に詳細な評価方法が定められている。

## 第1節　相続税の概要

### 1　相続税とは

　相続税とは，亡くなった者（被相続人）から相続，遺贈又は死因贈与により財産を取得した者に課せられる国税である。
　遺贈とは，遺言によって遺産の全部又は一部を相続人その他の者に無償で譲与することをいい，死因贈与とは，贈与者の死亡により効力を生ずる（一種の停止条件付）贈与契約をいう。

### 2　相続税の基礎控除制度の変遷

　この相続税は，同一の被相続人から相続，遺贈又は死因贈与（相続等）により財産を取得した者全員の取得財産の価額の合計額から，遺産に係る「基礎控除額」を控除した額を基にして計算される。
　したがって，遺産の価額が基礎控除額を超えていなければ，相続税は課税されないことになる。
　基礎控除額は，定額控除と法定相続人比例控除とから構成されており，昭和63年12月の税制の抜本改革において，定額控除が2,000万円から4,000万円に，法定相続人比例控除が1人400万円から800万円に引き上げられ，さらに，平成6年度税制改正において，定額控除が5,000万円に，法定相続人比例控除が1人1,000万円に，それぞれ引き上げられた。その後，平成25年度税制改正により，定額控除が3,000万円に，法定相続人比例控除が1人600万円に引き下げられた。

## 第2節　相続税の納税義務者

　相続税の納税義務者は，原則として，相続等により財産を取得した個人である。

　ただし，法人格のない社団又は財団で代表者又は管理人の定めのあるもの（「人格のない社団等」といい，同窓会，後援会，研究会等がこれに当たる）に財産の遺贈があった場合（設立のための遺贈を含む）には，その人格のない社団等が個人とみなされて相続税の納税義務者となり，また，公益を目的とする事業を行う法人（公益法人等）に対して財産の遺贈（設立のための遺贈を含む）があり，相続税の負担が不当に減少すると認められる場合には，その公益法人等は個人とみなされて相続税の納税義務者となる。

　相続税の納税義務者は，財産取得時に国内に住所を有していたか否かにより，無制限納税義務者と制限納税義務者に分かれる。無制限納税義務者とは，財産取得時に国内に住所を有していた者をいい，取得した財産の所在地にかかわらず，その全部について納税義務があり，他方，制限納税義務者とは，財産取得時に国内に住所を有していなかった者をいい，取得した財産のうち国内にあるものについてのみ納税義務がある。

　なお，相続又は遺贈により日本国外にある財産を取得した個人で財産を取得した時において日本国内に住所を有しない者のうち日本国籍を有する者（その者又は当該相続若しくは遺贈に係る被相続人が当該相続又は遺贈に係る相続の開始前10年以内（平成29年4月1日以後の相続から適用。それまでは5年以内）において日本国内に住所を有したことがある場合に限られる）は，相続税を納める義務があることとする措置が講じられた。さらに，平成25年度税制改正により，当該財産を取得した個人が日本国籍を有しない者についても，当該相続又は遺贈に係る被相続人が当該相続開始の時において日本国内に住所を有していた場合には相続税を納める義務があるとされたが，平成29年度税制改正により，日本国籍を有しない相続人等が相続開始前10年以内に国内に住所を有していた被相続人等から

の相続又は遺贈により取得した国外財産が，相続税の課税対象に加えられた。また，在留資格をもって一時的滞在をしている場合等の相続又は遺贈にかかる相続税については，国内財産のみが課税対象とされた。

平成30年度税制改正において，次のような改正が行われている。
① 一般社団法人等に関する相続税・贈与税の見直し

同族関係者が理事の過半を占めている一般社団法人・一般財団法人について，その同族理事の1人が死亡した場合は，当該法人の財産のうち一定金額を対象に，当該法人に相続税を課税することとされた。

純資産価額をその死亡の時における同理事の数に1を加えた数で除した金額を，死亡した理事から遺贈により取得したものとみなして，当該法人に相続税を課することとされた。

なお，平成30年4月1日以後の相続について適用されるが，同日前に設立された一般社団法人等については，令和3年4月1日以後の当該一般社団法人等の役員の死亡に係る相続税について適用される。
② 外国人の出国後の相続税等の納税義務の見直し

高度外国人材等の受入れと長期滞在を更に促進する観点から，外国人が出国後に行った相続・贈与については，原則として国外財産には相続税等を課税しないこととされた。

なお，出国から2年以内に再び日本に住所を移した場合には，出国後に行った国外財産の贈与に贈与税を課税する。

この改正は，平成30年4月1日以後の相続又は贈与について適用される。

ところが，高度外国人材等の日本での就労を促進する観点から，令和3年度税制改正おいて，就労のために日本に居住する外国人（出入国管理法別表第1の在留資格の者）が死亡した場合は，居住期間にかかわらず，国外財産を相続税の課税対象としない（相続開始前15年中10年超の長期滞在する外国人が相続人となる場合を除く）こととする改正が行われた。また，この規定は，その外国人が行う生前贈与に係る贈与税も同様の改正が行われている。この改正は，令和3年4月1日以後の相続・贈与に適用される。

## 第3節　相続税の課税範囲

### 1　課税対象財産

　相続税の課税対象となる財産には，本来の相続財産と「みなし相続財産」とがある。

　相続の開始により，相続人は被相続人に属した一切の権利義務（被相続人の一身に専属したものを除く）を承継する。相続税はこれらの相続又は遺贈（死因贈与を含む）によって取得した財産に対して課税されるものであり，これを「本来の相続財産」という。

　この本来の相続財産のほかに，相続税法は，本来の相続財産を構成しないものや，構成するかどうか疑義のあるもので，その経済的実質が本来の相続財産と同視されるべきものについて，課税の公平を図る見地から，相続又は遺贈により取得したものとみなしている。これを「みなし相続財産」という。

　この「みなし相続財産」には，たとえば，次のようなものがある。

① 　生命保険金

　　被相続人の死亡により取得した生命保険金又は損害保険金で，被相続人が負担していた保険料の金額に相当する部分

　　なお，この保険金の範囲には，わが国の保険業法の免許を受けていない外国の保険会社と締結された生命保険契約又は損害保険契約に係る保険金は一時所得とされていたが，平成19年度税制改正により，みなし相続財産とされる保険金の範囲に含まれることとされ，相続税の非課税の適用が受けられることになった。

② 　生命保険契約に関する権利

　　相続開始時において，保険事故の発生していない生命保険契約（いわゆる掛捨保険を除く）に係る「生命保険契約に関する権利の価額」のうち，被相続人が負担した保険料に相当する部分

**(注)**　この権利の評価額は，解約返戻金相当額によって評価される。
③　退職手当金
　　被相続人の死亡により取得した退職手当金，功労金その他の給与で，死亡後3年内に支給額が確定したもの。なお，小規模企業共済制度の小規模企業者の死亡に伴う一時金も含まれる（平成26年度税制改正）。
④　定期金に関する権利
　(1)　給付事由が発生しているもの
　　　定期金給付契約に係る次に掲げる金額のうちいずれか多い金額の「定期金に関する権利の価額」のうち，被相続人が負担した掛金又は保険料に相当する部分
　　　イ　解約返戻金相当額
　　　ロ　一時金相当額
　　　ハ　予定利率を基に算出した金額
　(2)　給付事由が発生していないもの
　　　相続開始時において，定期金給付事由が発生していない定期金給付契約に係る法定の「定期金に関する権利の価額」のうち，被相続人が負担した掛金又は保険料に相当する部分
　**(注)**　定期金に関する権利の相続税評価額は，解約した時の返戻金，一時金との乖離が大きく，それを用いた相続対策としての保険の利用等が問題となっていた。平成22年度税制改正では，時価評価額に近い金額をもって評価額を算出する改正が行われ，給付事由が発生している保険については，①解約返戻金，②一時金相当額，③予定利率等を基に算出した金額のうち最も多い金額を評価額とし，給付事由が発生していない保険については，解約返戻金相当額を評価額とした。
⑤　特別縁故者への財産分与
　　被相続人の特別縁故者が家庭裁判所の審判により相続財産の全部又は一部を与えられた場合における，その財産
⑥　そ　の　他
　　低　額　譲　受……遺言により，著しく低い価額の対価で財産の譲渡を受けた

　　　　　　　　　　場合
　　債務免除等……遺言により，対価を支払わないで又は著しく低い価額の対
　　　　　　　　　価で，債務免除，債務引受，第三者のためにする債務弁済
　　　　　　　　　を受けた場合
　　信託財産……遺言により信託行為があり，委託者以外の者が受益する場合

## 2　非課税財産

　相続税法は，国民感情あるいは社会政策上の見地等から，相続又は遺贈により取得した財産のうち，一定のものについては相続税を課さないとしている。
　相続税の非課税財産としては，次のようなものがある。
　① 　皇室経済法7条の規定により，皇位とともに皇嗣が受けた物
　② 　墓所，霊廟及び祭具並びにこれらに準ずるもの
　③ 　公益事業を行う者が取得した公益事業用資産
　④ 　心身障害者共済制度に基づく給付金を受ける権利
　⑤ 　相続人の取得した生命保険金等で500万円に法定相続人の数を乗じた金額に相当する部分
　⑥ 　相続人の取得した退職手当金等で500万円に法定相続人の数を乗じた金額に相当する部分
　⑦ 　国等に対して相続財産を贈与した場合
　⑧ 　特定公益信託の信託財産とするために相続財産に属する金銭を支出した場合

## 第4節　相続税の計算

### 1　計算の仕組み

　相続税の課税方式としては，被相続人の遺産総額に課税する遺産課税方式と，遺産を取得した者の取得財産の価額に課税する遺産取得課税方式とがある。

　現行の相続税法は，各相続人が法定相続分により財産を取得したと仮定して相続税の総額を算出し，それを各相続人及び受遺者（相続人等）が取得した財産の価額の比で按分して各相続人等の税額を計算するという，法定相続分課税方式による遺産取得課税方式を採用している。

　相続税の計算の基本的な流れは，以下のようなものである。

① 各相続人等の課税価格を計算する。
② 各相続人等の課税価格の合計額から遺産に係る基礎控除額を控除し，課税遺産総額を求める。
③ 課税遺産総額を，各法定相続人がその法定相続分に応じて取得したものとして各人の税額を計算し，それを合計（「相続税の総額」という）する。
④ 相続税の総額に対して，各相続人等の課税価格が課税価格の合計額に占める割合を乗じて，各相続人等の税額（「算出税額」という）を求める。
⑤ 各相続人等毎に，その算出税額に対して，相続税額の加算，贈与税額の控除，配偶者に対する相続税額の軽減，未成年者控除（18歳未満），障害者控除，相次相続控除，外国税額控除を行う。

　この結果，求められた税額が各相続人等の「納付すべき相続税額」である。

### 2　課税価格の計算

**(1) 原　　　則**

　課税価格は，原則として，相続又は遺贈により取得した財産の価額の合計額

から，非課税財産の価額，被相続人から承継した債務の金額及び負担した葬式費用の金額を控除した残額である。

　ただし，相続開始前 3 年内に被相続人から贈与により取得した財産があるときは，その取得財産の価額を加算した後の金額が，課税価格とみなされる。平成 5 年度税制改正において，資産移転時期の選択に関する中立性を高めていく観点から，この「3 年内」は「7 年内」に延長され，令和 6 年 1 月以降に行われた贈与分について適用される。また，延長される加算期間の間に受けた贈与（加算対象贈与財産のうち，相続開始前 3 年以内に取得した財産以外の財産）については，総額100万円までを相続税の課税価格に加算することを要しない（控除する）措置が講じられている。相続財産が未分割の場合には，各共同相続人又は包括受遺者が民法の規定による法定相続分又は包括遺贈の割合に従って遺産を取得したものとして，各相続人等の課税価格を計算する。

　また，民法改正により創設された「特別寄与料の請求権」の額が確定した場合には，当該特別寄与者（被相続人の子の配偶者等）が，特別寄与料の額に相当する金額を被相続人から遺贈により取得したものとみなして相続税が課税される（令和元年度税制改正）。

### (2) 課税価格の計算の特例

#### ① 小規模宅地等についての課税価格の計算の特例

　被相続人相続により財産を取得した場合には，その相続財産の内容によっては，相続財産を売却して納税資金に当てる必要がある場合が発生する。その売却する資産が居住用又は事業用宅地である場合には，生活の基盤となる居住用又は事業用の土地が失われて生活の維持継続が困難になることも考えられる。そこで，イ一定の限度面積の小規模の特定事業用等宅地等（不動産貸付業を除く事業用，一定の国営事業用，特定同族会社事業用）及び特定居住用宅地等については宅地等の評価額の20％，ロそれ以外の不動産貸付業等の宅地（特定特例宅地等）については評価額の50％相当額が課税価格とされる特例の適用が認められている。

なお，限度面積は，イの特定事業用等宅地等は400平方メートル，特定居住用宅地等は330平方メートル（平成27年1月1日前は240平方メートル），ロの特定特例宅地等については200平方メートルである。

　なお，相続税の申告期限までに事業又は居住の継続をしない小規模宅地等については，この特例は適用できない。

　なお，令和元年度税制改正により，相続前3年以内に事業の用に供された宅地については，本特例の対象から除外された。ただし，このような宅地であっても，当該宅地の上で事業の用に供されている償却資産の価額が，当該宅地の相続時の価額の15％以上であれば，本特例の適用対象とされる。

**(注)** 1　「小規模宅地等についての課税価格の計算の特例」は，「事業承継税制」が創設されて両規定を併用適用できることとなった。
　　2　複数者で共同相続した場合
　　　　複数の者が小規模宅地等を共同で相続等により取得した場合は，その小規模宅地等の取得者ごとに適用要件が判定される。
　　3　小規模宅地等の上に存する一棟の建物のうちに居住用と貸付用がある場合には，用途ごとに居住用330㎡（平成27年1月1日前は240平方メートル）は80％減額，貸付用200㎡は50％減額，空き室部分は減額適用ができない。
　　4　平成25年度税制改正により，①小規模宅地等の適用対象となる特定居住用宅地等の範囲に，建物の構造上区分されている一棟の建物内の二世帯住宅に係る被相続人及びその親族が居住の用に供していた部分に対応する宅地等が追加され，②相続開始時に被相続人が終身利用権付の老人ホームに入所している場合であっても，一定の要件を満たす場合の従前の居宅の敷地が，小規模宅地等の特定居住用宅地等の適用対象とされた。

## 3　基礎控除額

　遺産に係る基礎控除額は，3,000万円と600万円に相続人の数を乗じて得た金額との合計額である。

　3,000万円　＋　600万円　×　相続人の数　＝　遺産に係る基礎控除額

　相続人の数は民法の規定によるが，相続の放棄があった場合には，それがなかったとした場合の相続人の数により，また，被相続人に養子がある場合にお

ける相続人の数への算入は，次の各々の場合に応じて，それぞれの数に限る。
① 実子がある場合，又は実子がなくて養子が１人の場合……１人
② 実子がなく，養子が２人以上の場合……………………２人
(注) 特別養子縁組による養子，配偶者の実子で被相続人の養子となった者等，一定の者は実子とみなされ，この養子の数の制限対象から除外されている。

## 4　法定相続分

法定相続分は，民法の定め（900条，901条）により，次のとおりである。
① 相続人が配偶者と子………配偶者：１／２，子（全員で）：１／２
② 相続人が配偶者と直系尊属……配偶者：２／３，直系尊属（全員で）：１／３
③ 相続人が配偶者と兄弟姉妹……配偶者：３／４，兄弟姉妹（全員で）：１／４
④ 同順位の共同相続人……………原則：均等

## 5　相続税の総額の計算

「相続税の総額」は，遺産が分割されたかどうか，相続又は遺贈によって財産を取得した者が誰であるかにかかわらず，相続税の課税価格の合計額から遺産に係る基礎控除額を控除した後の金額（課税遺産総額）を，前述した相続人の数に応じた相続人が法定相続分で取得したものとした場合における，各人の取得金額に所定の累進税率を適用した金額の合計額である。

平成25年度税制改正において，相続税の税率構造が改められ，平成27年１月１日以後の相続又は遺贈により取得した財産に係る相続税の税率は，次の税率による。

〈相続税の税率〉
1,000万円以下の金額　10％
3,000万円以下の金額　15％
5,000万円以下の金額　20％
１億円以下の金額　　30％
２億円以下の金額　　40％
３億円以下の金額　　45％

6億円以下の金額　　　50％
　6億円超の金額　　　　55％

〈相続税の速算表〉

| 各法定相続人の取得金額 | 率(％) | 控除額 |
|---|---|---|
| 1,000万円以下の金額 | 10％ | － |
| 3,000万円以下の金額 | 15％ | 50万円 |
| 5,000万円以下の金額 | 20％ | 200万円 |
| 1億円以下の金額 | 30％ | 700万円 |
| 2億円以下の金額 | 40％ | 1,700万円 |
| 3億円以下の金額 | 45％ | 2,700万円 |
| 6億円以下の金額 | 50％ | 4,200万円 |
| 6億円超の金額 | 55％ | 7,200万円 |

（例）　1人の相続人の取得金額が3,000万円の場合
　　　3,000万円×15％－50万円＝400万円

## 6　取得財産での按分計算

　各相続人又は受遺者（相続人等）の相続税額は，相続税の総額を各相続人等が取得した財産の価額の比により按分計算して求める。これにより求められた税額を，「各相続人等の算出税額」という。

$$相続税の総額 \times \frac{その者の課税価格}{各相続人等の課税価格の合計額} = 各相続人等の相続税額$$

## 7　各相続人等の納付税額

　各相続人等の納付すべき税額は，「各相続人等の算出税額」に対して，各相続人等ごとに，以下のような加算又は控除を行って求める。
① 　加　　　算
　　その者が子（代襲相続人を含み，孫養子は除く），配偶者及び父母以外の者であるときは，その算出税額の20％相当額を加算する（相続税額の加算）。
② 　控除（減算）
　　イ　贈与税額控除……課税価格に加算した贈与財産に係る贈与税相当額（贈

与税額×課税価格に加算した贈与財産価額／贈与財産価額の総額）を控除する。

ロ　配偶者の税額軽減……その者が配偶者であるときは，「相続税の総額×配偶者の法定相続分の課税価格（1億6,000万円以下の場合は1億6,000万円）／課税価格の合計額」と「相続税の総額×配偶者の実際の課税価格／課税価格の合計額」との，いずれか少ない金額を控除する。

　　この特例は，配偶者及び配偶者以外の者が仮装又は隠ぺいした財産を配偶者が相続した場合には適用されないが，配偶者が仮装又は隠ぺいし財産を配偶者以外の相続人が取得したことに伴い増加した配偶者の税額についても，この特例は適用されないこととされている。

ハ　未成年者控除……その者が未成年者であるときは，成年に達するまでの各1年につき，6万円（平成27年1月1日以後は10万円）を控除する。

ニ　障害者控除……その者が障害者であるときは，85歳に達するまでの各1年につき，6万円（平成27年1月1日以後は10万円）（特別障害者については12万円（平成27年1月1日以後は20万円））を控除する。

ホ　相次相続控除……その者の被相続人が，当該相続（第2次相続）開始前10年以内の相続（第1次相続）により財産を取得し，それについて相続税が課せられていたときは，その相続税額を基礎として算定される所定の額を控除する。

ヘ　在外財産に対する相続税額控除……その者が国外にある財産を取得し，外国の法令により相続税に相当する税を課せられたときは，その税に相当する金額を控除する。

以上の加算及び控除は，まず，相続税額の加算を行い，その後の金額からイないしへの順に控除を行う。

## 8　事業承継税制（非上場株式の相続税等の納税猶予）

事業承継税制とは，事業の後継者が，都道府県知事の認定を受けた非上場会社の株式等を先代経営者から贈与又は相続・遺贈により取得した場合において，贈与税又は相続税の納税が猶予される制度である。

会社の要件として，中小企業であり，資産保有型・資産運用型会社ではない

こと等，また，先代経営者は会社の代表者等の一定の要件をみたしていること，後継者は贈与時（相続時から5か月を経過する日）において代表者であること等の一定の要件が規定されている。

従前の承継税制は，猶予対象株式の上限が3分の2とされ，相続税は対象株式の80％が猶予割合とされている等，かなり厳格な要件が設定されていたことから，必ずしも充分な納税者猶予制度という側面では制約されていた。

ところが，平成30年度税制改正で，10年間の措置（平成30年1月1日から令和9年12月31日までの間の贈与又は相続・遺贈に適用）として，法人版事業承継税制の特例制度が創設された。

その特例制度と従来の制度の相違点は，次のとおりである。

### (1) 制度の概要

従前の制度と特例制度の概要を比較すると，次のとおりである。

**主な改正内容**

| 項　　目 | | 従前の事業承継税制の概要 | 特例による改正内容 |
|---|---|---|---|
| 納税猶予対象株式 | | 発行済議決権株式総数の3分の2の株式 | 上限の制限を撤廃し取得したすべての株式が対象 |
| 納税猶予割合 | | 贈与：100％　相続：80％ | 贈与・相続：100％ |
| 雇用確保要件 | | 5年間の雇用平均8割の維持 | 承認取消事由から雇用要件を除外（この場合には，要件を満たせない理由を記載した書類の提出を要する） |
| 適用対象者 | 先代経営者 | 代表権を有し又は有していた先代経営者1人から株式を承継する場合 | 複数人（代表者以外の者を含む）からの特例後継者への承継も適用対象 |
| | 後継者 | 代表権を有している又は有する見込みである後継者1人への承継のみ | 代表権を有する複数人（最大3人）への承継も適用対象 |
| 猶予取消事由（譲渡・合併・解散等）の場合の納付金額 | | 株式の贈与時・相続時の相続税評価額を基に計算した納付税額 | 経営環境の変化を示す一定の要件を満たす場合の株式譲渡・合併・解散等は，その時点の株価で税額を再計算し，猶予税額との差額は減免 |
| 相続時精算課税制度の適用対象者 | | 贈与者の直系卑属のみ対象 | 贈与者の親族以外の後継者についても対象 |

なお，令和元年度税制改正により，民法の改正を受けて，受贈者の年齢要件が20歳から18歳に引き下げられている。また，令和３年度税制改正により，この特例措置は被相続人が70歳未満（現行:60歳未満）でも適用されることとされ，この場合には，特例承認計画書に特例後継者として記載されていれば，後継者が被相続人の相続開始直前において特例認定承継会社の役員でないときであっても，この制度の適用を受けることができることとされた。

(2) **相続税の納税猶予についての手続**

なお，相続税の納税猶予制度の手続の概要を示すと，次のとおりである。贈与税もほぼ同様であるが，都道府県知事への申請は，贈与の翌年１月15日までに行うことが必要である。

## 第6章 相続税・贈与税

| 提出先 | | |
|---|---|---|
| 都道府県庁 | 承継計画の策定 | ●会社が作成し，認定支援機関（商工会，商工会議所，金融機関，税理士等）が所見を記載。<br>（「承継計画」は，当該会社の後継者や承継時までの経営見通し等が記載されたものをいう。） |
| | | ●平成35年（2023年）3月31日まで提出可能。<br>※ 平成35年（2023年）3月31日までに相続・贈与を行う場合は，相続・贈与後に承継計画を提出することも可能。 |
| | 相続の開始 | |
| | 認定申請 | ●相続の開始後8か月以内に申請。<br>●承継計画を添付。 |
| 税務署 | 税務署へ申告 | ●認定書の写しとともに，相続税の申告書等を提出。 |
| 税務署／都道府県庁 | 申告期限後5年間 | ●都道府県庁へ「年次報告書」を提出（年1回）。<br>●税務署へ「継続届出書」を提出（年1回）。 |
| | 5年経過後実績報告 | ●雇用が5年平均8割を下回った場合には，満たせなかった理由を記載し，認定支援機関が確認。その理由が，経営状況の悪化である場合等には，認定支援機関から指導・助言を受ける。 |
| 税務署 | 6年目以降 | ●税務署へ「継続届出書」を提出（3年に1回）。 |

## 9 個人事業者の事業承継税制の創設

平成30年度税制改正により，個人事業者について高齢化に伴う円滑な世代交代による個人事業の持続的な発展促進の視点から，令和元年度において，相続等及び贈与により特定事業用資産を取得し，その事業を継続する場合には，担保の提供を条件に，その認定相続人・認定受贈者が納付すべき相続税額・贈与税額のうち，相続等・贈与により取得した特定事業用資産の課税価格に対応する相続税・贈与税の納税が全額猶予される新たな納税猶予制度が創設された。上記要件以外の制度の概要は，次のとおりである。

### ＜制度の概要＞

① 平成31年１月１日から令和10年12月までの10年間の時限措置として創設。
② 令和６年３月31日までの間に承継計画を都道府県に提出した場合に限られる。
③ 事業用の宅地，建物，その他一定の減価償却資産(注)について，適用対象部分の課税価格の100％に対応する相続税・贈与税が納税猶予される。

(注) 建物以外の減価償却資産は，固定資産税又は営業用として自動車税若しくは軽自動車税の対象となっているもの等。令和３年度税制改正により，乗用自動車（取得価額500万円以下の部分）が加えられた。

④ 個人事業者の特性を考慮し緩和措置
　・ 後継者の死亡・一定の重度障害・一定の災害の場合は，猶予税額を免除する。
　・ 経営環境変化や心身の故障等により適用対象資を譲渡又は廃業する場合は，その時点の資産価額で猶予税額を再計算して，差額を免除する。
⑤ 本制度と小規模宅地の等の評価の特例とは，選択適用。
⑥ 被相続人が相続開始前に青色申告の承認を受けていること，相続人（認定相続人）は，承継計画に記載された後継者で経営円滑化法により認定を受けた者で，かつ，相続開始後に，青色申告の承認を受けていること（認定相続人）。
⑦ 受贈者（認定受贈者）は，18歳（2022年３月31日までの贈与は20歳）以上である者
⑧ 貸付事業（アパート・駐車場等）は，対象外

## 第5節　相続税の申告と納付

### 1　申告

　当該相続に係る課税遺産総額があって，かつ，納付すべき相続税額（配偶者の税額軽減の適用前）がある相続人等は，その相続開始があったことを知った日から10月以内に，被相続人死亡時の住所地の所轄税務署長に対して，課税価格，相続税額等を記載した相続税の申告書を提出しなければならない。

　なお，申告書を提出する者が2人以上あるときは，同一の申告書に連署して共同申告によることができる。

### 2　納付

#### (1)　原則

　相続税の申告書を提出した者は，その提出期限までに，申告書に記載した納付すべき税額を，現金で納付しなければならない。また，同一の被相続人から相続又は遺贈により財産を取得した者が2人以上あるときは，それらの者は，相続又は遺贈により受けた利益の範囲内で，互いに他者の相続税を連帯して納付しなければならない。

　この場合に，連帯納付義務者が納付した相続税については，延滞税ではなく利子税を納付すれば足りることとされた（平成23年度税制改正）。

　なお，平成24年度税制改正により，申告期限等から5年を経過した場合（すでに連帯納付義務の履行を求めているものを除く）や，納税義務者が延納又は納税猶予の適用を受けた場合には，連帯納付義務が解除されることとされている。

#### (2)　延納

　相続税は財産課税であり，金銭納付に支障を来す場合もあることから，①相続税額が10万円を超えていること，②金銭納付を困難とする事由があること，

③申請書を納期限までに提出すること，④延納税額に相当する担保を提出することを要件として，延納税額は納付を困難とする金額を限度として，年賦による延納が認められている。

なお，延納期間及び利子税の割合は，相続税額の計算の基礎となった財産の合計額（課税相続財産の価額）に占める不動産，立木等の価額による。

### (3) 物　　　納

延納によっても，なお延納期間内での完納の見通しが立たないときには，税務署長の許可を得て，課税価格の計算の基礎となった財産を金銭に代えて納付することが認められている。これを物納という。

物納は，①延納によっても，金銭納付を困難とする事由があること，②困難とする金額が限度とされていること，③物納を求めようとする納期限等，所定の期限までに申請書の提出があること，を要件として許可される。

物納に充てることのできる財産（物納財産）の種類と優先順位は，①国債，地方債，不動産及び船舶，上場株式，同社債，同投資証券等（第1順位），②社債，株式，証券投資信託・貸付信託の受益証券（第2順位），③動産（第3順位）である。

なお，申請に係る物納財産が，質権・抵当権その他担保権の目的となっている場合，共有財産である場合，売却見込みのない不動産である場合，譲渡制限株式である場合など，管理又は処分をするのに不適当と認められる財産である場合には，期限を定めて変更を求められることになる。

### (4) 農地の相続と納税猶予

相続人が，被相続人の農業の用に供されていた農地，採草放牧地，準農地（農地等）を相続し，農業の用に供しているなど，一定の要件に該当する場合には，農業を継続している限り，その農地等の価額のうち農業投資価格を超える部分に対応する相続税の納税が猶予される。

なお，猶予税額が免除される要件は，①相続人が死亡した場合，②農地を生

前一括贈与した場合とされている。

　ただし，免除される前（猶予期間中）に，特例農地等を譲渡し，あるいは宅地に転用するなどした場合には，猶予税額の全部又は一部につき猶予が打ち切られ，その事実が生じた日（又はその翌日）から2月を経過する日までに，その税額と利子税（原則3.6％）を納付しなければならない。

**(注)**　「農業投資価格」とは，恒久的に耕作等の用に供されたとして通常成立すると認められる価格（将来，宅地として転売すれば高く売れるという潜在的な期待益を除いたもの）をいい，農地の所在地域の所轄国税局長が土地評価審議会の意見を聴いたうえで決定する。この特例の適用を受ける農地等を「特例農地等」という。

## 3　国外財産調書の提出

　平成24年度税制改正により，居住者は，その年の12月31日において合計額5,000万円を超える国外財産を有する場合には，その種類・数量及び価額等を記載した国外財産調書を翌年3月15日までに提出することが義務付けられた（平成26年1月1日以後の提出分から適用）。この場合には，国外財産調書の提出の有無により，国外財産に係る所得税又は相続税の修正申告等についての過少申告加算税等については，軽減又は加重がなされることとされている。

## 第6節　贈与税の概要

### 1　贈与税とは

　贈与税とは，個人から，死因贈与以外の贈与により財産を取得した個人に課せられる国税である。
　この贈与税の性格については，生前贈与により相続税の課税を免れることを防止する目的もあることから，贈与税は相続税の補完税であるといわれている。

### 2　贈与税の課税状況

　贈与税は，暦年単位で課税され，その暦年において贈与により取得した財産の価額から基礎控除（110万円）を控除した残額を基として計算される。
　したがって，贈与により取得した財産があっても，その財産の価額の合計額が基礎控除額を超えていなければ，贈与税は課されない。
　また，暦年課税制度のほかに，相続時精算課税制度が認められている。

## 第7節　贈与税の納税義務者

　贈与税の納税義務者は，原則として，贈与により財産を取得した個人である。
　ただし，人格のない社団等に対して財産の贈与があった場合（設立のための財産の無償提供を含む），又は公益法人等に対して財産の贈与があり（設立のための財産の無償提供を含む），贈与者（又は提供者）の親族等の贈与税の負担を不当に減少すると認められる場合には，その人格のない社団等又は公益法人等が個人とみなされ，贈与税の納税義務者となる。
　なお，贈与又は提供を受けた財産の価額が，人格のない社団等又は公益法人等の法人税の所得計算上，益金に算入される場合は，個人とみなされない。
　贈与税の納税義務者も，相続税と同様，財産取得時に国内に住所を有していたか否かにより，相続税と同様に，無制限納税義務者と制限納税義務者とに分かれる。
　なお，平成12年の改正により，贈与により日本国外にある財産を取得した個人で財産を取得した時において日本国内に住所を有しない者のうち日本国籍を有する者（その者又は当該贈与に係る贈与者が当該贈与前10年以内（平成29年4月1日以後の贈与，それまでは5年）において日本国内に住所を有したことがある場合に限られる）は，贈与税を納める義務があることとする措置が講じられた。
　さらに，平成25年度税制改正により，当該財産を取得した個人が日本国籍を有しない者についても，当該贈与者が当該贈与の時において日本国内に住所を有していた場合には贈与税を納める義務があるとされたが，平成29年度税制改正により，日本国籍を有しない受贈者が贈与を受けた時から10年以内に国内に住所を有していた贈与者からの贈与により取得した国外財産が贈与税の課税対象に加えられた。また，在留資格をもって一時的滞在をしている場合等の贈与税については，国内財産のみが課税対象とされた。
　令和3年度税制改正において，一定の在留資格者が死亡した場合は，贈与者の居住期間にかかわらず，国外財産を贈与税の対象としないこととされている（相続税を参照）。

## 第8節　贈与税の課税範囲

### 1　課税対象財産

　贈与税の課税対象となる財産（課税対象財産）にも，相続税と同様，「本来の贈与財産」と「みなし贈与財産」とがある。
　「本来の贈与財産」とは，民法上の「当事者の一方が，自己の財産を無償で相手方に与える旨の意思を表示し，相手方がそれを受諾することによって成立する契約」である贈与により取得した財産である。
　「みなし贈与財産」とは，相続税法上，贈与という私法上の原因によって取得したものではないが，その取得原因が贈与と同一の実質を有すると認められる一定の場合につき，贈与により取得したものとみなされた財産である。
　みなし贈与財産には，①委託者以外の者を受益者とする信託契約により，受益者が受ける信託利益，②保険料又は掛金を負担しないで，保険金又は定期金の給付を受けるという利益，③資産の低額譲受に係る利益，④債務免除等に係る利益などのほか，「対価を支払わず又は著しく低い価額の対価により受ける利益」，たとえば，利息を支払わないで金銭の貸与を受ける利益，賃料を支払わないで資産の貸与を受ける利益などが該当する。

### 2　非課税財産

　相続税法は，贈与により取得した財産であっても，贈与税の性格，財産の性質，公益的配慮等から，一定のものには贈与税を課税しないこととしている。
　贈与税の非課税財産には，たとえば，次のようなものがある。
(1)　法人からの贈与
　　法人からの贈与については，一時所得として，所得税が課せられる。贈与税が相続税の補完税であるという性格になじまないからである。

(2) 扶養義務者相互間における生活費又は教育費に充てるための贈与

　　生活費又は教育費に充てるためにした贈与により取得した財産で，通常必要と認められるもの。

(3) 公益事業用資産

　　宗教，慈善，学術その他公益を目的とする事業を行う者が贈与により取得した財産で，その事業の用に供されることが確実なもの。

(4) 公職選挙の候補者が選挙運動に関して贈与により取得した財産

　　公職選挙法189条の規定により，報告されたもの。

(5) 心身障害者共済制度に基づく給付金を受ける権利

(6) 特定公益信託で財務大臣の指定するものから，学術に関する顕著な貢献の表彰，顕著な価値のある学術の研究の奨励として交付される金品

(7) 特定障害者扶養信託契約に基づく信託受益権

　　特定障害者に生活費に充てるために一定の信託契約に基づいて特定障害者を受益者とする財産の信託に係る信託受益権の価額のうち，特別障害者について6,000万円，一定の障害者について3,000万円までの金額。

(8) 教育資金の一括贈与

　　平成25年4月1日から令和3（2021）年3月31日までの間に受贈者（30歳未満に限る）の教育資金に充てるために直系尊属が金銭等を拠出し，金融機関に信託等をした場合は，当該金銭等の額のうち受贈者1人につき1,500万円（学校等以外は500万円が限度）に相当する部分の価額。

　　なお，令和元年度税制改正により，次の改正が行われている。

① 贈与の年の前年の受贈者の合計所得金額が1,000万円を超える場合には，この制度は適用できないこと。

② 23歳以上の者の教育資金の範囲につき，イ学校等に支払われる費用，ロ学校等に関連する費用（留学渡航費等），ハ学校等以外の者に支払われる費用で，教育訓練給付金の支給対象となる教育訓練を受講するために支払われるもの，に限定された。

③ 30歳到達時において，現にイ学校等に在学している場合等について

は，その時点で残高があっても贈与税は課税しないこと，等の一定の措置が講じられた。
　④　贈与者の相続開始前3年以内に行われた贈与について，贈与者の相続開始日において受贈者が，イ23歳未満である場合，ロ学校等に在学している場合，ハ教育訓練給付金の支給対象となる教育訓練を受講している場合，のいずれかに該当する場合を除き，相続開始時におけるその残高を相続財産に加算することとされた。

(9)　結婚・子育て資金の一括贈与

　少子化対策として，平成27年4月1日から令和3年3月31日までの間に受贈者（20歳以上50歳未満）の結婚・子育て資金の支払に充てるために，その直系尊属が金銭等を拠出し，金融機関に信託等をした場合には，受贈者1人につき1,000万円（結婚に際して支出する費用は300万円を限度）までに相当する部分の価額。

　なお，令和元年度税制改正により，贈与の年の前年の受贈者の合計所得金額が1,000万円を超える場合には，この制度は適用できないこととされた。

(10)　香典，花輪代，年末年始の贈答，社交上のお祝い，お見舞いなどの金品で，常識的な範囲内のもの。

## 第9節　贈与税の計算

### 1　計算の仕組み

　贈与税は，贈与により取得した財産の価額の合計額（課税価格）から，配偶者控除額及び基礎控除額を差し引き，その残額に所定の累進税率を乗じて計算する。

　なお，人格のない社団等又は公益法人等については，各贈与者のみから財産を取得したものとみなして，それぞれ計算した税額の合計額がその贈与税額である。

### 2　課税価格の計算

　課税価格は，その年の1月1日から12月31日までの間に贈与により取得した財産（非課税財産を除く）の価額の合計額である。

　なお，財産の価額は，特別の定めのある財産を除き，時価による。

### 3　基礎控除額

　基礎控除額は，110万円である。なお，人格のない社団等又は公益法人等については，各贈与者ごとの計算において110万円を控除する。

### 4　配偶者控除

　婚姻期間が20年以上である配偶者から，居住の用に供する土地，家屋等（居住用不動産）の贈与を受け，あるいは居住用不動産を取得するための金銭の贈与を受けた場合で，申告期限までに居住用不動産を居住の用に供している等，所定の要件を充足しているときは，その居住用不動産の価額と金銭との合計額（最高2,000万円）を課税価格から控除する。これを贈与税の配偶者控除という。

## 5 税額の計算

課税価格から基礎控除，配偶者控除を行った後の金額に対して，所定の累進税率を適用した金額の合計額である。なお，平成25年度税制改正において，①20歳以上（令和4年4月1日後は18歳以上）の者が直系尊属から贈与を受けた場合の税率特例の創設，及び②上記①以外による贈与財産に係る贈与税の税率構造の見直しが行われた。平成27年1月1日以後の贈与により取得した財産に係る贈与税率は，下記の改正後の①又は②の税率による。

### (1) 改 正 前

〈贈与税の税率〉

| 金　　額 | 税率 |
|---|---|
| 200万円以下の金額 | 10% |
| 300万円以下の金額 | 15% |
| 400万円以下の金額 | 20% |
| 600万円以下の金額 | 30% |
| 1,000万円以下の金額 | 40% |
| 1,000万円超の金額 | 50% |

〈贈与税の速算表〉

| 基礎控除後の課税価格 | 税率 | 控除額 |
|---|---|---|
| 200万円以下の金額 | 10% | ― |
| 300万円以下の金額 | 15% | 10万円 |
| 400万円以下の金額 | 20% | 25万円 |
| 600万円以下の金額 | 30% | 65万円 |
| 1,000万円以下の金額 | 40% | 125万円 |
| 1,000万円超の金額 | 50% | 225万円 |

（例）　課税価格が300万円の場合
　　　300万円以下の金額
　　　300万円×15％－10万円＝35万円

### (2) 改 正 後

① 20歳以上の者が直系尊属から贈与を受けた場合

〈贈与税の税率〉

| 金　　額 | 税率 |
|---|---|
| 200万円以下の金額 | 10% |
| 400万円以下の金額 | 15% |
| 600万円以下の金額 | 20% |
| 1,000万円以下の金額 | 30% |
| 1,500万円以下の金額 | 40% |
| 3,000万円以下の金額 | 45% |
| 4,500万円以下の金額 | 50% |
| 4,500万円超の金額 | 55% |

〈贈与税の速算表〉

| 基礎控除後の課税価格 | 税率 | 控除額 |
|---|---|---|
| 200万円以下の金額 | 10% | ― |
| 400万円以下の金額 | 15% | 10万円 |
| 600万円以下の金額 | 20% | 30万円 |
| 1,000万円以下の金額 | 30% | 90万円 |
| 1,500万円以下の金額 | 40% | 190万円 |
| 3,000万円以下の金額 | 45% | 265万円 |
| 4,500万円以下の金額 | 50% | 415万円 |
| 4,500万円超の金額 | 55% | 640万円 |

（例）　課税価格が300万円の場合
　　　400万円以下の金額
　　　300万円×15％－10万円＝35万円

② 上記①以外の場合

〈贈与税の税率〉

| 金　額 | 税率 |
|---|---|
| 200万円以下の金額 | 10% |
| 300万円以下の金額 | 15% |
| 400万円以下の金額 | 20% |
| 600万円以下の金額 | 30% |
| 1,000万円以下の金額 | 40% |
| 1,500万円以下の金額 | 45% |
| 3,000万円以下の金額 | 50% |
| 3,000万円超の金額 | 55% |

〈贈与税の速算表〉

| 基礎控除後の課税価格 | 税率 | 控除額 |
|---|---|---|
| 200万円以下の金額 | 10% | ― |
| 300万円以下の金額 | 15% | 10万円 |
| 400万円以下の金額 | 20% | 25万円 |
| 600万円以下の金額 | 30% | 65万円 |
| 1,000万円以下の金額 | 40% | 125万円 |
| 1,500万円以下の金額 | 45% | 175万円 |
| 3,000万円以下の金額 | 50% | 250万円 |
| 3,000万円超の金額 | 55% | 400万円 |

（例）　課税価格が300万円の場合
　　　　300万円以下の金額
　　　　300万円×15％－10万円＝35万円

## 6　相続時精算課税制度

### (1)　制度の概要

　特定の贈与者から贈与により財産を取得した受贈者は，従来の贈与税の課税方式（暦年課税）に代えて，受贈者の選択により，贈与時に贈与税（非課税枠：累積で2,500万円，税率：一律20％）を支払い，その後，特定の贈与者の相続開始時に，相続時精算課税に係る贈与により取得した財産と相続又は遺贈により取得した財産とを合計した価額を基に計算した相続税額から，すでに支払った相続時精算課税制度による贈与税額を控除して相続税額を計算する制度である。

### (2)　適用要件等

　相続時精算課税制度の適用が認められる特定の贈与者とは，贈与をした年の1月1日において原則として60歳以上の者である。また，受贈者は，特定の贈与者の推定相続人である直系卑属（子供・代襲相続人）のうち，贈与を受けた年の1月1日において20歳以上（令和4年4月1日以後の相続等・贈与は，18歳以上）である者及び20歳以上の孫が制度の対象となる。

　相続時精算課税制度の適用を受けようとする受贈者は，贈与を受けた財産に係る贈与税の申告期限内（贈与を受けた日の属する年の翌年2月1日から3月15日ま

での期間内）に，贈与者ごとに一定の必要事項を記載した相続時精算課税選択届出書を作成し，贈与税の申告書に添付して，贈与税の納税地の所轄税務署長に提出することが必要である。

### (3) 贈与税額の計算

相続時精算課税制度に係る贈与税額の計算は，課税価格から相続時精算課税制度に係る贈与税の特別控除額（2,500万円〈すでに控除した金額があれば控除後の残高〉と特定贈与者ごとの当該精算課税の贈与税の課税価格のいずれか低い金額）を控除した後の金額に，一律20％の税率を乗じて計算する。

### (4) 申　　告

相続時精算課税適用者が，特定贈与者からの贈与により財産を取得した場合には，暦年課税の贈与税とは別に計算を行い，最終的には，暦年課税の贈与税と相続時精算課税に係る贈与税とをまとめて申告することになる。

### (5) 相続時精算課税制度における相続税額の計算

相続時精算課税適用者については，相続開始前に贈与により財産を取得し，相続時点において相続又は遺贈により財産を取得しない場合であっても，相続税の納税義務が生じる。

特定贈与者から相続又は遺贈により財産を取得した者及び当該特定贈与者に係る相続時精算課税適用者の相続税の計算については，相続時精算課税制度を選択した年分以後の年に，その特定贈与者から贈与を受けた財産の贈与時の価額を相続財産の価額に加算した価額を相続税の課税価格とし，従来どおりの課税方式により計算した相続税額から，相続時精算課税制度における贈与税の税額に相当する金額を控除することにより，納付すべき相続税額を算出することになる。

## (6) 令和5年度税制改正の概要

　この相続時精算課税制度は、少額贈与の場合も申告が必要であり、また、同制度を選択して申告した財産が災害等による損害を受けたとしても、その贈与時の価額で評価することが強制されていたことから、これらの不合理性を是正するために、次のような改正が行われた。

① 少額贈与に対する課税除外（基礎控除の導入）

　相続時精算課税制度において、暦年課税制度と同様に年分ごとに110万円の基礎控除が導入された。この制度は、1人の相続時精算課税制度適用者に適用される制度であり、その年分の同制度適用者に特定遺贈者が2人いるとすれば、それぞれの贈与金額に基づいて110万円を按分計算してそれぞれの贈与金額から控除する。

　また、特定遺贈者がなくなった相続税の課税価格の加算は、その特定遺贈者から贈与により取得について相続時精算課税制度を適用した年分以降に受けた各年分の贈与金額から、この基礎控除額を差し引いた後の残額になる。この点で、暦年課税制度の基礎控除の加算制度が基礎控除額以下であっても、相続税の課税価格に加算することが必要である（令和5年度税制改正により延長された加算期間に関する総額100万円の加算不要額は除かれる）。

② 価額固定効果の一部緩和措置の導入

　その贈与の日から特定遺贈者の相続開始に伴う相続税の申告書の提出期限までの間に、災害（震災・風水害・火災・その他の一定の災害）によって一定以上の被害を受けた場合には、相続税の課税価格に加算される土地又は建物の価額は、その贈与時の価額から災害により被害を受けた部分に相当する額を控除した残額とされる。

　①の改正は令和6年1月1日以後の贈与について、②は同日以後に生ずる災害により被害を受けた場合に適用されることとされている。

## 7 住宅取得資金の贈与による贈与税の特例措置

### (1) 暦年課税を選択した場合

　平成27年1月1日から令和5年12月31日までの間に，直系尊属から住宅取得等資金の贈与を受けた受贈者がその贈与を受けた翌年の3月15日までにその住宅取得等資金を自己の居住用の家屋を新築もしくは取得又は増改築をし，その家屋を同日までに自己の居住の用に供したとき等の一定の要件を満たす場合には，その資金のうちその家屋の種類ごと，また住宅用家屋の新築等に係る契約締結日に応じて次の表の額まで贈与税額が非課税となる。令和4年度税制改正後の，その取扱いの内容は，下記の表のとおりである。

〔住宅取得等資金贈与特例〕

| 契約・住宅種類<br>住宅用家屋の<br>契約締結日 | 消費税率10%<br>課税契約 | | 左記以外，<br>個人売主中古住宅等 | |
|---|---|---|---|---|
| | 省エネ等 | 左記以外<br>一般 | 省エネ等 | 左記以外<br>一般 |
| H28.1～H31.3 | — | — | 1,200万円 | 700万円 |
| H31.4～R2.3 | 3,000万円 | 2,500万円 | | |
| R2.4～R3.12 | 1,500万円 | 1,000万円 | 1,000万円 | 500万円 |
| R4.1～R5.12 | 1,000万円 | 500万円 | 1,000万円 | 500万円 |

　その適用要件の主たる内容は，①贈与を受けた年の1月1日において20歳（令和4年度税制改正：18歳）以上であること，②贈与を受けた年の合計所得金額が2,000万円以下であること，③新築又は取得した住宅用の家屋の床面積が50㎡以上240㎡以下で，かつ，その家屋の2分の1以上が受贈者の居住の用に供されているものであること（令和3年4月1日以後の贈与は，その所得金額が1,000万円以下ある場合の下限は40㎡（改正前は50㎡）に引き下げられている），等である。なお，既存住宅は，①築年数20年（耐火建築物は25年）以内，又は②耐震基準に適合要件は令和4年度税制改正により①の基準が撤廃され，昭和57年以降に建築された住宅に改正された。

## (2) 相続時精算課税を選択した場合

相続時精算課税をとった場合は，通常の2,500万円の特別控除のほかに住宅取得資金にかかる特別控除の1,000万円（合計3,500万円）が非課税とされている。この制度は，適用対象の増改築の範囲にバリアフリー改修工事等を含むこととされ，その適用期限が令和5年12月31日まで延長されている。

## 8　教育資金の一括贈与に係る贈与税非課税措置

平成25年4月1日から令和8年3月31日までの間に，30歳未満の受贈者が教育資金に充てるために，金融機関等との契約に基づき，受贈者の父母等の直系尊属である贈与者から，①信託受益権を取得した場合，②書面による贈与により取得した金銭を銀行等に預入をした場合，等をした場合には，その信託受益権又は金銭等の価額のうち1,500万円（学校等以外の者に支払われる金銭は500万円を限度）までの金額に相当する部分の金額は，取扱金融機関の営業所等を経由して教育資金非課税申告書を提出することにより，受贈者の贈与税が非課税とされている。

なお，この贈与特例設定契約が令和3年3月31日までに行われた場合には，その契約日から3年以内に贈与者が死亡しない限り，その教育資金として使用されていない残高について課税されることはないが，その契約が同年4月1日以後に行われた場合には，贈与者から受贈者が相続により取得したものとして相続税が課税され，さらに，贈与者の子以外の孫等が受贈者である場合には，2割加算の制度が適用される。なお，受贈者が23歳未満，学校等に在学している場合等については，この適用は除外されている。この制度は，令和5年度税制改正において，一定の措置を講じたうえで適用期限が令和8年3月31日まで延長されている。

また，この特例制度以外にも，結婚・子育て資金の一括贈与に係る贈与税非課税措置がある。

## 9　在外財産の税額控除

　贈与により外国にある財産を取得した場合に，その財産に対して外国の法令により贈与税に相当する税を課されたときは，その課された税額を贈与税額から控除する。

　ただし，控除限度額は，贈与税額にその財産の価額が課税価格に占める割合を乗じた金額である。

　なお，在外財産の税額控除（外国税額控除）を行った後の金額が，その者の「納付すべき贈与税額」となる。

## 10　非上場株式の贈与税の納税猶予

　事業承継税制における「非上場株式の贈与税の納税猶予」が創設され，平成21年4月1日以降に受贈者が一括で非上場株式の贈与を受け，一定の要件を満たした場合には，その株式の贈与税が猶予される。

(1) **制度の概要**（次ページの図参照）

　イ　会社が，事業承継の計画的な取組みを行っていることについて，経済産業大臣の確認を受けること等。この事前確認制度は，平成25年の改正において廃止され，平成25年4月1日以後の認定申請者は当該確認手続が不要とされた。

　ロ　会社が一定の要件に該当すること。

　ハ　贈与者が一定の要件に該当すること。

　ニ　受贈者が一定の要件に該当すること。

　ホ　贈与者が受贈者へ株式の一括贈与を行うこと。

　ヘ　会社が経済産業大臣の認定を受けること等。

　ト　受贈者は，贈与税の申告期限までに申告等することにより，贈与税が納税猶予。

　チ　5年間会社が，事業継続要件に該当し，毎年1回事業継続要件に該当しているか否かのチェックを受けること等。

　リ　5年以内に会社の認定が取り消された場合は，受贈者は猶予税額を全額納付。

　ヌ　5年経過後は，受贈者が対象株式を継続保有していれば，納税猶予が継続。株式を譲渡した場合は，譲渡部分の猶予税額を納付。ただし，受贈者の死亡，会社の清算等一定の場合は，猶予税額が免除。

　ル　贈与者が死亡し相続が開始された場合は，受贈者の納税猶予は免除され相続税が課税される。ただし，引き続き相続税の納税猶予により，贈与分を含めて株式の80％の納税猶予の適用を受けることができる。

　ヲ　相続税の納税猶予を受ける場合は，経済産業大臣から会社が相続税の納税猶予の適用要件に該当するかどうかの確認（切り替え確認）を受ける。

## 非上場株式の贈与税の納税猶予

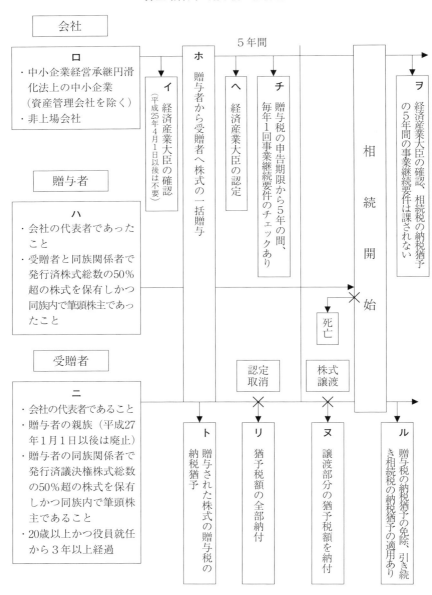

## (2) 平成27年度・同29年度の税制改正

平成27年度税制改正により，事業承継の一層の円滑化を図るために，次の改正が行われている。

① 経営贈与承継期間（5年間）経過後に経営承継受贈者（2代目）が後継者（3代目）に特例受贈非上場株式を贈与した場合に，その後継者が贈与税の納税猶予制度の適用を受けるときは，その適用を受ける当該株式に係る納税猶予額を免除する。

② 経営贈与承継期間内に，身体障害等のやむを得ない理由により，経営承継受贈者が代表者でなくなった場合に，上記①の特例受贈非上場株式の贈与が行われ，その後継者が贈与税の納税猶予制度の適用を受けるときは，その適用を受ける当該株式等にかかる猶予税額を免除する。

平成29年度税制改正により，納税猶予の取消事由の雇用要件確保要件（5年間の平均で8割を維持）の計算上，1人未満の端数がある場合には切り下げる改正が行われ，緩和された。

また，この制度の対象に相続時精算課税制度による贈与が加えられた。さらに，非上場株式等の贈与者が死亡した場合の相続税の納税猶予制度への切替え要件の一部が廃止され，緩和されている。

## (3) 平成30年度税制改正による特例制度

従来の納税猶予制度が大幅に緩和されて，10年間（平成30年1月1日〜令和9年12月31日）の特例制度が創設された。

その内容は，相続税の納税猶予制度において概説しているので参照のこと。

## (4) 個人事業者の事業承継税制の特例

令和元年度税制改正に係る贈与税の納税猶予制度の概要は，相続税の制度において概説しているので，参照のこと。

# 第10節　贈与税の申告と納付

## 1　申告

　納付すべき贈与税額がある者は，その年の翌年の2月1日から3月15日までに，課税価格，贈与税額等を記載した贈与税の申告書を，住所地の所轄税務署長に提出しなければならない。

## 2　納付

### (1)　原則

　贈与税の申告書を提出した者は，申告書の提出期限までに，申告書に記載した贈与税を納付しなければならない。また，財産を贈与した者は，その財産に係る贈与税相当部分の金額について，受贈者と連帯して納付する責任を負うことになる。

### (2)　延納

　贈与税についても，①納付すべき税額が10万円を超え，②納期限又は納付すべき日に金銭納付を困難とする事由がある場合に，③担保の提供を要件として，納税義務者の申請により，その金銭納付を困難とする金額を限度とした，5年以内の年賦延納が認められている。

**(注)**　延納期間中は，年6.6％（利子税の割合の特例がある）の利子税がかかる。

### (3)　農地の生前贈与と納税猶予

　3年以上，農業を営んでいた者がその農地の全部を推定相続人の1人に贈与した場合等の一定の場合には，所定の手続きを履践することにより，その農地等に係る贈与税相当額の納税が贈与者の死亡時まで猶予される。

　猶予される贈与税額は，当該農地等を課税価格に含めて計算した納付すべき

贈与税額から，当該農地等の贈与がなかったものとした場合の贈与税額を控除した金額（いわゆる上積計算による税額相当額）である。

なお，贈与者が死亡した場合には，相続開始時における当該農地等の価額を相続税の課税価格に含めたところで相続税額が計算され，贈与税は免除されることになる。

ただし，贈与者の死亡前において，農業経営を廃止した場合，推定相続人に該当しなくなった場合等の一定の事由が生じた場合には，その事由が生じた日から2月を経過した日が納税猶予の期限となる。

# 第11節　財産の評価

## 1　評価の概要

　相続税及び贈与税は，相続等又は贈与により取得した財産の価額の合計額（課税価格）を基礎として課される租税であるため，財産の価額はいくらか，が重要な意味をもっている。

　この財産の価額に関して，相続税法は，地上権及び永小作権，定期金に関する権利，生命保険契約に関する権利及び立木については具体的な評価方法を定める一方（法定評価），それ以外の財産については「当該財産の取得の時における時価による。」と定めている。

　したがって，相続税及び贈与税の申告又は課税処分に当たっては，取得した個々の財産の取得時における時価を適正に見積もること，すなわち「財産の評価」が必要かつ重要となる。

　しかし，個々の財産を評価するとしても，相続税又は贈与税の課税対象となる財産は，不動産，動産，無体財産権，有価証券等の多種多様の財産に及び，個別性があり，しかも当該財産の実際の取引価格もないため，その時価を的確に把握することは困難なことである。

　このようなことから，国税庁内部の財産評価の取扱いを統一して租税負担の公平を図るため，各種財産の評価方法に関する共通原則や，各種財産の具体的な評価方法に関わる「財産評価基本通達」が定められるとともに，納税者の申告の利便にも供するため，それが公開されている。

　財産評価基本通達の内容は，極めて広範かつ詳細なものであるが，比較的事例の多い，土地等，家屋，一般動産及び株式（出資）を概観してみると，以下のようなものである。

## 2　土地等の評価

「土地等」とは，土地及び土地の上に存する権利をいう。

土地の価額は，宅地，田，畑，山林，原野，牧場，池沼，鉱泉地及び雑種地の地目別に評価する。地目は，財産の取得時（課税時期）の現況による（登記上の地目ではない）。

土地の上に存する権利の価額は，地上権，区分地上権，永小作権，区分地上権に準ずる地役権，借地権，定期借地権等，耕作権，温泉権，賃借権及び占用権の別に評価する。

### (1)　宅　　地

宅地の価額は，利用の単位になっている1区画の宅地（1画地の宅地）ごとに評価する。しかし，「1画地の宅地」は，必ずしも土地課税台帳等に登録された1筆の地からなるとは限らない。

宅地の評価方式には，路線価方式と倍率方式とがあり，市街地的形態を形成する地域にある宅地は路線価方式により，それ以外の宅地は倍率方式により評価する。

路線価方式とは，評価する宅地が面する道路に付けられた一定の価額（路線価）を基に計算する方法である。

これによる評価は，宅地と道路との関係（宅地の正面だけが道路に接しているか，正面と裏面が道路に接しているか等），宅地の形状（宅地は，整形地か不整形地か，奥行きが長いか短いか，間口が広いか狭いか等）等により，路線価を調整（画地修正）した後の1㎡の価額に宅地の地積を乗じて計算する。

また，路線価は，国税局長が地価公示価格，売買実例価額及び精通者意見価格等を基にして，宅地の価額が概ね同一と認められる一連の宅地に面しており，不特定多数の者の通行の用に供される道路ごとに設定したうえ，公表されており，税務署で閲覧することができる。

倍率方式とは，宅地の固定資産税評価額に国税局長が定めた倍率を乗じて計

算する方法である。固定資産税評価額は都税事務所又は市町村役場で、また、倍率は税務署で閲覧することができる。

なお、一定の小規模宅地等については、評価減の特例が認められている。

(2) 農　　地

農地は、その農地の所在する地域により、純農地、中間農地、市街地周辺農地及び市街化農地に区分されており、それぞれの農地に応じて、宅地比準方式又は倍率方式によって評価する。

(注)　宅地比準方式とは、その農地が宅地であるとした場合の1㎡当たりの価額から、その農地を宅地に転用するために通常必要と認められる1㎡当たりの造成費（国税局長の定めるもの）を控除した残額に、農地の地積を乗ずる方法である。

倍率方式は、その農地の固定資産税評価額に、その地域にある農地の売買実例価額、精通者意見価額等を基として、国税局長が定めた倍率を乗じて計算する方法である。

(3) 借　地　権

借地権の価額は、「自用地としての宅地の価額×国税局長の定める借地権割合」によって評価する。

「自用地としての宅地の価額」とは、借地権がないものとした場合（自用）のその宅地の価額であり、また、借地権割合とは、宅地の自用地としての価額に対する借地権の価額の割合をいい、借地権の売買実例価額、精通者意見価額、地代の額等を基として国税局長が評定し、公表されている。

## 3　家屋の評価

家屋の価額は、1棟の家屋ごとに、その固定資産税評価額を基に評価する。

なお、借家権の価額は、「自用家屋の評価額×国税局長の定める借家権割合」によって評価するが、その価額は、借家権が権利金等の名称をもって取引される慣行のある地域を除き、課税価格に算入しないこととされている。

## 4 配偶者居住権の評価

　令和元年度税制改正により，配偶者が取得した配偶者居住権及び敷地利用権並びに相続人等が取得した配偶者居住権が設定された建物及びその敷地等は，配偶者居住権という負担付きの財産として，一定の評価方法で評価をし，相続税の課税対象とされた。

## 5 一 般 動 産

　棚卸資産，牛馬等（牛，馬，犬，鳥，魚等），書画骨董品，船舶及び家屋の付属設備として評価するもの以外の動産（一般動産）は，原則として，1個又は1組ごとに，そのままの状態で購入するとした場合の価額（調達価額）により評価する。

　調達価額が明らかでないものについては，その動産と同種同規格の新品の課税時期における小売価額から，その動産の取得時から課税時期までの償却額等を控除した金額によって評価する。

## 6 株式と出資の評価

### (1) 株式の価額

　上場株式，気配相場のある株式及び取引相場のない株式の区分に従い，それぞれ次のように評価する。

　① 上 場 株 式

　　上場株式とは，証券取引所に上場されている株式をいう。

　　上場株式の価額は，原則として，①証券取引所が公表するその株式の課税時期の終値，②課税時期の属する月の終値の平均額，③その前月の終値の平均額，④その前々月の終値の平均額，のうちの最も低い価額により評価する。

　② 気配相場のある株式

　　気配相場のある株式とは，登録銘柄及び店頭管理銘柄，公開途上にある

株式及び国税局長の指定する株式をいう。

　原則として、登録銘柄及び店頭管理銘柄の価額については、日本証券業協会が公表する取引価格により、上場株式と同様の方法により評価し、公開途上にある株式の価額については、その株式の公開価格により評価し、国税局長の指定する株式の価額については、日刊新聞に掲載されている課税時期の取引価格と類似業種比準価額によって評価する。

③　取引相場のない株式

　取引相場のない株式の価額は、評価会社の業種、総資産価額、従業員数及び取引金額による区分（大会社か、中会社か、小会社か）、株主の構成割合等により、原則的な評価方法又は特例的な評価方法によって評価する。

　原則的な評価方法には、類似業種比準方式、純資産価額方式及びこの両方式を併用する方法（併用方式）とがあり、特例的な評価方法には、配当還元方式がある。

　類似業種比準方式とは、評価しようとする株式の発行会社（評価会社）と事業の種類が類似する複数の上場会社の株価の平均値に比準して（評価会社と類似業種の1株当たりの配当金額、利益金額及び純資産価額の各比の平均値を類似業種の株価に乗じて）、その株式の価額を求める方法である。

　**(注)**　平成29年度税制改正により、①類似業種の株価については、課税時期の属する月以前2年間の平均の株価が追加され、②類似業種の配当金額、利益金額及び簿価純資産価額については、連結決算を反映させたものに改正され、③配当金額、利益金額及び簿価純資産価額の比重については、1：1：1とする改正が行われている。

　純資産価額方式とは、課税時期における評価会社の1株当たりの純資産価額をもって、その株式の評価額とする方法である。

　また、配当還元方式とは、株式を所有することによって受ける利益の配当金額を一定の利率で還元して、元本である株式の価額を求めようとするものである。財産評価基本通達は、評価会社の2年間の配当金額を基として、年10％の利率で還元することとしている。

なお、平成19年度税制改正において、取引相場のない種類株式の相続税等の評価方法が、明確にされている。その内容は、次のとおりである。

ア　配当優先の無議決権株式

原則として、配当優先の如何にかかわらず普通株式と同様の評価方法により評価することとされたが、納税者の選択により、相続人全体の相続税評価総額が不変（無議決権の評価減分を議決権株式に加算する）にして、無議決権株式については、議決権がない点の斟酌として、普通株式評価額から5％を評価減することが認められている。

イ　社債類似株式

優先配当の無議決権株式で、一定期間後に発行価額で取得されること、残余財産分配は発行価額を上限とされていること、普通株式の転換権を有しないこと、という条件を満たす社債類似の種類株式は、社債に準じて、「発行価額＋配当金（源泉所得税控除後）」により評価することとされた。

ウ　拒否権付株式

普通株式に拒否権が付けられた拒否権付株式は、普通株式と同様に評価することとされ、拒否権部分は評価しないこととされている。

## (2) 出資の価額

① 合名会社等の出資

合名会社、合資会社又は有限会社に対する出資の価額は、取引相場のない株式の評価方法に準じて計算した価額によって評価する。

② 農業協同組合等の出資

原則として、払込済出資額によって評価する。

# 第7章 地 価 税

> **ポイント**
> 
> 　平成10年度税制改正により，平成10年以後の各年において当分の間，地価税を課さないこととされた。
> 
> (1) 地価税は，個人又は法人が保有している，国内の土地又は借地権等（土地等）の資産価値に対して課される租税である。
> 
> (2) 地価税の納税義務者は，その年の1月1日の午前零時（課税時期）において，土地等を有している個人又は法人である。
> 
> (3) 地価税の課税対象となる財産は，国内にある土地及び借地権等であるが，国及び公共法人等の保有する土地等については，地価税は課税されない。また，公益法人等が保有する土地等も，設立目的である公益目的の事業等に供されるものは，課税されない。
> 
> (4) 1㎡当たりの更地価額が3万円以下である土地等，居住用建物の敷地，農地，公共・公益のために使用されている土地等については，地価税は課されない。
> 
> (5) 地価税の課税価格は，個人又は法人が有する課税対象の土地等の時価の合計額である。
> 
> (6) 地価税の額は，土地等の時価の合計額（課税価格）から一定の金額（基礎控除額）を差し引いた残額に，所定の税率（1,000分の1.5）を乗じて計算する。
> 
> (7) 基礎控除額には，「定額控除」と「面積比例控除額」とがあり，そのいずれか多い金額を課税価格から控除する。
> 
> (8) 地価税は，申告納税制度を採用しており，その申告期間は，その年の10月1日から10月31日までである。

## 第1節　地価税の概要

　平成10年度税制改正において、土地税制については、長期にわたる地価の下落、土地取引の状況などの土地を巡る状況や現下の極めて厳しい経済情勢に鑑み、臨時緊急的な措置として、土地の譲渡益課税の緩和などの措置とともに、地価税に関してはその課税が停止された。具体的には、平成10年以後の各年の課税時期において、個人又は法人が有する土地等については、地価税法の規定にかかわらず、当分の間、地価税を課さないこととされた。

　地価税は、個人又は法人が保有する土地又は借地権等（土地等）を対象として課される租税である。

　地価税は、税制調査会の「土地税制のあり方についての答申」（平成2年10月）における、①「土地の保有に対しては、その資産価値に応じて一層の税負担を求めることが、公平の理念にかなうものであると考える。」、②「土地が資産として極めて有利なものと認識され、この結果、利用価値よりも資産価値に着目した土地保有が行われてきた……このような傾向に対処するためには、保有課税を強化することにより、土地の保有コストを引き上げ、その有利性を縮減することが必要であると考える。」との答申を受け、土地保有に対する負担の公平を確保し、土地の有利性を縮減する趣旨から、平成3年度税制改正において創設されたものである。

## 第2節　地価税の納税義務者

　地価税の納税義務者は，その年の1月1日の午前零時（課税時期）において，一定金額以上の国内にある土地及び借地権等（土地等）を有する個人又は法人である。
　したがって，その者の有する土地等の価額の合計額が一定金額（基礎控除額）を超える場合には，個人であるか，法人であるかを問わずに，その有する土地等の資産価値に応じて地価税の納税義務を負うことになる。

## 第3節　課税範囲

### 1　課税対象財産

　地価税の課税対象となる財産（課税対象財産）は，国内にある土地及び借地権等である。
　借地権等とは，借地借家法（2条1号）にいう借地権のほか，国内にある土地の上に存する権利その他これに類するもので，次のものをいう。
① 　地上権（いわゆる区分地上権（民法269条ノ2第1項）を含む）
② 　特別高圧架空電線架設のために設定された地役権，高圧ガスを通ずる導管の施設・飛行場の設置・建築物の建築その他の目的のため地下又は空間について，上下の範囲を定めて設定された地役権で建造物の設置を制限するもの
③ 　構築物その他の工作物の設置を目的とする賃借権
④ 　河川区域内の土地の占用許可に基づく権利で，ゴルフ場，自動車練習所，運動場，その他の工作物（対価を得て他人の利用に供するもの又は専ら特定の者の用に供するものに限る）の設置を目的とするもの，又は道路の占用許可若しくは都市公園の占用許可に基づく経済的利益を生ずる権利で駐車場，建物その他の工作物（対価を得て他人の利用に供するもの又は専ら特定の者に供するものに限る）の設置を目的とするもの
⑤ 　永小作権及び農地又は採草放牧地の上に存する賃借権で農地法20条の規定の適用があるもの

### 2　非課税財産

　個人又は法人が課税時期に有している土地等は，その利用状況や地域等に関わらず，原則として，すべて地価税の課税対象となるのであるが，地価税法は，その例外として，国民生活の本拠に対する配慮，自然や国土保全のため，用途

の公益性・公共性，あるいはその資産価値の程度等を考慮し，一定の土地等には地価税を課さないとしている。この一定の土地等を地価税の非課税財産という。

地価税の非課税財産は，非課税の対象となる土地等の態様により，①特定の法人が保有している土地等（人的非課税），②特定の用途等に供されている土地等又は特定の者により借地権等が設定され，あるいは特定の者に貸し付けられている土地等（用途非課税），③1㎡当たりの更地価額が3万円以下の土地等，に区分される。

人的非課税，用途非課税の概要は，次のようなものである。

### (1) 人的非課税

国及び公共法人（法人税法別表第一に掲げる法人）が有する土地等は非課税であり，また，公益法人等（法人税法別表第二に掲げる法人）が有する土地等は，原則として非課税である。

**(注)** 人格のない社団等が有する土地等で非収益事業に供されている土地等，事業協同組合等が中小企業者の集団化のために有する土地等も，非課税とされている。

### (2) 用途非課税

以下の用途に供されている土地等は，原則として非課税である。

① 居住用建物の敷地等

自己が所有し居住している住宅（一つに限る）や他人に貸し付けられている住宅（会社役員の社宅を除く）については，国民生活の本拠であることを配慮して非課税とされている。

ただし，居住用建物が居住以外にも供されている場合には，居住用部分に対応する部分に限定され，また，その土地等の面積が1,000㎡を超えるときには，1,000㎡までの部分に限られる。

② 農地（採草放牧地）に係る土地等

ただし，農地法の規定（3条又は5条）により，転用の許可を受けてい

る農地又は転用の届出をしている農地は，課税対象である。
③ 公共・公益的な用途に供されている土地等

これには，国・公共法人・公益法人等及び地価税法別表第一25号に規定する法人（国等）に貸し付けられている土地等，医療・社会福祉・教育に関する施設の用に供されている土地等，鉄道・運輸・通信・電気・ガスなどの公共的事業に直接必要な施設の用に供されている土地等がある。

## 第4節 地価税の計算

### 1 計算の仕組み

地価税の額は，地価税の「課税価格」から「基礎控除額」を差し引いた残額に，所定の税率を乗じて算定する。

（課税価格－基礎控除額）× 税率 ＝ 地価税の額

### 2 課税価格の計算

地価税の課税価格は，原則として，個人又は法人が課税時期（その年の1月1日）において有する土地等（非課税の土地等を除く）の時価の合計額である。

ただし，その利用に公的制限のある土地等，あるいは，その土地上の事業ないし施設の性格からみて，特別の配慮を要すると認められる土地等については，課税価格に算入する価額を減額する「課税価格の計算の特例」が設けられている。

たとえば，次のような土地等については，それぞれの価額を課税価格に算入することとされている。

① 地価税法別表第二に掲げる土地等（強い公的な規制を受けるような特定の土地等）……時価の2分の1に相当する金額

② 一定の環境施設の用に供されている土地等（①の特例の対象となる面積を超える部分）及び公開空地等に係る土地等……時価の3分の2に相当する金額

③ 優良な住宅地の造成事業等に関わる分譲予定地等に該当する土地等……時価の5分の1に相当する金額

なお，土地等の時価については，課税実務上，「財産評価基本通達」の定め（相続税や贈与税と同様の方法）によって評価した価額によるとされている。

(注) 相続又は包括遺贈により土地等を取得した場合に，その土地等が課税時期において未分割であるときは，各共同相続人又は包括受遺者は民法に定める相続分（寄与分を除く）又は包括遺贈の割合に従って土地等を取得したものとして，課税価格を計算する。

## 3 基礎控除額

　保有している土地等の資産価値に応じて租税負担を求めるという地価税の趣旨に照らした場合に，一定水準に達するまでの土地等の保有については課税対象外とすることが適当であるということから，一定の金額を課税価格から控除するという基礎控除の規定が設けられている。

　基礎控除には，「定額控除額」と「面積比例控除額」とがあり，そのいずれか多い金額を課税価格から控除する。

### (1) 定額控除額

① 資本金又は出資金が1億円を超える普通法人……10億円
② ①以外の法人及び個人……………………………15億円

(注)「普通法人」とは，法人税法2条9号に規定する普通法人，すなわち，公共法人，公益法人等又は協同組合等以外の法人をいい，人格のない社団等は含まない。したがって，これらの法人の定額控除額は，15億円である。

### (2) 面積比例控除額

　面積比例控除は，保有している土地等の更地価額が非課税の基準である1㎡当たり3万円を超える場合と3万円以下である場合との負担の均衡をはかり，資産価値の低い土地等を大規模に所有している者又はそのような土地等の使用を不可欠とする事業を営む者の負担が急増しないようにとの配慮から設けられているものである。

　面積比例控除額は，その有する土地等を，①借地権等及び底地以外の土地，②借地権等，及び③底地に区分し，各区分の土地等について，次の算式により計算した金額の合計額である。

①　借地権等及び底地以外の土地

　3万円 × 課税価格算入割合 × 面積（㎡）

(注)　「課税価格算入割合」とは，「課税価格の計算の特例」の適用がある場合における，その土地等の価額に占める課税価格に算入すべき金額の割合，すなわち，「2分の1」，「3分の2」又は「5分の1」をいう。したがって，「課税価格の計算の特例」の適用がない場合には，「3万円×面積（㎡）」により計算する（以下同じ）。

②　借地権等

　3万円 × 課税価格算入割合 × 借地権等の割合 × 面積（㎡）

(注)　「借地権等の割合」とは，借地権等の価額がその土地の更地価額に占める割合，すなわち，「借地権等の価額」÷「その借地権等に係る土地の更地の価額」で計算した割合である。

③　底　　地

　3万円 × 課税価格算入割合 × 底地の割合 × 面積（㎡）

(注)　「底地の割合」とは，底地の価額がその土地の更地価額に占める割合，すなわち，「底地の価額」÷「その借地権等に係る土地の更地の価額」で計算した割合である。

　なお，相続又は包括遺贈により土地等を取得した場合に，その土地等が課税時期において未分割であるときの面積控除額は，各共同相続人又は包括受遺者は民法に定める相続分（寄与分を除く）又は包括遺贈の割合に従って土地等を取得したものとして計算する。

## 4　税額の計算

　課税価格から基礎控除額を差し引いた残額に「1,000分の1.5」の税率を乗じた金額が，地価税の税額である。

(注)　地価税法では，地価税の税率は「1,000分の3」とされているが，租税特別措置法71条2項において，「平成8年以後の各年の課税時期に係る地価税の税率については，地価税法22条中1,000分の3とあるのは，1,000分の1.5」とするとされている。

## 第5節　地価税の申告と納付

### 1　申　　告

　地価税は，申告納税制度を採用している。

　地価税の課税価格が基礎控除額を超える個人又は法人は，その年の10月1日から10月31日までの期間（申告期間）において，地価税の申告書を住所地又は本店（あるいは主たる事務所）の所在地を所轄する税務署長に提出しなければならない。

　なお，申告書を提出すべき個人又は法人が申告書を提出しないで死亡又は合併により消滅した場合には，相続人又は合併法人が，相続開始を知った日又は合併の日の翌日から4月を経過する日までの間に，所定の事項を記載した地価税の申告書を税務署長に提出しなければならない。

### 2　納　　付

　申告した地価税については，その申告書の提出期限までにその2分の1に相当する金額を，翌年の3月31日までに残額を，それぞれ納付しなければならない。

　なお，相続人又は合併法人の申告に係る地価税については，その申告書の提出期限までにその2分の1に相当する金額を，その申告書の提出期限の翌日から5月を経過する日までに残額を，それぞれ納付しなければならない。

# 第8章 消費税

---**ポイント**---

(1) 消費税は，事業者が販売する物品や提供するサービスに係る消費に課税される間接税である。

(2) 消費税の課税対象となる取引は，国内において事業者が行った資産の譲渡等と保税地域からの外国貨物の引取りであるが，一定の免税取引，非課税取引及び不課税取引は除かれる。

(3) 消費税の納税義務者は，個人事業者及び法人，課税貨物を保税地域から引き取る者であるが，その課税期間に係る基準期間の課税売上高が1,000万円以下である事業者については，納税義務が免除される。

(4) 国内取引の消費税の課税標準の額は，課税資産の譲渡等の対価の額（税抜き）の合計額である。

(5) 納付すべき消費税額は，課税標準額に標準税率7.8％又は軽減税率6.24％（地方税込・標準税率10％又は軽減税率8％）を乗じた金額から仕入れに係る消費税額，売上げに係る対価の返還に係る消費税額等を控除して計算される。

(6) 課税標準額の消費税額から控除される仕入れに係る消費税額は，課税売上に対応させる個別対応方式又は課税売上割合に応じて計算される一括比例配分方式により計算されるが，課税売上割合が95％以上の場合には，その全額が控除される（課税期間の課税売上高が5億円以下に限る）。

(7) 課税事業者の基準期間における課税売上高が5,000万円以下の事業者は，その課税期間における課税標準額に対する消費税額に一定の「みなし仕入率」を乗じて計算する簡易課税制度による仕入税額控除を選択することができる。

(8) 事業者は，原則として，課税期間（個人・暦年，法人・事業年度）の終了後2か月以内に確定申告書を提出し，消費税を納付する必要があるが，個人については，当分の間，課税期間の翌年3月末日までとされている。

**(注)** 消費税は，平成29年4月1日以降，消費税率（地方消費税を含む）が10％とされ，軽減税率が適用されることが予定された法改正がなされていたが，この増税が，令和元年10月1日以降に延期されることとされ，平成28年1月28日に公布された。その結果，10％引上げに関連した平成28年度の軽減税率制度の改正規定は同29年度税制改正において，2年半ずれ込む時期に変更された。

第8章 消費税　237

## 第1節　消費税の概要

### 1　消費税導入の背景

　平成元年4月に導入された消費税は，昭和63年12月の税制の抜本改革の一環として創設されたものである。

　この税制の抜本改革は，高齢化社会を展望し，時代の流れを踏まえた公平・中立で簡素な税制，所得・消費・資産の間でバランスのとれた税制の構築という趣旨の下に行われたものであるが，その一環として創設された消費税は，国民が公的サービスの行政に要する共通の費用を公平に負担するという考え方や応益負担による水平的公平の観点から，消費全般に広く負担を求めることとされたものである。

　また，消費税導入の背景としては，旧来の物品税を中心とした個別間接税では，課税のアンバランス，サービス課税の欠如，更には貿易摩擦の一因などの問題が生じていたこと，さらに，世界の主要国において，個別間接税のみに依存する間接税制度を採用しているのはわが国だけである，ということが言われている。

　そこで，税制全体としての負担の公平を高めるうえで，間接税が果たすべき役割を十分発揮させ，旧来の個別間接税制度が直面している問題を根本的に解決するためには，旧来の間接税制度を抜本的に改正し，消費全般に広く公平に負担を求める消費税の導入が必要とされたのである。

　その後，平成6年11月に個人所得課税の負担軽減と消費課税の充実を内容とする税制改革が行われ，消費税については税率3％から5％（地方消費税1％を含む）への引上げや中小事業者に対する特例措置の見直しなどの改正が行われ，平成9年4月1日から施行されている。さらに，平成24年8月の税制改正により，消費税率（地方消費税率を含む）が平成26年4月1日以降は8％，平成27年10月1日以降は10％に引き上げられたが，平成24年改正時の附則による景気判

断条項によって，平成27年度税制改正により，経済再生と財政健全化を両立するため，消費税率10％への引上げ時期が平成29年4月1日に延期された。

そして，この消費税率の引上げを踏まえての低所得者に配慮する観点から，平成28年度税制改正において，課税資産の譲渡等のうち一定の飲食料品及び新聞（以下「軽減対象資産」という。）の譲渡については，軽減税率制度を導入することとした。

**軽減税率制度の概要**

| | 制度の概要 |
|---|---|
| 軽減対象資産の品目 | ・酒類及び外食を除く飲食料品<br>・週2回以上発行される定期購読契約に基づく一定の新聞 |
| 軽減税率 | ・8％（国の消費税率6.24％，地方消費税率1.76％）<br>＊標準税率10％ |
| 適格請求書等保存方式 | ・令和5年10月1日から，適格請求書等保存方式（インボイス制度）を導入<br>・適格請求書及び帳簿の保存が仕入税額控除の要件<br>・税額の計算方法は，適格請求書の税額の積上げ計算と取引総額からの割戻し計算の選択制 |
| 適格請求書等保存方式導入までの経過措置 | ・請求書等保存方式を維持しつつ，区分経理に対応する措置<br>・売上税額・仕入税額の計算の特例 |
| 適格請求書等保存方式導入後の経過措置 | ・適格請求書等保存方式の導入後6年間，免税事業者からの仕入れについて一定割合の仕入税額控除を認める |

ところが，その消費税率10％の改正等の施行について，平成28年6月，最近の経済情勢を考慮した安倍首相は，令和元年10月1日まで再延期することを発表した。なお，総額表示（税込価格）が義務付けられている消費者向けの価格表示については，平成25年10月1日から令和3年3月31日までの間は，「現に表示する価格が税込価格であると誤認されないための措置」を講じている場合に限り，税込価格を表示しなくてもよいとする特例が設けられている。

## 2　消費税の基本的仕組み

(1) 消費税は，特定の物品，サービスに課税する個別消費税とは異なり，消費に広く公平に負担を求めるという観点から，金融取引，資本取引などのほか，医療，福祉，教育の一部を除き，ほとんどすべての国内取引や外国貨物を課税対象として，5％の税率（平成26年4月1日以降は8％，令和元年10月1日以降は10％（軽減対象資産は8％）の税率が適用されている。地方消費税を含む）で課税される間接税である。

(2) 消費税は，事業者に負担を求めるのでなく，税額分が事業者の販売する物品やサービスの価格に上乗せされて転嫁され，最終的には消費者に負担を求める間接税であるが，生産，流通の各段階で二重，三重に税が課されることのないよう，売上げに係る税額から仕入れに係る税額を控除し，税が累積しない仕組みが採られている。

(3) 消費税の納税義務者は，製造，卸，小売等の各段階の事業者や保税地域から外国貨物を引き取る輸入者とされている。

　平成27年度税制改正により，国外事業者が行う国境を越えた役務の提供等に対する消費税の課税について，事業者向け電気通信利用役務の提供取引及び演劇等の特定役務の提供取引については役務提供の受け手である国内の事業者が納税義務を負うリバースチャージ方式が導入され，消費者向け電気通信利用役務提供取引については国外事業者が申告納税の義務を負うこととされた。これらの改正は，平成27年10月1日以後に行われる課税資産の譲渡等について適用される。

　**(注)** 1　リバースチャージ方式とは，役務の提供者が国外事業者である場合の課税方式について，通常であれば役務の提供者が納税義務者となるところ，その取引に係る消費税の納税義務は役務提供を受ける事業者に転換して納税義務を課する方式をいう。

　　　 2　消費者向け電気通信利用役務を行う国外事業者については，国税庁長官の登録を受けることができる登録国外事業者制度（平成28年度税制改正により令和3年4月1日に廃止）がある。

(4) 申告と納付については、事業者は、課税期間（個人は暦年、法人は事業年度）の終了後2か月（個人は翌年3月末日）以内に確定申告書を提出し、消費税を納付することとなる。外国貨物の輸入の場合には、保税地域から引き取るまでに、申告・納付することとされている。

　また、事業者は、直前の課税期間における確定した消費税額（年税額）が400万円超の場合は課税期間開始の日以後3か月、6か月、9か月を経過した日からそれぞれ2か月以内に、48万円超400万円以下の場合は課税期間開始の日以後6か月を経過した日から2か月以内に、中間申告・納付を行うこととなっている。平成26年4月1日以後に開始する課税期間については、直前の課税期間の確定消費税額（地方消費税額を含まない年税額）が48万円以下の事業者であっても、自主的に中間申告書（年1回）を提出できる任意の中間申告制度が設けられている。

　なお、直前の課税期間の確定消費税額が4,800万円（地方消費税込6,000万円）を超える事業者は、中間申告・納付を毎月行うこととし、原則として、この確定消費税額の12分の1ずつを申告・納付することとされている（平成16年4月1日以後に開始する課税期間から適用）。

(5) 事業者の納税の事務負担を軽減するための措置として、事業者免税点制度、簡易課税制度等の措置が採られている。

## 3 消費税の課税状況

消費税の課税の状況は、次のとおりである。

### 課 税 状 況
（令和3年度）

| 区　分 | | 個人事業者 | | 法　人 | | 合　計 | |
|---|---|---|---|---|---|---|---|
| | | 件　数 | 税　額 | 件　数 | 税　額 | 件　数 | 税　額 |
| 現年分 | 一般申告及び処理 | 件<br>431,041 | 百万円<br>328,791 | 件<br>1,360,695 | 百万円<br>18,789,032 | 件<br>1,791,736 | 百万円<br>19,117,823 |
| | 簡易申告及び処理 | 632,700 | 307,527 | 497,174 | 364,126 | 1,129,874 | 671,653 |
| | 納税申告計 | 1,063,741 | 636,318 | 1,857,869 | 19,153,157 | 2,921,610 | 19,789,476 |
| | 還付申告及び処理 | 85,265 | 52,388 | 198,961 | 5,860,420 | 284,226 | 5,912,808 |
| 既往年分 | 申告及び処理による増差税額のあるもの | 62,989 | 22,726 | 68,287 | 123,730 | 131,276 | 146,455 |
| | 申告及び処理による減差税額のあるもの | 15,253 | 4,290 | 17,080 | 147,751 | 32,333 | 152,041 |
| | 加算税 | 64,125 | 3,666 | 56,988 | 13,048 | 121,113 | 16,714 |

調査期間等：「現年分」は，令和3年4月1日から令和4年3月31日までに終了した課税期間に係る消費税の申告及び処理（更正，決定等）による課税事績（令和4年6月30日までのもの。国・地方公共団体等及び消費税申告期限届出書を提出した法人については，令和4年9月30日までのもの）に基づいて作成した。

「既往年分」は，令和3年3月31日以前に終了した課税期間に係る消費税の申告及び処理（更正，決定等）による課税事績（令和3年7月1日から令和4年6月30日までのもの。国・地方公共団体等及び消費税申告期限届出書を提出した法人については，令和3年10月1日から令和4年6月30日までのもの）に基づいて作成した。

**（注）** 税関分は含まない。

出所：国税庁ホームページ（https://www.nta.go.jp）より作成。

また，課税事業者（選択）届出書の令和3年度末（令和4年3月31日現在）の届出件数は，次のとおりである。

**課税事業者（選択）届出件数**

| 課税事業者届出書 | 課税事業者選択届出書 | 新設法人に該当する旨の届出書 | 合計 |
|---|---|---|---|
| 3,244,744 件 | 137,226 件 | 12,541 件 | 3,394,511 件 |

調査期間等：令和3年度末（令和4年3月31日現在）の届出件数を示している。

**(注)** 納税義務者でなくなった旨の届出書又は課税事業者選択不適用届出書を提出した者は含まない。

出所：国税庁ホームページ（https://www.nta.go.jp）。

## 第2節　消費税の課税対象

### 1　課税対象取引

　消費税は，原則として国内におけるすべての財貨・サービスの販売・提供等を課税対象としている。また，この国内取引との税負担のバランスをとるために，輸入取引にも消費税が課税される。

　平成27年度税制改正により，国内外の事業者間の競争条件を揃える観点から，国外事業者が国境を越えて行う役務の提供等については，資産の譲渡等のうち特定資産の譲渡等（国外事業者が行う事業者向け電気通信利用役務の提供及び演劇等の特定役務の提供）は課税対象から除かれ，特定仕入れ（事業として他の者から受けた特定資産の譲渡等）が課税対象となる（平成27年10月1日以後の適用）。

#### (1) 国内取引

　国内取引の課税対象は，「国内において事業者が行った資産の譲渡等」である。具体的には，次のいずれの要件にも該当するものをいう。

　① 国内において行うものであること。
　② 事業者が事業として行うものであること。
　③ 対価を得て行うものであること。
　④ 資産の譲渡，資産の貸付け又は役務の提供であること。

① 国内において行うものであること

　消費税は，国内で消費される財貨やサービスに対して負担を求めるものであるから，国外で行われる取引は課税の対象とはならない。

　資産の譲渡等が国内で行われたかどうかは，次の区分に応じ，それぞれに定める場所が国内かどうかによって判定することとなる。

　(イ) 資産の譲渡又は貸付けである場合

　　資産の譲渡又は貸付けについては，その譲渡又は貸付けが行われた時に

おいて，その資産が所在していた場所が国内にあるかどうかにより判定する。
(ロ) 役務の提供である場合（次に掲げる電気通信利用役務の提供を除く）
役務の提供については，役務の提供が行われた場所が国内であるかどうかにより判定する。
(ハ) 電気通信利用役務の提供である場合
電気通信利用役務の提供については，その電気通信利用役務の提供を受ける者の住所若しくは居所（現在まで引き続いて１年以上居住する場所をいう）又は本店若しくは主たる事務所の所在地が国内であるかどうかにより判定する（平成27年10月１日以後の適用）。ただし，これらの場所がないときは，国内以外の地域で役務の提供を受けたもの（国外取引）とされる。
(注) 電気通信利用役務の提供とは，資産の譲渡等のうち，電気通信回線を介して行われる著作物の提供その他の役務の提供であって，他の資産の譲渡等に付随して行われる役務の提供等一定のものは含まれない。以外のものをいう。
(ニ) 金融取引である場合
利子を対価とする金銭の貸付け等が国内で行われたかどうかの判定は，その貸付け等の行為に係る事務所等の所在地が国内にあるかどうかにより判定する。
(ホ) 特定仕入れである場合
特定仕入れについては，その特定仕入れによる役務の提供を受ける者の住所若しくは居所又は本店若しくは主たる事務所の所在地が国内にあるかどうかにより判定する。
(注) 1 特定仕入れとは，事業者が，事業として他の者から受けた特定資産の譲渡等をいう。
2 特定資産の譲渡等とは，国外事業者が行う事業者向け電気通信利用役務の提供及び特定役務の提供をいう。
3 特定役務の提供とは，国外事業者の国内における映画・演劇の俳優，音楽その他の芸能人，プロスポーツ選手などの役務提供をいう。

② 事業者が事業として行うものであること

「事業者」とは、事業を行う個人及び法人をいい、また、「事業として……」とは、対価を得て行われる資産の譲渡等が反復、継続、独立して行われることをいう。したがって、個人については「事業を行う個人が事業として」行う場合の取引が、法人については、そもそも事業活動を行う目的をもって設立されていることから、その行う取引のすべてが「事業者が事業として行うもの」に該当する。

なお、たとえば、職業運動家、作家、映画・演劇等の出演者等で事業者に該当するものが対価を得て行う他の事業者の広告宣伝のための役務の提供のように、事業活動の一環として、又はこれに関連して行われる行為は、資産の譲渡等に該当することとなる。

③ 対価を得て行うものであること

「対価を得て行うもの」とは、資産の譲渡等に対して反対給付を受けることをいうのであるから、無償による資産の譲渡及び貸付け並びに役務の提供は、原則として課税の対象とはならない。

事業者が自ら行う広告宣伝又は試験研究等のために商品、原材料等を使用、消費する行為は、課税の対象とはならない。また、相殺については、相互の債務の消滅であり、反対給付を伴わないことから、「対価を得て行うもの」には該当しない。

(注) 個人事業者の自家消費と法人がその役員に対して行う資産の贈与及び著しく低い価額による譲渡は、事業として対価を得て行われる資産の譲渡とみなされる。

④ 資産の譲渡若しくは貸付け又は役務の提供であること

(イ) 「資産の譲渡」とは、棚卸資産又は固定資産のような有形資産のほか、権利その他の無形資産等、取引の対象となる一切の資産を、その同一性を保持しつつ、他人に移転させることをいう。したがって、移転原因を問わないことから、保証債務の履行のための資産の譲渡や強制換価手続に係る換価も資産の譲渡に該当する。

(ロ) 「資産の貸付け」とは、賃貸借契約、消費貸借等の契約により資産を貸

し付けることをいい，土地に係る地上権及び地役権の設定などの資産に係る権利の設定，その他他の者に資産を使用させる一切の行為を含む。

(2) 輸入取引

保税地域から引き取られる外国貨物には，消費税が課税される。この「保税地域から引き取られる外国貨物」とは，外国から国内に到着した貨物で輸入が許可される前のもの及び輸出の許可を受けた貨物で，保税地域から引き取られるものをいう。

なお，保税地域において外国貨物が消費され又は使用された場合には，その消費又は使用した者が，その消費又は使用のときにその外国貨物をその保税地域から引き取るものとみなされる。

(注) 保税地域から引き取られる外国貨物については，国内において事業者が行った資産の譲渡等の場合のように「事業として対価を得て行われる」ものに限られないため，保税地域から引き取られる外国貨物に係る対価が無償であっても，又は保税地域からの外国貨物の引取りが事業として行われないものであっても消費税の課税対象となる。

## 2　非課税取引

消費税は，原則として国内におけるすべての財貨・サービスの販売・提供等及び貨物の輸入を課税対象としているが，これらの財貨・サービスの中には，消費に対して負担を求める税としての性格からみて，課税の対象とすることになじまないものや社会政策的な配慮から課税することが適当でないものがあること等から，このような取引については，非課税取引として消費税を課税しないこととしている。

主要な非課税取引は，次のような取引である。

(1) 消費税の性格から課税対象とすることになじまないもの
　イ　土地の譲渡及び貸付け
　ロ　社債，株式等の譲渡，支払手段の譲渡

ハ　利子，保証料，保険料等
　　ニ　郵便切手，印紙などの譲渡
　　ホ　商品券，プリペイドカード等の譲渡
(2)　社会政策的な配慮に基づくもの
　　イ　公的な社会保障制度に係る療養，医療，施設医療等
　　ロ　介護保険サービスの提供
　　ハ　第一種社会福祉事業等
　　ニ　助産に係る資産の譲渡等
　　ホ　埋葬料，火葬料
　　ヘ　身体障害者用物品の譲渡
　　ト　学校教育
　　チ　住宅の貸付け
　　リ　母子保健法に規定する産後ケア事業

## 3　免税取引

　消費税は，国内で消費される物品やサービスについて負担を求める「内国消費税」であるため，事業者が輸出取引や国際輸送等の輸出に類似する取引として行う資産の譲渡等については，消費税が免除される。
　前述の非課税取引は，売上には課税されない一方，その売上に対応する仕入税額が控除されないのに対し，輸出取引等については，売上に課税されないのに加え，その売上に対応する仕入税額の控除が認められており，この点で両者の性格は基本的に異なる。売上に課税されず，仕入税額の控除が認められる結果として，輸出品には消費税の負担がまったくないことになる。

(1)　**免税となる輸出取引等の範囲**
　　イ　国内からの輸出として行われる資産の譲渡又は貸付け
　　ロ　外国貨物の譲渡又は貸付け（イに該当するものを除く）
　　ハ　国内及び国内以外の地域にわたって行われる旅客若しくは貨物の輸送，

通信又は郵便
ニ　船舶運航事業者等に対する外航船舶等の譲渡，貸付け又は修理
ホ　国際輸送に用いられるコンテナー等の譲渡，貸付け又は修理で，船舶運航事業者等に対するもの
ヘ　外航船舶等の水先，誘導，その他入出港若しくは離着陸の補助又は入出港，離着陸，停泊若しくは駐機のための施設の提供に係る役務の提供等で船舶運航事業者等に対するもの
ト　外国貨物の荷役，運送，保管，検数又は鑑定等の役務の提供
チ　非居住者に対する一定の無形固定資産の譲渡又は貸付け
リ　非居住者に対する役務の提供

なお，輸出免税の適用を受けるためには，輸出許可書，税関長の証明又は輸出の事実を記載した帳簿や書類を整理し，納税地等に7年間保存することにより，その取引が輸出取引等に該当することを証明することが必要となる。

### (2) 輸出物品販売場における輸出物品の譲渡に係る免税

輸出物品販売場を営む事業者が，外国人旅行者などの免税購入対象者（非居住者であって出入国管理及び難民認定法上の上陸許可を受けて在留する者，外交若しくは公用の在留資格又は短期滞在の在留資格をもって在留する者その他一定の者をいう）に対して，所定の免税販売の手続きにより輸出携帯品（通常生活の用に供する物品で，消耗品以外の物品に限られる）を販売する場合には，消費税が免除される。この物品には食料品等の消耗品は除かれていたが，平成26年10月1日以後に行われる販売については消耗品も免税対象とされた。ただ，この場合には，その旅行者に対して同一店舗で1日に販売する消耗品の額が5,000円超（平成28年5月1日以後は5,000円以上）であること（50万円までが限度）等，一定の要件を満たす販売について適用される。

「輸出物品販売場」とは，事業者が経営する販売場で，非居住者に対し物品を免税で販売することができるものとして，その納税地の所轄税務署長の許可を受けた販売場をいう。

輸出物品販売場について，地方の免税店及び外国人旅行者の利便性を図る観点から，平成27年度税制改正において次のイ及びロに係る見直し，令和元年度税制改正において次のハに係る見直しが行われた。

イ　委託手続型免税店制度の創設

　　輸出物品販売場について，その販売場において免税販売する物品の免税手続を，商店街やショッピングモール等に設置された「免税手続カウンター」を営む事業者に代理させることを前提とした許可制度が創設された。この手続委託型免税店の場合は，各店舗の免税手続をまとめて行うことができるため，免税販売の要件である購入下限額（一般物品：1万円（平成28年5月1日以後は5,000円），消耗品：5,000円）について，「免税手続カウンター」における合算額による判定が可能となる。

ロ　クルーズ船寄港地における免税店に係る届出制度の創設

　　輸出物品販売場を経営する事業者が，あらかじめ，外国クルーズ船等が寄港する港湾の港湾施設内に，場所及び期限を定めて臨時販売場を設置する見込みであることについて税務署長の承認を受けた場合には，その設置日の前日までに具体的な臨時販売場の場所等を税務署長に届け出ることにより，免税販売を行うことができる制度が創設された。

　　これらの制度は，平成27年4月1日以後に行われる許可申請等又は同日以後に行われる販売について適用される。

ハ　臨時販売場に係る届出制度の創設

　　港湾施設以外の場所でも，輸出物品販売場の許可を受けて7月以内の期間を定めた臨時販売場を設置しようとする事業者で，あらかじめその納税地の所轄税務署長の承認を受けた者が，その設置日の前日までにその設置期間等を記載した届出書をその納税地の所轄税務署長に提出したときは，その臨時販売場が輸出物品販売場とみなされることになった。これに伴って，上記ロの届出制度が廃止される。

この制度は，令和元年7月1日以後に行われる課税資産の譲渡等について適用される。

令和5年度税制改正において，国内で免税購入された物品の譲渡や横流しが疑われる事案に適切に対応するため，輸出物品販売場において免税購入された物品の税務署長の承認を受けないで国内において譲渡又は譲受けがされたときは，当該物品を譲り受けた者に対して譲り渡した者と連帯してその免除された消費税の納付義務を課すこととされ，税務署長はその譲受人に対しても即時徴収を行うことができることとされた（令和5年5月1日以後の適用）。

## 第3節　消費税の納税義務者

### 1　納税義務者

**(1)　国内取引に係る納税義務者**

　国内取引については，製造業者，卸売業者，小売業者，取次業者，サービス業を営む事業者，作家，タレントなどのいわゆる自由業者のほか，国，地方公共団体，公共法人，公益法人及び人格のない社団又は財団などの事業者が納税義務者となる。

　ここでいう事業者には，国内で課税資産の譲渡等を行う非居住者及び外国法人も含まれる。

　平成27年度税制改正により，国境を越えた国外事業者が行う役務の提供等に対する消費税の課税について，国内において行った課税資産の譲渡等のうち，特定資産の譲渡等は納税義務の対象から除かれ，特定課税仕入れ（課税仕入れのうち特定仕入れに該当するもの）を行った事業者が納税義務者となる。言い換えると，事業者向け電気通信利用役務の提供及び演劇等の特定役務の提供に係る特定仕入については，役務提供の受け手である国内の事業者が納税義務者となる。消費者向け電気通信利用役務の提供については，役務提供を行う国外事業者が納税義務者となる。消費者向け電気通信利用役務の提供を行う国外事業者は，所轄税務署長を経由して国税庁長官に申請書を提出して登録し，登録国外事業者となることができる。

　上記の改正は，平成27年10月1日以後に行われる課税資産の譲渡等について適用し，国外事業者の登録申請は，平成27年7月1日から行うことができる。

　ただし，軽減税率制度創設に伴う適格請求書発行事業者登録制度の導入により，電気通信利用役務の提供に係る登録国外事業者制度は廃止（令和5年10月1日に施行）される。

## (2) 保税地域から引き取られる外国貨物に係る納税義務者

外国貨物については、課税貨物を保税地域から引き取る者が納税義務者となる。なお、国内取引のように事業者に限定されていないため、免税事業者や消費者たる個人が輸入する場合であっても、納税義務者となる。

## 2 免税事業者

### (1) 小規模事業者に係る納税義務の特例（免税点制度）と課税事業者の選択

事業者は、原則として納税義務者となるわけであるが、小規模零細事業者の納税事務負担や税務執行面に配慮して、小規模事業者については、納税義務を免除することとしている。

ただし、登録国外事業者（平成27年10月1日以後の適用・令和5年10月1日に廃止）又は適格請求書発行事業者（令和5年10月1日以後の適用）については、適用しない。

すなわち、「課税期間」に係る「基準期間」において課税売上高が1,000万円（平成16年4月1日以後に開始する課税期間。同日前については3,000万円）以下の事業者については、その課税期間中に国内において行った課税資産の譲渡等及び特定課税仕入れ（平成27年10月1日以後の適用）につき、消費税を納める義務が免除される。

この事業者免税点制度については、平成23年6月の改正において、次のような改正が行われた。

① 事業者免税点制度の適用を受ける事業者のうち、次に掲げる課税売上高が1,000万円を超える事業者については、事業者免税点制度を適用されないこととされた。

　イ　個人事業者のその年の前年1月1日から6月30日までの間の課税売上高
　ロ　その事業年度の前事業年度が短期事業年度（7月以下である等の一定のものをいう）に該当しない場合には、その事業年度の前事業年度開始の日から6月間の課税売上高
　ハ　その事業年度の前事業年度が短期事業年度である場合には、その前々事

業年度開始の日から6月間の課税売上高
② ①の適用に当たっては，事業者は，①の課税売上高の金額に代えて，所得税法に規定する給与等の支払額の金額を用いることができる。

なお，①に該当することとなった場合には，その旨の届出書を提出することが必要とされている。この改正は，平成25年1月1日以後に開始する個人事業者のその年又は法人のその事業年度について適用される。

また，免税事業者は，課税事業者選択の届出書を所轄税務署長に提出して，納税義務者になることを選択することができる。ただし，この届出書を提出した事業者は，2年間の継続適用が必要となる。

**(注)** 1 課税期間とは，個人事業者は暦年，法人は事業年度をいう。
　　　　この課税期間については，それを3月ごと又は1月ごとに短縮する特例（平成16年4月1日以後に開始する課税期間につき適用）が設けられている。
　　2 基準期間とは，個人事業者についてはその年の前々年，法人についてはその事業年度の前々事業年度（その前々事業年度が1年未満である法人については，その事業年度開始の日の2年前の日の前日から同日以後1年を経過する日までに開始した事業年度を合わせた期間）をいう。

**【事業年度が6月の場合の基準期間の具体例】**

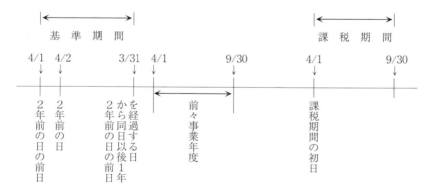

## (2) 基準期間がない法人の納税義務の免除の特例

新たに開業した個人事業者又は新たに設立された法人で基準期間における課

税売上高がないものの課税期間については、原則として、納税義務が免除される。

ただし、その事業年度の基準期間がない法人のうち、その事業年度開始の日における資本又は出資の金額が1,000万円以上である法人については、その新設法人の基準期間がない事業年度における課税資産の譲渡等については納税義務は免除されない。

(3) 特定新規設立法人の納税義務の免除の特例

その事業年度の基準期間がない法人のうち、その事業年度開始の日における資本金の額又は出資の金額が1,000万円未満の法人（新規設立法人）のうち、次のいずれにも該当するもの（特定新規設立法人）については、その特定新規設立法人の基準期間のない事業年度に含まれる各課税期間における課税資産の譲渡等及び特定課税仕入れについては、納税義務が免除されない（平成26年4月1日以後の設立について適用）。

　イ　その新設開始日において、他の者により発行済株式総数又は出資の総額の50％超を直接又は間接に保有されるなど特定要件に該当すること。

　ロ　上記の特定要件に該当する旨の判定の基礎となった他の者と一定の特殊な関係にある法人のうちいずれかの者（判定対象者）の当該新規設立法人の基準期間に相当する期間（基準期間相当期間）における課税売上高が5億円を超えていること。

　　**(注)**　相続等があった場合の納税義務の免除の特例
　　　　上記のほか、相続・合併・分割等があった場合についても、相続人等の消費税の納税義務を免除しない特例がある。

(4) 高額特定資産を取得した場合の納税義務の免除の特例

事業者（免税事業者を除く）が、簡易課税制度の適用を受けない課税期間中に、高額特定資産の仕入れ等を行った場合には、平成28年度税制改正により、その仕入れ等の日の属する課税期間から当該課税期間（自己建設高額特定資産にあっ

ては，建設等が完了した日の属する課税期間）の初日以後3年を経過する日の属する課税期間までの各課税期間においては，小規模事業者の納税義務免除の特例及び簡易課税制度が適用できない（平成28年4月1日以後の高額特定資産の仕入れ等について適用）。

　高額特定資産とは，一取引単位につき，支払対価の額が税抜1,000万円以上の棚卸資産又は調整対象固定資産（棚卸資産以外の資産で建物及びその附属設備，構築物，機械装置等で，100万円以上のもの）をいう。

　令和2年度税制改正により，高額特定資産である棚卸資産等について納税義務の免除を受けないこととなった場合の棚卸資産等に係る消費税額の調整の適用を受けた課税期間以後3年間は，事業者免税店制度及び簡易課税制度の適用を受けることができないという制限が加えられた（令和2年4月1日以後に棚卸資産の調整措置の適用を受けた場合について適用）。

## 第4節　納税義務の成立

### 1　資産の譲渡等の時期

　消費税の納税義務の成立時期は，国内取引については，課税資産の譲渡等をした時であり，課税貨物については保税地域からの引取りの時とされている。
　この課税資産の譲渡等をした時がいつであるかは，基本的には，所得税，法人税の課税所得の計算において，総収入金額又は益金の額に算入すべき時期と同一である。

【資産の譲渡等の具体例】
　○棚卸資産の譲渡（試用販売・委託販売を除く）…………引渡しのあった日
　○固定資産（工業所有権等を除く）……………………………引渡しのあった日
　○請　　　　負　・物の引渡しを要するもの……………完成し引き渡した日
　　　　　　　　　・物の引渡しを要しないもの…………役務提供の完了した日
　○人的役務の提供（請負を除く）……………………………役務提供の完了した日

### 2　課税資産の譲渡等の時期の特例

　資産の譲渡等の時期については，次の特例が設けられている。なお，これらの特例の適用を受ける事業者は，その旨を確定申告書に付記する必要がある。
(1)　リース譲渡に係る資産の譲渡等の時期の特例
　　**(注)**　国際会計基準審議会（IASB）及び米国財務会計基準審議会（FASB）が公表した収益認識に関する包括的な会計基準の見直しを踏まえて，日本においても平成30年3月に企業会計基準第29号「収益認識に関する会計基準」が公表された。これを契機として，平成30年度税制改正において，所得税及び法人税と同様に消費税においても，延払条件付販売等に係る収入及び費用の帰属時期の特例が，リース取引を除き一定の経過措置を設けた上で廃止された。リース取引については，会計上，収益認識基準の対象となっていないため，延払基準による計上に関する特例が存置することとされた。
(2)　長期工事の請負に係る資産の譲渡等の時期の特例
(3)　小規模事業者に係る資産の譲渡等の時期の特例

## 第5節　課税標準

### 1　国内取引

　国内取引に係る消費税の課税標準は，「課税資産の譲渡等の対価の額」及び「特定課税仕入れに係る支払対価の額」（平成27年10月1日以後の適用）である。

　課税資産の譲渡等の対価の額は，課税資産の譲渡等の対価として収受し，又は収受すべき一切の金銭又は金銭以外の物若しくは権利その他経済的な利益の額とし，消費税に相当する額を含まないものとされている。

　特定課税仕入れに係る支払対価の額は，特定課税仕入れの対価として支払い，又は支払うべき一切の金銭又は金銭以外の物若しくは権利その他経済的な利益の額とする（平成27年10月1日以後の適用）。

　酒税，たばこ税，揮発油税，石油石炭税，石油ガス税等の個別消費税は課税資産の譲渡等の対価の額に含まれるが，軽油引取税，ゴルフ場利用税，特別地方消費税及び入湯税等は，利用者等が納税義務者となっていることから，含まれないこととされている。

　また，個人事業者が事業用の資産を家事のために消費した場合や，法人が資産をその役員に対して贈与した場合などは，みなし譲渡とされ課税対象となるが，この場合の課税標準は，贈与の時における資産の価額に相当する金額（時価）となる。さらに，法人が資産を役員に対して著しく低い対価により譲渡した場合においても，その資産の時価が課税標準となる。

**（注）** 事業者が，建物と土地のように課税資産と非課税資産とを同一の者に同時に譲渡した場合において，それぞれの資産の対価の額が合理的に区分されていないときは，課税資産の譲渡等に係る課税標準は，次の算式によって計算した金額とされる。

$$資産の譲渡の対価の額 \times \frac{課税資産の価額}{課税資産の価額 + 非課税資産の価額}$$

## 2　輸入取引

　保税地域から引き取られる課税貨物の課税標準は，関税課税価格（通常は，CIF価格），関税額及び消費税以外の個別消費税額の合計額である。

　なお，課税標準に含まれる個別消費税とは，その課税貨物の保税地域からの引取りに係る酒税，たばこ税，揮発油税，地方道路税，石油ガス税及び石油石炭税をいう。

## 第6節　消費税額の計算

### 1　税　　率

　消費税の税率は，4％の単一税率である。

　平成6年秋の税制改革において，消費税の税率を4％とすることとされ，また，同時に創設された地方消費税は，消費税額を課税標準とし，その税率は25％（消費税率1％相当）とされているので，消費税と地方消費税とを合わせた税率は5％となる。

　平成24年8月の税制改正及び平成27年度税制改正により，消費税率及び地方消費税率は次のとおり2段階で引き上げられた。また，平成28年度税制改正においては軽減税率制度が導入され，消費税の標準税率は10％，軽減対象資産に係る税率は8％とされたが，令和元年10月まで施行が延期された。

| 適用開始日<br>区分 | 平成9年4月1日 | 平成26年4月1日 | 令和元年10月1日 ||
|---|---|---|---|---|
| | | | 標準税率 | 軽減税率 |
| 消費税率 | 4.00% | 6.30% | 7.80% | 6.24% |
| 地方消費税率 | 1.0%<br>（消費税額の$\frac{25}{100}$） | 1.7%<br>（消費税額の$\frac{17}{63}$） | 2.2%<br>（消費税額の$\frac{22}{78}$） | 1.76%<br>（消費税額の$\frac{176}{624}$） |
| 合　計 | 5.00% | 8.00% | 10.00% | 8.00% |

## 2　基本的な計算構造

納付することとなる消費税額は，次により計算される。

$$
\boxed{課税標準額 \times 税率} - \boxed{\begin{array}{l}○仕入れに係る消費税額 \\ ○売上げに係る対価の返 \\ \phantom{○}還に係る消費税額 \\ ○貸倒れに係る消費税額\end{array}} = 消費税額
$$

**(注)**　税率は，平成26年3月31日までが4％，平成26年4月1日以降は6.3％，令和元年10月1日以降は7.8％（軽減対象資産は6.24％）が適用となる。

　この課税標準額とは，その課税期間における課税資産の譲渡等の対価の額（税抜き）の合計額をいうが，それは，原則として，税込みの課税売上高の合計額に105分の100（平成26年4月1日以降は108分の100，令和元年10月1日以降は110分の100（軽減対象資産は108分の100））を乗じて算定し，その金額に1,000円未満の端数があれば，その端数を切り捨てることとなる。

　ただし，事業者がその取引において，課税資産の譲渡等の対価の額（本体価格）と，それに係る消費税額とを区分して領収している場合において，その消費税額の1円未満の端数を処理（切捨て，切上げ，四捨五入）したときは，その端数処理後の各消費税額のその課税期間中の合計額をもって，その課税期間の課税標準額に対する消費税額とすることができる。

## 3　課税仕入れの消費税額控除

### (1)　原則的方法による計算（特定課税仕入れがない場合）

　消費税の納付すべき税額は，課税売上げに係る消費税額から課税仕入れに係る消費税額を控除して計算されるが，この消費税額の控除を「仕入税額控除」といい，次の課税売上割合に応じて計算方法が異なっている。

$$
課税売上割合 = \frac{課税期間の課税売上高（消費税額を除く）}{課税期間の総売上高（消費税額を除く）}
$$

① 課税期間中の課税売上高が5億円以下，かつ課税売上割合が95％以上の場合

この場合には，その課税期間の課税仕入れ等に係る消費税額は，全額控除できる。この場合の納付すべき税額は，次によることになる。

課税期間の課税売上に係る消費税額 － 課税期間の課税仕入れ等に係る消費税額

(注) 平成23年6月の改正により，この消費税額の全額の仕入税額控除は，その課税期間の課税売上高が5億円（課税期間が1年未満の場合には，年換算）以下の事業者に限り認められることとされた（平成24年4月1日以後に開始する課税期間から適用）。

② 課税期間中の課税売上高が5億円超又は課税売上割合が95％未満の場合

この場合の仕入税額控除の対象となる消費税額は，「課税売上に対応する課税仕入れ等に係る消費税額」とされる。

この場合の課税売上に対応する課税仕入れ等の消費税額は，次の二つの方法のいずれかによって計算することとされている。

イ 個別対応方式

この方式は，課税仕入れ等に係る消費税額を，①課税売上のみに要するもの，②非課税売上のみに要するもの，③これら共通の売上に要するもの，に区分して，次のようにして計算する。

| 課税仕入に係る消費税額 | ①課税売上に対応するもの | 控除対象の消費税額 ①＋（③×課税売上割合） |
| --- | --- | --- |
| | ③共通の売上に対応するもの | |
| | ②非課税売上に対応するもの | 控除対象外の消費税額 |

ロ 一括比例配分方式

この方式は，次のように，その課税期間の課税仕入れ等に係る消費税額を課税売上割合で一括して按分する方法である。

控除する消費税額 ＝ 課税仕入れに係る消費税額 × 課税売上割合

課税事業者が仕入れた商品等を返品したり，値引き，割引き，割戻しを受けた場合には，それに相当する支払った消費税額が減少することから，仕入税額

控除の対象となる消費税額は，その課税期間に係る課税仕入れ等に係る消費税額から仕入商品の返品等に係る消費税額（仕入商品の返品等に係る金額（税込み）に105分の4（平成26年4月1日以降は108分の6.3，令和元年10月1日以降は110分の7.8（軽減対象資産は108分の6.24））を乗じて計算したもの）の合計額を控除して計算する。この場合に，控除しきれない消費税額がある場合には，課税売上げに係る消費税額に加算することになる。

### (2) 特定課税仕入れがある場合の計算

特定課税仕入れがある場合の課税標準額に対する消費税額から控除する消費税の仕入税額控除の額は，特定課税仕入れに係る消費税額を含めて計算した額となる。すなわち，事業者が当該課税期間中に国内において行った課税仕入れに係る消費税額（当該支払対価の額に108分の6.3，令和元年10月1日以後は110分の7.8（軽減対象資産は108分の6.24）を乗じて算出した金額）及び特定課税仕入れに係る消費税額（当該特定課税仕入れに係る支払対価の額に100分の6.3，令和元年10月1日以後は100分の7.8（軽減対象資産は108分の6.24）を乗じて算出した金額）並びに当該課税期間における保税地域からの引取りに係る課税貨物につき課された消費税の合計額である。

特定課税仕入れを行う事業者の課税売上割合が95％以上である場合には，事業者の事務負担を配慮する観点から，当分の間，当該課税期間中に国内において行った特定課税仕入れはなかったものとされる。言い換えると，リバースチャージ方式は，当分の間，当該課税期間について一般課税により申告する場合で，課税売上割合が95％未満である場合にのみ適用される。

上記の改正は，平成27年10月1日以後に行われる課税仕入れ等に適用される。

**(注)** 1　課税売上割合は，特定資産の譲渡等の対価の額を含めずに計算した割合とする。
　　　2　国外事業者から消費者向け電気通信利用役務の提供を受ける場合は，登録国外事業者からの役務提供を除き，当分の間，納税なき仕入税額控除を防止する観点から，仕入税額控除制度は適用されない。

## (3) 帳簿等の記帳と保存

原則的方法による仕入税額控除の適用を受けるためには，原則として，次のような「帳簿及び請求書等の保存」が必要となる。

### イ 請求書等保存方式（令和元年9月まで）

消費税の軽減税率制度の創設に伴い，令和元年9月までは請求書等保存方式による。

請求書等とは，事業者（買い手）に対して課税資産の譲渡等を行う他の事業者（売り手）が交付する請求書・納品書等，事業者（買い手）がその行った課税仕入れにつき作成する仕入明細書・仕入計算書その他これらに類する書類で一定事項が記載されているもの（相手方の確認を受けたものに限る）等をいう。

| | 記載事項 | 保存期間等 |
|---|---|---|
| 帳簿 | **（課税仕入れに係るもの）**<br>①課税仕入れの相手方の氏名又は名称<br>②課税仕入れを行った年月日<br>③課税仕入れに係る資産又は役務の提供<br>④課税仕入れに係る支払い対価の額<br>**（特定課税仕入れに係るもの）**<br>①特定課税仕入れの相手方の氏名又は名称<br>②特定課税仕入れを行った年月日<br>③特定課税仕入れの内容<br>④特定課税仕入れに係る支払対価の額<br>⑤特定課税仕入れに係るものである旨 | その閉鎖の日の属する課税期間の末日の翌日から2月を経過した日から7年間，納税地又はその取引に係る事務所，事業所その他これらに準ずるものの所在地に保存しなければならない。 |
| 請求書等 | ①書類の作成者の氏名又は名称<br>②課税資産の譲渡等を行った年月日<br>③課税資産の譲渡等に係る資産又は役務の内容<br>④課税資産の譲渡等の対価の額<br>⑤書類の交付を受ける当該事業者の氏名又は名称 | その受領した日の属する課税期間の末日から2月を経過した日から7年間，納税地又はその取引に係る事務所，事業所その他これらに準ずるものの所在地に保存しなければならない。 |

**（注）** ここにいう「帳簿及び請求書等の保存」に関しては，所定の期間及び場所において，税務職員の質問検査に当たって適時に提示可能なように態勢を整えて

保存することを要し，事業者がこれを行っていなかった場合には，事業者が災害その他やむを得ない事情によりこれをできなかったことを証明しない限り，仕入税額控除はできないものと解されている。

ロ　**区分記載請求書等保存方式**（令和元年10月から令和5年9月まで）

　令和元年10月1日から4年間は，上記の請求書等保存方式を基本として，区分経理に対応するため，事業者の準備等に配慮して簡素な方法（区分請求書等保存方式）が導入される。原則として，課税仕入れが軽減対象資産の譲渡等である場合には，上記イの帳簿及び請求書等の記載事項に次のものを追加する。

①　資産の内容及び軽減対象資産の譲渡等に係るものである旨
②　税率の異なるごとに合計した対価の額

ハ　**適格請求書等保存方式**（令和5年10月以降）

　令和5年10月1日以降は，請求書等保存方式に代えて適格請求書等保存方式を導入することとし，上記ロの帳簿のほか，請求書等については，適格請求書発行事業者登録制度により，原則として適格請求書発行事業者から交付を受けた適格請求書又は適格簡易請求書（小売業等一定の事業に係るもの）の保存を仕入税額控除の要件とされる。

　適格請求書等とは，次に掲げる事項を記載した請求書，納品書その他これらに類する書類（電磁的記録を含む）をいう。

| 適格請求書 | 適格簡易請求書 |
| --- | --- |
| ①　適格請求書発行事業者の氏名又は名称及び登録番号 | ①　（左の①に同じ） |
| ②　課税資産の譲渡等を行った年月日 | ②　（左の②に同じ） |
| ③　課税資産の譲渡等に係る資産又は役務の内容（軽減対象資産の譲渡等である場合には，その旨） | ③　（左の③に同じ） |
| ④　課税資産の譲渡等に係る税抜価額又は税込価額を税率の異なるごとに区分して合計した金額及び適用税率 | ④　課税資産の譲渡等に係る税抜価額又は税込価額を税率の異なるごとに区分して合計した金額 |
| ⑤　消費税額等 | ⑤　消費税額等又は適用税率 |
| ⑥　書類の交付を受ける事業者の氏名又は名称 | |

令和4年度税制改正により，適格請求書等保存方式において，買い手である事業者が作成する仕入明細書等による仕入税額控除は，課税仕入れの相手方である他の事業者（売り手）にとって課税資産の譲渡等に該当する場合に限り適用できることが明確化された。

　なお，適格請求書発行事業者以外の者（免税事業者）からの仕入れについては，令和5年10月1日から令和8年9月30日までの期間は80％，令和8年10月1日から令和11年9月30日までの期間は50％を仕入税額とみなして控除できる経過措置の適用ができる。ただし，一定の事項が記載された帳簿及び区分記載請求書等（電磁的記録を含む）の保存が要件となる。

令和5年度税制改正において，円滑なインボイス制度実施の観点から，次の措置が講じられた。

① 小規模事業者に対する納税額に係る負担軽減措置

　免税事業者が適格請求書発行事業者を選択した場合には，令和5年10月1日から令和8年9月30日までの日の属する課税期間については，課税仕入等の税額の合計額を，課税資産の譲渡等に係る消費税額の80／100に相当する金額（特別控除税額）とすることができる。

② 一定規模以下の事業者に対する事務負担の軽減措置

　基準期間における売上高が1億円以下である等の事業者が，令和5年10月1日から令和11年9月30日までの間に国内において行う1万円未満の課税仕入れについては，帳簿のみの保存による仕入税額控除を可能とする。

### (4) 簡易課税制度による仕入税額控除

　「簡易課税制度」とは，上述した仕入税額控除の原則的な計算方法に代えて，その課税期間における課税標準額に対する消費税額に「みなし仕入率」を乗じて計算した金額が，控除する課税仕入れ等に係る消費税額とみなされる制度である。当分の間，簡易課税制度の適用を受ける事業者については，その課税期間に行った特定課税仕入れはなかったものとされる（平成27年10月1日以後の適用）。

仕入税額控除の税額＝課税標準額に対する消費税額×みなし仕入率

この「みなし仕入率」とは，次のように，それぞれの業種ごとに法定されている。

| 区　分 | 業　　　種 | みなし仕入率 |
|---|---|---|
| 第1種事業 | 卸売業 | 90％ |
| 第2種事業 | 小売業 | 80％ |
| 第3種事業 | 農業，林業，漁業，鉱業，建設業，製造業等（第1種事業，第2種事業に該当するもの及び加工賃その他これに類する料金を対価とする役務の提供を行う事業を除く） | 70％ |
| 第5種事業 | 不動産業，運輸通信業，サービス業（飲食店業を除く） | 50％ |
| 第4種事業 | 第1種事業から第3種事業に掲げる事業及び第5種事業以外のものをいう。 | 60％ |

ところが，平成26年度税制改正により，平成27年4月1日以後に開始する課税期間からは改正前の事業区分が見直され，保険業と金融業は第4種事業（みなし仕入率60％）から第5種事業（みなし仕入率50％）へ，また不動産業は第5種事業（みなし仕入率50％）から第6種事業（みなし仕入率40％）へ引き下げられ，次のような区分とされた。

| 改正前 | | 事業内容 | 改正後 | |
|---|---|---|---|---|
| みなし仕入率 | 事業区分 | | 事業区分 | みなし仕入率 |
| 90% | 第1種 | 卸売業 | 第1種 | 90% |
| 80% | 第2種 | 小売業 | 第2種 | 80% |
| 70% | 第3種 | 製造業等 | 第3種 | 70% |
| 60% | 第4種 | 飲食店業 | 第4種 | 60% |
| 50% | 第5種 | 金融業，保険業 | 第5種 | 50% |
| | | 運輸通信業，サービス業 | | |
| | | 不動産業 | 第6種 | 40% |

　また，2種類以上の事業を営んでいる場合には，原則として，次のように計算した金額が仕入税額控除の対象とされる。

$$\text{仕入控除税額} = \left(\begin{array}{c}\text{課税標準額に対}\\ \text{する消費税額}\end{array} - \begin{array}{c}\text{売上げに係る対価の返還等}\\ \text{の金額に係わる消費税額}\end{array}\right)$$

$$\times \frac{\begin{array}{c}\text{第1種事}\\\text{業に係る}\\\text{消費税額}\end{array}\times 90\% + \begin{array}{c}\text{第2種事}\\\text{業に係る}\\\text{消費税額}\end{array}\times 80\% + \begin{array}{c}\text{第3種事}\\\text{業に係る}\\\text{消費税額}\end{array}\times 70\% + \begin{array}{c}\text{第4種事}\\\text{業に係る}\\\text{消費税額}\end{array}\times 60\% + \begin{array}{c}\text{第5種事}\\\text{業に係る}\\\text{消費税額}\end{array}\times 50\%}{\begin{array}{c}\text{第1種事業に}\\\text{係る消費税額}\end{array} + \begin{array}{c}\text{第2種事業に}\\\text{係る消費税額}\end{array} + \begin{array}{c}\text{第3種事業に}\\\text{係る消費税額}\end{array} + \begin{array}{c}\text{第4種事業に}\\\text{係る消費税額}\end{array} + \begin{array}{c}\text{第5種事業に}\\\text{係る消費税額}\end{array}}$$

　この制度の適用を受けるためには，次の要件を満たしていることが必要である。

① 課税事業者の基準期間における課税売上高が5,000万円（平成16年4月1日以降に開始する課税期間。同日前については2億円）以下であること。
② この適用を受ける旨の届出書を所轄税務署長に提出していること。
**(注)** 東日本大震災の被災事業者に対しては，消費税簡易課税制度選択届出書等の一定の書類の届出の期限が告示等の指定日までに届け出た場合には，課税期間の初日の前日までに提出されたものとみなされ，また，課税事業者選択等の継続適用要件が届出書については適用されないこととされている。

## (5) 売上返品等と貸倒れが発生した場合の消費税額の計算

　課税事業者が売り上げた商品の返品を受けたり，値引き，割引き，割戻しを行った場合には，その課税期間中の課税売上げに係る消費税額から，売上返品等に係る消費税額の合計額を控除し，控除しきれなかった金額は還付される。
　また，課税事業者に売掛金等の貸倒れが発生した場合には，その課税期間中

の課税売上げに係る消費税額から，貸倒処理した金額に係る消費税額の合計額を控除することになる。

この売上返品等及び貸倒処理に係る消費税額の計算は，仕入商品の返品等と同様に行われる。

### (6) 金地金等の密輸に係る仕入れ税額控除制度の見直し

令和元年度税制改正により，密輸品であることを知って金地金等を購入した者に対する規制として，金又は白金の地金の仕入れについて，①当該課税仕入れについては本人確認書類の写しの保存が仕入税額控除の要件に加えられ，②密輸品と知りながら行った課税仕入れに係る仕入税額控除の適用を認めないこととされた。①の改正は令和元年10月1日，②の改正は平成31年4月1日以後の課税仕入れについて適用される。

令和3年度税制改正により，より一層の金地金の密輸防止を図る観点から，仕入税額控除の要件として認められている上記の本人確認書類のうち，「在留カードの写し」「旅券の写し」「その他これらに類するもの」については，その対象から除外された（令和3年10月1日以後の適用）。

### (7) 居住用賃貸建物の取得等に係る消費税額の仕入税額控除制度の見直し

令和2年度税制改正により，令和2年10月1日以後に行う高額特定資産等に該当する一定の居住用賃貸建物の課税仕入れ等の税額について，仕入税額控除の対象としないとする制限が加えられた。

また，この制限の適用を受けた居住用賃貸建物について，その仕入れの日から同日の属する課税期間の初日以後3年を経過する日の属する課税期間の末日までの期間に住宅の貸付け以外の貸付けの用に供した場合又は譲渡した場合には，仕入税額控除を調整することとされた。

## 第7節　消費税の申告と納付

### 1　国内取引の場合

#### (1)　中間申告

　課税事業者は，その直前の課税期間の確定消費税額の年換算が400万円を超えるときは，課税期間の開始の日以後3月，6月，9月を経過した日から2か月以内（個人の場合は，5月，8月，11月の末日，3月決算の法人の場合は，8月，11月，2月の末日）に，また48万円を超え400万円以下の場合には，課税期間開始の日以後6か月を経過した日から2か月以内（個人の場合8月末日，3月決算の法人の場合は，11月末日）に中間申告及び納付をする必要がある。この中間申告の税額は，原則として，前者の場合が直前の課税期間の年税額の4分の1，後者の場合がその2分の1の金額となる。

　なお，平成15年度税制改正において，直前の課税期間の確定消費税額が4,800万円（地方消費税込6,000万円）を超える事業者は，中間申告・納付を毎月行うこととし，原則として，その確定消費税額の12分の1ずつを申告・納付することに改められた（平成16年4月1日以降に開始する課税期間から適用）。

　また，その計算に代えて，その中間申告対象期間を一課税期間とみなして，仮決算による実額で中間申告をすることもできる。

　この中間申告が申告期限までに提出されなかった場合には，法律で規定する中間申告の税額による申告がなされたものとして中間申告税額が確定する。

　平成24年8月の税制改正において，任意の中間申告制度が創設され，個人事業者については平成27年分から，また，事業年度が1年の法人については平成26年4月1日以後に開始する課税期間から，直前の課税期間の確定消費税額が48万円以下の中間申告義務のない事業者でも，任意に中間申告書を提出する旨の届出書を納税地の所轄税務署長に提出した場合には，その届出書を提出した日以後にその末日が最初に到来する6月中間申告対象期間から，自主的に中間

申告及び納付をすることができる。

任意の中間申告制度を適用する場合であっても，仮決算による中間申告及び納付をすることができる。

(2) **確　定　申　告**

国内取引については，事業者（免税事業者を除く）は，課税期間ごとに，課税期間の終了後2か月（個人事業者は，当分の間翌年3月末日とされている）以内に確定申告するとともに，その税額をその日までに納付しなければならない。この場合には，中間申告税額があれば，これを控除した税額が納付すべき税額となる。ただし，課税資産の譲渡等がない場合で消費税額が生じない場合には，申告する必要はない。

また，課税資産の譲渡等に係る消費税額から仕入れに係る消費税額を控除した金額がマイナスの場合や中間申告の税額が確定申告の税額を上回る場合には確定申告により還付を受けることができるが，免税事業者の場合には還付を受けることはできない。

なお，確定申告書には，資産の譲渡等の対価の額や課税仕入れの税額の明細書等，課税標準の計算の基礎となる金額の明細書の添付が必要とされている。

令和2年度税制改正により，法人税の申告期限の延長の特例の適用を受ける法人が，消費税申告期限延長届出書を提出した場合には，消費税の確定申告の期限を1月延長することとされた。

## 2　輸入取引の場合

外国貨物で消費税が課税されるもの（課税貨物）を保税地域から引き取ろうとする者は，その引取りのときまでに税関長に申告書を提出して，課税貨物に課される消費税額を納付する必要がある。

## 3　消費税の端数処理

消費税は，課税資産の譲渡等の合計額に105分の4（平成26年4月1日以降は

108分の6.3，令和元年10月1日以降は110分の7.8（軽減対象資産は108分の6.24））を乗じて算定するのが原則であるが，課税資産の譲渡等について，受領すべき金額を税抜対価の額と消費税額及び地方消費税額の合計額（消費税額等）とに区分して領収している場合において，消費税額等の1円未満の端数処理をしているときは，その端数処理を行った後の消費税額等を合計して消費税額とすることができる。

## 第8節　帳簿の保存義務と記帳義務

### 1　一般的な帳簿の保存義務と記帳義務

　消費税法は，事業者（免税事業者を除く）に対して，帳簿を備え付け，これにその行った資産の譲渡等又は課税仕入れに関する事項を整然と，かつ明瞭に記載してその帳簿を保存しなければならないと規定し，その取引に関する帳簿の記帳保存義務を課している。

　その記載事項については，たとえば，国内で行った資産の譲渡等については，①資産の譲渡等の相手方の氏名又は名称，②資産の譲渡等を行った年月日，③資産の譲渡等に係る資産又は役務の提供の内容，④資産の譲渡等の対価の額とされている。

　なお，小売業や飲食業等，一定の事業を営む事業者は，「取引の相手方の氏名又は名称」等の記載を省略できる。

### 2　仕入税額控除等の要件としての帳簿及び請求書の保存

　一般的な帳簿の記帳保存義務として，資産の譲渡等とともに課税仕入れ等についても同様に記載した帳簿を保存しなければならないとされているが，課税仕入れ等に係る仕入税額控除を行うためには，その帳簿と一定の請求書等の保存が必要とされている。すなわち，帳簿と請求書等の保存が仕入税額控除の要件とされている（第6節3(3)を参照）。

　なお，課税仕入れ等及び資産の譲渡等に関する帳簿等は，その課税期間の末日の翌日から2か月を経過した日から7年間，事務所等に保存することが原則とされている。

## 3 電子帳簿等保存制度と加算税

　納税者等の帳簿書類の保存に係る負担を軽減する等のため，平成10年度税制改正において，一定の国税関係帳簿書類の保存義務者は，国税関係帳簿書類の全部又は一部を，所定の要件の下で，電子帳簿保存法による電磁的記録の保存等をもって当該帳簿書類の保存等に代えることができるとされた。

　令和3年度税制改正により，消費税の仕入れ税額控除に係る帳簿その他一定の帳簿の電磁的記録等による保存が優良な電子帳簿の要件を満たしている場合において，当該電磁的記録等に記録された事項に関し修正申告等があった場合において過少申告加算税が課されるときは，過少申告加算税の額を5％軽減し（隠蔽仮装を除く），スキャナ保存が行われた一定の国税関係書類に係る電磁的記録又は事業者が保存することとされている輸出物品販売場における当該物品が非居住者により購入されたことを証する電磁的記録その他一定の電磁的記録に記録された事項に関し期限後申告等があった場合において重加算税が課されるときは，当該電磁的記録事項のうち隠蔽仮装された事実に係る部分には重加算税の額が10％加算されることになった（令和4年1月1日以後に法定申告期限の到来する消費税に適用）。

## 第9節　各種届出書の提出

### 1　消費税の課税に影響する届出

　事業者は，一定の要件に該当する事実が発生した場合や簡易課税制度を選択しようとする場合には，所定の届出書を提出することとされている。このうち，届出の有無によって消費税の課税に直接影響する届出書の内容は，次のとおりである。

| 届出が必要な場合 | 届出書名 | 提出期限等 |
|---|---|---|
| ① 免税事業者が課税事業者になることを選択しようとするとき | 消費税課税事業者選択届出書 | 選択しようとする課税期間の初日の前日まで |
| ② 課税事業者を選択していた事業者が課税事業者の選択をやめようとするとき | 消費税課税事業者選択不適用届出書 | 選択をやめようとする課税期間の初日の前日まで |
| ③ 簡易課税制度を選択しようとするとき | 消費税簡易課税制度選択届出書 | 選択しようとする課税期間の初日の前日まで |
| ④ 簡易課税制度の選択をやめようとするとき | 消費税簡易課税制度選択不適用届出書 | 選択をやめようとする課税期間の初日の前日まで |
| ⑤ 課税期間の特例（短縮）を選択しようとするとき | 消費税課税期間特例選択届出書 | 特例（短縮）に係る課税期間の初日の前日まで |
| ⑥ 課税期間の特例（短縮）の適用をやめようとするとき | 消費税課税期間特例選択不適用届出書 | 適用をやめようとする課税期間の初日の前日まで |
| ⑦ 任意に6月中間申告書を提出しようとするとき | 任意の中間申告書を提出する旨の届出書 | 提出しようとする6月中間申告対象期間の末日まで |
| ⑧ 任意に6月中間申告書を提出しようとすることをやめようとするとき | 任意の中間申告書を提出することの取りやめ届出書 | 提出することをやめようとする6月中間申告対象期間の末日まで |
| ⑨ 消費税の確定申告の期限を1月延長するとき | 消費税申告期限延長届出書 | 適用しようとする課税期間の末日まで |

| | | |
|---|---|---|
| ⑩ 消費税の申告期限の延長の特例をやめようとするとき | 消費税申告期限延長不適用届出書 | 適用を止めようとする課税期間の末日まで |

(注) 1 選択しようとする課税期間の初日が休日（祝日，日曜日等）の場合は，休日の翌日に提出しても，課税期間の初日の前日に提出したこととはならない。
 2 課税資産の譲渡等に係る事業を開始した日の属する課税期間に①，③，⑤の届出書を提出した場合には，その提出があった日の属する課税期間からの適用となる。なお，①，③，⑤の届出書については，2年間継続して適用することが要件とされている。
 3 平成22年度税制改正により，課税事業者を選択した事業者又は新設法人が，調整対象固定資産に係る仕入税額控除をした場合において，適正に消費税を調整するため，取得後3年間は課税事業者を選択することが義務付けられ，また簡易課税制度を選択することもできなくなる。
 4 平成18年度税制改正において，災害等により被害を受けた事業者が，簡易課税制度について適用又は不適用が必要となった場合において，税務署長の承認を受けたときは，選択適用届出書又は選択不適用届出書を当該災害等の生じた日の属する課税期間の初日の前日に提出したものとみなす等の措置が講じられた（災害等のやんだ日が平成18年4月1日以後に到来する場合における当該災害等の生じた日の属する課税期間から適用）。

## 2　その他の届出

以上のほか，届出により直接的に消費税の課税に影響を及ぼすものではないが，適正な課税を実現するうえから，一定の事実が発生した場合には，所定の届出書を提出することとされている。その主なものは，次のとおりである。

| 届出が必要な場合 | 届出書名 | 提出期限等 |
|---|---|---|
| 基準期間における課税売上高が1,000万円（平成16年4月1日前の課税期間は3,000万円）超となったとき | 消費税課税事業者届出書 | 事由が生じた場合，速やかに提出する |
| 基準期間における課税売上高が1,000万円（平成16年4月1日前の課税期間は3,000万円）以下となったとき | 消費税の納税義務者でなくなった旨の届出書 | 事由が生じた場合，速やかに提出する |

| 特定期間における課税売上高が1,000万円超となったとき | 消費税課税事業者届出書（特定期間用） | 事由が生じた場合，速やかに提出する |
|---|---|---|
| 基準期間がない事業年度の開始日における資本金の額又は出資の金額が1,000万円以上であるとき | 消費税の新設法人に該当する旨の届出書 | 事由が生じた場合，速やかに提出するただし，所用事項記載の法人設立届出書の提出があった場合は提出不要 |
| 新規設立法人が他の者に発行済株式等の50％超を保有されかつ当該他の者の基準期間の課税売上高が5億円超のとき | 消費税の特定新規設立法人に該当する旨の届出書 | 事由が生じた場合，速やかに |
| 課税事業者が事業を廃止したとき | 事業廃止届出書 | 事由が生じた場合，速やかに提出する |
| 個人の課税事業者が死亡したとき | 個人事業者の死亡届出書 | 事由が生じた場合，速やかに提出する |
| 納税地等に異動があったとき（納税地の場合は，異動前と異動後の納税地を所轄する税務署長に提出する） | 消費税異動届出書 | 異動事項が発生した後遅滞なく提出する |
| 輸出物品販売場を経営する事業者がその免税販売に係る購入記録情報の提供を開始するとき | 輸出物品販売場における購入記録情報の提供方法等の届出書 | 購入記録情報の提供を開始する前に提出する |

**（注）** 1　特定期間とは，個人事業者の場合は，その年の前年の1月1日から6月30日までの期間をいい，法人の場合は，原則として，その事業年度の前事業年度開始の日以後6か月の期間をいう。

　　　 2　特定新規設立法人とは，その事業年度の基準期間がない資本金の額又は出資の金額が1,000万円未満の新規設立法人のうち，その事業年度開始の日において他の者に発行済株式等の50％超を保有され，かつ，当該他の者の基準期間の課税売上高が5億円を超える法人をいう。

# 第 9 章　その他の国税

> **ポイント**
>
> (1) 酒税は，たばこと並んで代表的なし好品である清酒やビールなどの酒類にかかる税金であり，酒類の販売価格に含まれて，最終的には，酒類の消費者によって負担される間接税である。また，酒税は，酒類製造業者により製造されて流通過程に入る最初（移出）のときを課税の時点とする移出課税が採用されている。その課税標準は，発泡性酒類，醸造酒類，蒸留酒類及び混成酒類の4つに分類して税率を定めている。
>
> (2) 印紙税は，取引において作成される契約書，領収書，通帳などのような文書（課税文書）に対して課税される税金である。
>
> (3) 登録免許税は，土地，建物，船舶などの所有権の保存登記や移転登記，抵当権の登記などの登記や各種の法律上の権利などの登録，免許などを受けるときに課税される税金である。個人が自己の居住用に供する家屋の登録免許税には，税率の軽減措置がある。
>
> (4) 揮発油税・地方揮発油税は，自動車の燃料に用いられるガソリンにかかる間接税であり，国や地方公共団体の道路整備の特定財源制度の廃止に伴い10年間の暫定税率は廃止されたが，当分の間，現在の税率水準が維持された。その他の目的税として，石油ガス税，石油石炭税，電源開発促進税，航空機燃料税などがある。
>
> (5) 関税は，輸入品に対して課税される。現在の関税は，国内の産業保護を目的とする保護関税の機能が基本的なものとなっている。

## 第1節 酒　　税

### 1　酒税とは

　酒税は，たばこと並んで代表的な嗜好品である清酒やビールなどの酒類にかかる税金である。酒税は，酒類の販売価格に含まれて，最終的には，酒類の消費者によって負担される間接税であり，取得税，財産税，消費税及び流通税に分けられる租税のうち，消費税に属する租税である。

　諸外国においては，フランスがワイン，ドイツがビールというように，特定の酒類が多く飲まれているのと比較すると，わが国で飲まれている酒類は，きわめて多種多様であり，戦前では，主に清酒が飲まれていたが，近年では，ワインやビール等の輸入量の増加とともに国内の消費量も伸びているために，清酒の消費量は1割強に落ち込んでいる。

　なお，酒類の製造業者，販売業者については，所轄税務署長の免許を要するという免許制度が採用されている。令和2年度税制改正により，日本酒の輸出拡大に向けた取組みを後押しする観点から，輸出用清酒の製造免許が新たに設けられた。

### 2　酒類とは

　酒税法において，酒類とは，「アルコール1度以上の飲料」をいうが，粉末を溶解してアルコール1度以上の飲料とすることができる粉末状（粉末酒）のものも酒類に含まれる。このような多種類の酒類は，アルコール分1度以上の飲料で，別表のように大きく10種類，11品目に分けられていたが，平成18年度税制改正により，(1)発泡性酒類，(2)醸造酒類，(3)蒸留酒類，(4)混成酒類の4酒類に分けられた（平成18年5月1日以降の適用）。

**酒類の種類及び品目**（別表）

| 種類 | 品目 |
|---|---|
| 清　　　酒 | |
| 合　成　清　酒 | |
| しょうちゅう | しょうちゅう甲類<br>しょうちゅう乙類 |
| み　り　ん | |
| ビ　ー　ル | |
| 果　実　酒　類 | 果　　実　　酒<br>甘　味　果　実　酒 |
| ウイスキー類 | ウ　イ　ス　キ　ー<br>ブ　ラ　ン　デ　ー |
| スピリッツ類 | ス　ピ　リ　ッ　ツ<br>原料用アルコール |
| リキュール類 | |
| 雑　　　酒 | 発　　泡　　酒<br>粉　　末　　酒<br>そ　の　他　の　雑　酒 |

## 3　酒税の課税制度の特色

酒税の課税制度には，次のような特色がある。

① 酒税は，間接税・消費税の税金であるが，その課税は，酒類が製造業者により製造されて流通過程に入る最初（移出）のときを課税の時点とする，いわゆる移出課税が採用されている。

② 酒税については，長く賦課課税制度が採用されていたが，昭和37年度から申告納税制度が採用されている。

③ 酒税の課税標準を決定する方法として，課税物品の数量による従量課税と，課税物品の価格による従価課税の二つがあるが，現行の酒税法は，従量課税を採用している。

④ 酒類をその原料や製造方法等により，清酒，合成清酒，ビール等，上記の10種類に分類し，そのうち，規格や製造方法等により11品目に細分し，さらに，これらをアルコール分別によって，それぞれ異なった税率を適用して酒類の担税力に応じた従量税率を適用している。これを分類差別課税制度という。

⑤ 平成18年度税制改正により，酒類は，前述したように4種類に分けられる。

## 4　納税義務者

　酒税の納税義務者は，酒類を製造する業者であり，また，酒類を外国から輸入する場合には，その輸入者（酒類引取者）である。製造業者が製造場から移出したとき，また，酒類引取者が保税地域から引き取ったときを捉えて課税される。

## 5　税額の計算

　酒税は，酒類をその製造場から移出した場合のその移出数量，又は酒類を保税地域から引き取った場合のその引取数量が課税標準である。その課税標準である取引数量に一定の税率を乗じて税額が計算される。

　新酒税法では，1kℓの税率について，発泡性酒類が22万円，醸造酒類が14万円，蒸留酒類が20万円，混成酒類が22万円とされている。たとえば，発泡性酒類のビールは，1kℓ当たり222,000円（大びん1本当たり140円52銭の特例税率，その80％相当），また，醸造酒類のうち清酒については，上記の税率にかかわらず1kℓ当たり120,000円とされている。

　清酒などの場合で，アルコール度数が基準アルコール分を上下する酒類は，この基準税率に一定の計算により算定した金額を加算，減算して計算される。

　なお，中小零細製造業者（前年度課税移出数量が1,300kℓの業者）の移出する清酒等については，本則税率の100分の70とされている。

## 第2節　印　紙　税

### 1　印紙税とは

印紙税は、経済取引において作成される契約書、領収書、通帳などのような文書（課税文書という）に対して課税される税金である。ただし、これらの文書であっても、たとえば、①課税物件表の非課税物件欄に掲げる文書、②国、地方公共団体が作成した文書など、一定の文書は非課税とされている。

### 2　納税義務者

納税義務者は、課税される文書の作成者であるが、2人以上で一つの文書を共同で作成した場合は、連帯して納税する義務を負う。

### 3　税額の計算と申告・納付

印紙税の課税される文書の種類や記載金額に応じて定められている税率によって税額を算定する。

たとえば、不動産などの譲渡契約書では、1万円未満は非課税、契約金額の記載がない場合には200円、記載がある契約書は10万円以下は200円、10万円超50万円以下は400円、（中略）、1,000万円超5,000万円以下は15,000円（注）、（以下略）など、金額別に規定されている。納税は、印紙税の課税される文書の作成の時までに、その文書に税額分の収入印紙を貼り、これに印章又は署名により消印して行われる。

ただし、印紙納付に代えて、金銭で納付して、税務署で税印を押捺する方法、事前に税務署長の承認を受けて、印紙税納付計器を設置し、納付印を押すことによる方法（その計器により表示できる金額の総額に相当する印紙税を国に納付する）、事前に税務署長の承認を受けて一定の書式を表示し、その後に申告・納税する方法などがある。

納税義務者が印紙税を納付しなかった場合で，自主的に不納付の事実を申し出たときは，納付しなかった税額の1.1倍，それ以外のときは3倍の過怠税が課される。

**(注)** 平成9年4月1日から同30年3月31日までの間に作成される場合の税額である。それ以前は20,000円である。また，平成26年4月1日以後に作成される文書については，10,000円に引き下げられる等の改正が行われている。

## 第3節　登録免許税

### 1　登録免許税とは

登録免許税は，土地，建物，船舶などの所有権の保存登記や移転登記，抵当権の登記など，登記や各種の法律上の権利などの登録，免許などを受けるときに課税される税金である。なお，平成18年度税制改正により，個人の資格又は事業の開始等に係る登録，免許等についても課税対象とされた。

### 2　納税義務者

登録免許税の納税義務者は，課税の対象となる登記等を受ける者である。この場合に，登記等を受ける者が2人以上あるときは，互いに連帯して納付義務を負うことになる。

### 3　税額の計算と申告・納付

#### (1)　税額の計算

税額は，登記などの種類により，価額に税率を乗ずるもの，重量に従って比例税率になっているもの，1件当たりの定額になっているものなどがある。

納付は，原則として現金納付であり，登記等の申請書を提出する際に申請書に領収証書を貼付することによって行う。

不動産登記の登録免許税（本則）の税額は，次のとおりである。

**登録免許税の税額の計算**

| 区　分 | 税額の計算 |
| --- | --- |
| ①　所有権の保存登記 | 評価額×0.4% |
| ②　売買による所有権の移転登記 | 評価額×2% |
| ③　相続（相続人の遺贈を含む）・合併の所有権移転登記 | 評価額×0.4% |
| ④　遺贈・贈与等の所有権移転登記 | 評価額×2% |
| ⑤　抵当権の設定登記 | 債権金額×0.4% |

**(注)**　不動産の評価額は，固定資産課税台帳の登録価格による。新築住宅のように，固定資産課税台帳の登録価格のないものは，登記機関が認定した価格となる。

(2) 税額の軽減等

　ア　土地の所有権移転登記等の軽減

　　土地の所有権移転登記を受ける場合の特例措置による税率は，次のとおりである。

**土地の特例措置の変遷**

| | 本則 | 特例措置 | | |
|---|---|---|---|---|
| | | H15.4.1<br>〜<br>H23.3.31 | H23.4.1<br>〜<br>H24.3.31 | H24.4.1<br>〜<br>R5.3.31 |
| 所有権移転登記 | 2％ | 1％ | 1.3％ | 1.5％ |
| 信託登記 | 0.4％ | 0.2％ | 0.25％ | 0.3％ |

　イ　居住用家屋の軽減

　　個人が自己の居住用に供する家屋の登録免許税には，登録免許税が軽減される措置がある。この対象となる自己の居住用家屋は，下記の要件を満たす新築住宅の所有権の保存登記又は移転登記又は中古資産の所有権移転登記，あるいはその取得資金についての抵当権の設定登記で，新築後又は取得後1年以内に登記を受けるものに限られる。

　　また，特定認定長期優良住宅及び認定低炭素住宅の所有権の保存・移転登記等，いくつかの特例措置が設けられている。

　　この特例を受けるためには，登記の申請書に，特例に該当する旨の市町村長などの証明書を添付する必要がある。

　　平成31年度税制改正において，相続により土地の所有権を取得した者が，当該土地の所有権の移転登記を受けないで死亡し，その者の相続人等が平成30年4月1日から令和4年3月31日までの間に，その死亡した者を登記名義人とするために受ける当該移転登記の免除等の制度が創設されている。

　　なお，令和3年度税制改正において，その適用対象の登記の範囲に，表題部所有者の相続人が受ける土地の所有権の保存登記が追加されている。

**登録免許税の軽減措置**

| | 新 築 住 宅 | 中 古 住 宅 |
|---|---|---|
| 要件 | | ① 床面積が50㎡以上の住宅であること<br>② 耐震基準に適合していることの証明<br>③ 既存住宅売買瑕疵保険に加入していること |
| 税額の計算 | ○所有権保存登記<br>　評価額×0.15%<br>○所有権移転登記<br>　評価額×0.3%<br>○抵当権の設定登記<br>　債権金額×0.1% | ○所有権移転登記<br>　評価額×0.3%<br>○抵当権の設定登記<br>　債権金額×0.1% |

**(注)** 税率は，令和4年3月31日までの間に取得し，居住の用に供した場合で新築又は取得後1年内に登記を受けるものに限り，軽減税率が適用される。

ウ　配偶者居住権の設定登記

　民法改正により創設された配偶者居住権は，居住建物の価額（固定資産額評価額）に対し1,000分の2の税率により登録免許税が課税される。

## 第4節　揮発油税・地方揮発油税

### 1　揮発油税・地方揮発油税とは

　揮発油税は，自動車の燃料に用いられるガソリンにかかる間接税の税金である。地方揮発油税（旧地方道路税）も同様に揮発油に対して課税され，申告，納付も揮発油税と合わせて行われる。これらの税金は，国や地方公共団体の道路整備の財源として使用される目的税とされていたが，平成21年4月1日道路特定財源制度廃止に伴い，地方道路税から地方揮発油税に改称された。平成22年度税制改正において，10年間の暫定税率は廃止されたが，当分の間，現在の税率水準を維持することとされた。

### 2　納税義務者

　これらの税の納税義務者は，揮発油の製造業者である。また，外国から揮発油を輸入する場合には，その輸入者が納税義務者となる。

### 3　税額の計算

　製造場から出荷した揮発油の数量から，消費者にわたるまでの間に目減りする数量を控除して，それに税率を乗じて計算される。現在，税率は特例税率が適用され1kℓ当たり，揮発油税が48,600円，地方道路税が5,200円の従量税となっている。

　なお，特例税率は，平成20年3月31日が期限とされていたが，同日までに適用期限延長法案が可決せず，平成20年4月30日に可決公布されたために，その翌日（5月1日）から適用されている。

## 第5節 関　　税

### 1　関税とは

　関税は，輸入品に対して課税される。関税は，その目的から大別すれば，①財政収入を目的とする財政関税と，②国内の産業保護を目的とする保護関税とに分類される。

　しかし，現在の関税は，輸入品に関税を課することによってコストを高くし，国産品との競争力を低下させて国内産業を保護するという保護関税の機能が基本的なものとなっている。

### 2　納税義務者

　納税義務者は，原則として，貨物の輸入者である。

### 3　税額の計算と申告・納付

　課税の仕組みは，輸入貨物の価格を基準とする従価税と，輸入貨物の数量を基準とする従量税とがある。さらに，その双方を併用する従価従量併用税，いずれか高い方又は低い方を選択する従価従量選択税の方法などが採用されている。

　課税価格は，その貨物の輸入取引における実際の取引価格を基礎として運賃，保険料等を加算した金額である。

　関税の税率としては，WTOの協定税率，関税定率法の基本税率，関税暫定措置法の暫定税率，特恵税率がある。

　関税の納税手続きは，一般の輸入貨物の場合には申告納税方式であるが，入国者の携帯品，郵便物などの輸入品の場合には賦課課税方式による。

　申告納税方式の場合には，輸入者が輸入申告の際に，貨物の品名，数量，価格，税額等を税関に申告し，輸入の時までに納税するのが原則であるが，担保

を提供すれば，3か月以内で納期限の延長が認められている。

## 第6節　その他の国税

### 1　たばこ税

　たばこ税は，紙巻たばこやパイプたばこなど，各種のたばこに課税される従量税の間接税である。

　納税義務者は，たばこの製造者又はたばこを外国から輸入する場合の輸入者である。納税の方法は，製造者については，製造場から移出した翌月末日までに申告書を提出してその期限までに納付し，輸入者については，輸入申告にあわせてその都度納付することとされている。

　税額の計算は，製造場から出荷したたばこの本数に一定の税率を乗じて計算する。その税率（国税）は，1,000本当たり6,122円，一部の低価格品（旧3級品の紙巻たばこ）については1,000本当たり2,906円に軽減されているが，この特例は平成28年4月1日から段階的に廃止されることとされた（平成27年度税制改正）。

　なお，都道府県や市町村にも，それぞれ道府県たばこ税，市町村たばこ税があり，その合計税額は，国税のたばこ税と同額である。

### 2　石油ガス税

　石油ガス税は，自動車用の石油ガス容器に充塡されている石油ガスに課税される税金であり，その税収は道路整備財源として使用される目的税の間接税であったが，平成21年に一般財源化された。

　納税義務者は，自動車用の石油ガス容器への石油ガスの充塡者である。また，自動車用の石油ガス容器に充塡された石油ガスを海外から輸入する場合は，その輸入者が納税義務者となる。

　税額の計算は，石油ガスの充塡場から移出等をした石油ガスの重量に税率（1kg当たり17円50銭）を乗じて計算される従量税である。

第9章　その他の国税　291

## 3　自動車重量税等

　自動車重量税は，いわゆる車検を受ける自動車と車両番号の指定を受ける軽自動車にかかる税金である。ただし，大型特殊自動車などには課税されない。この税は，道路整備財源に使用されていたが，平成21年に一般財源化された。

　納税義務者は，自動車検査証の交付や軽自動車の車両番号の指定などを受ける者であるが，自動車検査証の交付等又は車両番号の指定を受ける者が2人以上ある場合には，連帯して納税義務者となる。

　自動車重量税の税率は，自動車の区分や車検の有効期間などにより，重量別の定額あるいは車両別の定額で定められている。

　新規・継続検査の際に納付する自動車重量税は，その環境性能に応じて，①免除，②75％軽減，③50％軽減の減免措置（エコカー減税）が講じられているが，1回目の車検時の軽減税率が引き下げられるとともに，2回目の車検時の免税対象を電気自動車等や燃費水準が高いハイブリッド車に限定され，令和元年度税制改正において，令和3年4月30日まで適用期限が延長された。

　納税は，原則として，自動車検査証の交付又は車両番号の指定などを受ける時までに，その税額分の自動車重量税印紙を貼付した所定の書類を，陸運支局又は軽自動車検査協会などに提出することによって行う。

　ちなみに，自動車取得税のエコカー減税についても，平成29年度税制改正において，適用要件の見直しが行われたうえで，平成31年3月31日まで適用期限が延長された。自動車の安全性の向上を図るための一定の装備・装置を備えた場合には，自動車取得税を減額する措置が講じられた。さらに，自動車税及び軽自動車税のグリーン化特例の見直しが行われ，適用期限が2年間延長されている。

## 4　その他

(1)　航空機燃料税

　航空機燃料税は，航空機に積み込まれた航空機燃料に課税され，その税収は，

国の空港整備費及び空港対策費として空港関係の地方公共団体に譲与される目的税である。納税義務者は，原則として，航空機の所有者又は使用者であり，税額計算の基準は，航空機に積み込まれた航空機燃料の数量を基礎とする従量税である。

### (2) 石油石炭税

　石油石炭税は，原油，輸入原油製品及び石炭等に課税され，その税収は，石油及びエネルギー需給構造高度化対策に充てられる目的税である。

　納税義務者は，原油若しくは天然ガス又は石炭の採取者であり，これらを輸入する場合には，原油，石油製品又は天然ガス，石炭等を保税地域から引き取る者である。原油，石油製品，又は天然ガス，石炭等の数量が税額計算の基礎とする従量税である。

　なお，平成15年度税制改正により，石炭が課税物件に加えられたが，輸入石炭のうち，鉄鋼の製造に使用する石炭等一定の目的に使用するものは免税措置が講じられている。

### (3) 電源開発促進税

　電源開発促進税は，電力会社の販売電気に課される税金であり，その税収は，電源立地対策及び電源多様化対策に充てられる目的税である。納税義務者は，一般電気事業者（電力会社）であり，税額の計算は，販売電気の電力量が基礎とされる。

### (4) 取引所税

　取引所税は，取引所における先物取引及びオプション取引が課税対象であるが，平成11年3月31日をもって廃止された。納税義務者は，証券・商品・金融先物取引所の会員である。

　税額計算の基準は，先物取引は証券・商品・金融先物取引所での契約金額（現物先物），取引金額（指数等先物取引），オプション取引はオプション料である。

(5) そ の 他

　以上のほか，日本銀行券の発行に対して課される日本銀行券発行税，外国貿易のため開港に入港した船舶の純トン数に応じて課税されるとん税及び特別とん税がある。

# 第10章　徴収手続等と納税者の権利救済

**ポイント**

(1) 申告納税方式の国税の納税義務は，税務署長に対する確定申告により確定するが，その税額等が過少である場合には，正しい税額等を記載した修正申告書を提出して訂正し納税する。また，その税額等が過大である場合には，正しい税額等を記載して，更正の請求をすることにより減額更正を求めることができるが，更正の請求ができる期間は，原則として，法定申告期限から5年以内である。

(2) 税務署長は，提出された申告書の税額等に誤りがある場合には，その調査したところに基づいて増額更正又は減額更正を行って是正する。その更正ができる期間は，原則として，その事業年度の法定申告期限から5年であるが，減額更正は5年，申告に不正等があり税を免れた場合には7年とされている。

(3) 納税者が申告書を法定の申告期限後に提出したときや法定納期限までに納税しないときには，本税のほかに，①延滞税，②利子税，③加算税の附帯税が課税される。加算税には，重加算税，過少申告加算税，無申告加算税，不納付加算税がある。

(4) 納税者が国税を納付しない場合（滞納）には，債権者たる国の機関が自ら強制的に納税を実現するために，財産の差押え，差押財産の換価等の滞納処分手続が実行される。

(5) 更正・決定の処分に不服のある納税者の権利救済手続としての不服申立てには，税務署長に対する再調査の請求ができるが，直接，国税不服審判所長に対する審査請求ができる。その審査請求に係る裁決に，なお不服がある場合には，裁判所に更正処分等の取消しを求めて訴えを提起することができるが，その訴えは，裁決のあったことを知った日から6か月以内に行う必要がある。

## 第1節　申告等の是正手続

### 1　修正申告と更正の請求

　申告納税方式の国税の納税義務は、税務署長に対する確定申告により確定する。以下では、その確定申告書を提出した後に、記載内容に誤りがあることに気がついたときの手続について述べることとする。

　このような確定申告の誤りは、大別して、申告した税額が実際に収めるべき税額、つまり、真実の所得金額又は税額より過大となった場合と、逆に過少である場合の二つの場合がある。

　このような場合の是正方法は、次の二つの方法によって行われる。

① 　確定申告書に記載した納付すべき税額等が、本来納付すべき税額より過少である場合や還付税額が多すぎた場合には、正しい税額又は還付税額を記載した修正申告書を提出して訂正し、納税する。

② 　確定申告書に記載した税額等が、本来納付すべき税額より過大である場合や還付税額が少なかった場合には、正しい税額又は還付税額を記載して、更正の請求をすることにより減額更正を求める。

　この場合の更正の請求ができる期間は、法定の申告期限から5年以内（平成23年12月2日以後に法定申告期限等が到来するもの。それ以前は1年以内）であるが、5年（旧法1年）を過ぎてしまった場合であっても、たとえば、その申告等の基礎となった事実に関する訴えについての判決や許可等の行政処分の取り消しなどによってその申告した税額等が異なることになった場合は、その理由が生じた日の翌日から起算して2か月以内に更正の請求（「後発的事由の更正の請求」という）をすることができる。

　更正の請求は、更正前と更正後の所得金額や税額等及びその理由などを記載した更正の請求書を税務署長に提出して行うことが必要である。なお、平成23年度税制改正により、「事実を証明する書類」の添付が義務化された。

なお、申告書の提出期限内に誤りに気がついたときは、税額等の増減にかかわらず訂正のための申告書を期限内に提出することができる。

## 2　更正・決定

税務署長は、提出された申告書の所得金額や種類等を調査し、その記載内容に誤りがある場合には、その調査したところに基づいて所得金額や税額等を是正する。この手続を更正といい、税額等を増加させる増額更正と、逆に税額等を減少させる減額更正とがある。なお、平成23年度税制改正により、税務調査は原則として事前に通知することが義務づけられ、また更正する場合には、白色申告者についても、理由附記を要するとされた。

また、申告書を提出すべき人が提出しなかった場合には、税務署長は調査してその所得金額や税額等を決めることができる。この手続を決定という。

なお、税務署長が更正・決定の処分をした場合であっても、さらに、その内容に誤りがあることが判明した場合には、税務署長は再び更正（再更正）をすることができ、また納税者自らも修正申告書を提出することができる。

平成23年度税制改正により、更正をすることができる期間が、法定申告期限から原則5年（贈与税・移転価格の更正は6年）、欠損金額の更正は9年とされている。また、決定やその決定後に更正をすることができる期間は、法定の申告期限から5年である。しかし、納税者が偽りその他不正の行為により税金を免れていた場合には、法定の申告期限から7年を経過するまでは、更正・決定の処分ができる。

この期間を、更正等の除斥期間又は更正等の期間制限という。

## 第2節　附帯税の納税義務

　納税者が申告書を法定の申告期限後に提出したときや法定納期限までに納税しないときは，本税のほかに附帯税が課税される。この附帯税には，①延滞税，②利子税，③加算税があり，これらの附帯税は本税とあわせて納付しなければならない。

### 1　延滞税と利子税

　延滞税は，本税を法定納期限までに納付しない場合に，法定納期限の翌日から完納する日までの日数に応じて年14.6％の割合で課税される。ただし，納期限後2か月以内は年7.3％とされる。なお，この場合に，「偽りその他不正の行為」による更正（修正申告も含む）によるもの以外の更正・修正申告の場合には，法定申告期限から1年間に係る延滞税が課されることとされている。

　利子税は，所得税や相続税などを延納する場合や災害などの理由によって法人税の申告書の提出期限を延長する場合に課税される。税率は各税法に定められており，たとえば所得税の場合は年7.3％である。

　特例基準割合が7.3％未満の場合には，各年の前々年の9月から前年の8月までの各月における銀行の新規の短期貸出約定平均金利の合計を12で除して得た割合として各年の前年の11月30日までに財務大臣が告示する割合（貸出約定平均金利）に，年0.5％（令和3年1月1日前は1％）の割合を加算した割合とされ，下記の区分に応じて適用される。

#### (1)　延　滞　税
　①　年14.6％の割合の延滞税：当該特例基準割合に年7.3％を加算した割合
　②　年7.3％の割合の延滞税：当該特例基準割合に年0.5％を加算した割合
　　（当該加算した割合が年7.3％を超える場合には，年7.3％）
　③　納税猶予等をした期間に対応する延滞税：「猶予特例基準割合」（貸出約

定平均金利＋0.5％）

(2) 利　子　税
　① 下記②に掲げる利子税以外の利子税：「利子税特例基準割合」（貸出約定平均金利＋0.5％）
　② 相続税および贈与税に係る利子税：これらの利子税の割合に，当該特例基準割合が7.3％に占める割合を乗じて得た割合

(3) 還付加算金
　各年の特例基準割合が年7.3％に満たない場合には，その年中の「還付加算金特例基準割合」（貸出約定平均金利＋0.5％）とされる。

## 2　加　算　税

加算税には，次の4種類がある。

### (1) 過少申告加算税

　過少申告加算税は，原則として，申告書を期限内に提出した後，税額等が過少であるために修正申告書の提出又は更正があったときに課税されるもので，その税率は増加した税額の10％相当額である。ただし，増加した税額が期限内申告の税額又は50万円のいずれか多い金額を超えるときは，その超える部分については15％となる。

　平成28年度税制改正により，税務調査の事前通知後で，かつ，調査による更正・決定があることを予知する前になされた修正申告については，過少申告加算税は課されていなかったが，平成28年度税制改正により，5％（期限内申告税額と50万円のいずれか多い金額を超える場合は10％）の過少申告加算税が課されることとされた。

　なお，税務署長が調査する前に納税者が自主的に修正申告をした場合には，加算税は課税されない。

## (2) 無申告加算税

　無申告加算税は，原則として，申告書を提出期限後に提出したときや決定があったときに課税され，その税率は納付税額の15％相当額であるが，納付すべき税額が50万円を超える部分は20％となる。ただし，税務署長が調査をする前に，納税者が自主的に期限後申告をした場合は，その納付税額の5％相当額に軽減される。

　この無申告加算税に関しては，平成28年度税制改正により，次の2点が改正されている。①税務調整の事前通知後で，かつ，調整による更正・決定があることを予知する前になされた期限後申告又は修正申告に基づく無申告加算税の割合については5％から10％（納付すべき税額が50万円を超える部分は15％）に加重された。②期限後申告若しくは修正申告（更正予知によるものに限る）又は更正若しくは決定等（以下「期限後申告等」という）があった場合において，その期限後申告等があった日の前日から起算して5年前の日までの間に，その期限後申告等にかかる税目について無申告加算税（更正予知によるものに限る）又は重加算税を課されたことがあるときは，その期限後申告等に基づき課する無申告加算税の割合（15％，20％）又は重加算税の割合（35％，40％）について，それぞれの割合に10％加算することとされた。

## (3) 重 加 算 税

　重加算税は，納税者が事実の仮装や隠蔽により過少申告した場合に，過少申告加算税に代えて課税されるもので，その税率は増額した税額の35％相当額である。

　また，税務調査に基づいて，申告書が期限後に提出されたか又は無申告の決定処分が行われ，しかも事実の仮装や隠蔽を図っていた場合には，無申告加算税に代えて，納付税額の40％相当額の重加算税が課される。

## (4) 不納付加算税

　不納付加算税は，原則として，源泉徴収などによる国税を納期限までに納付

しなかったときに，納付税額の10％相当額が課税される。また，不納付加算税も無申告加算税と同様に，自主的に納付した場合の軽減措置がある。

ただし，不納付の源泉徴収義務者などが仮装や隠蔽を図っていた場合には，不納付加算税に代えて，納付税額の35％相当額の重加算税が課税される。

## 第3節　滞納処分等

### 1　申告期限等の延長と納税の猶予

　納税者が適正に申告，納税などをする意思があっても，いろいろな事情によって期限内に申告や納税などができない場合がある。このような納税者については，①期限の延長と，②納税の猶予の制度がある。

　期限の延長は，災害などで被害を受けたときに，その被災状況などによって，国税庁長官の告示や納税者の申請により，申告・請求・納税などの期限を延長する制度である。また，納税の猶予は，災害，病気，廃業などにより納税が困難になったときには，納期限は変更できないが，納税者の申請によって納税を猶予することができる制度である。

### 2　滞納処分の手続

　国税の徴収を確保することは，国家の財政基盤を維持し確保するうえで重要な意味があることから，納税者が国税を納付しない場合に，債権者たる国の機関が自ら強制的に納税を実現する手続を滞納処分という。

　滞納処分は，滞納者の財産の差押え，差し押さえた財産の換価（差し押さえた財産が債権の場合には，その債権の取立て），換価代金の滞納国税への充当といった一連の手続きにより行われる。他の執行機関が行う強制換価手続に参加し換価代金の交付を求めることにより，国税債権の実現を図る交付要求や参加差押えの手続もこの滞納処分に含まれる。

　滞納処分は，督促状が発せられた日から起算して10日を経過した日までに国税を完納しないときは，いつでも開始することができる。なお，督促は，納付の催告という効果のほかに，差押えの前提要件となる手続であり，時効中断の効果等を有している。

　滞納処分の手続には，差し押さえた財産の換価の一時猶予や，滞納者に差し

押さえるべき財産がない場合などには滞納処分自体を停止する規定があり，納税者の事情に応じた緩和措置が設けられている。

## 第4節　納税者の権利救済手続

### 1　不服申立て

(1)　平成26年度税制改正の概要

　国税通則法の不服申立制度は，行政不服審査法の改正に伴って改正され，従前の異議申立てと審査請求の2段階による不服申立制度が，直接「審査請求」することができることとされ，その不服申立の期間が2か月から3か月に延長，その異議申立てが「再調査の請求」として整備された。その他，審査請求人の閲覧請求の対象が，処分庁の提出書類に限定されていたものが，担当審判官の職権収集資料を合め閲覧・謄写を求めることができる等，手続き上の所要の改正が行われている。このような改正は，平成28年4月1日から適用されている。

(2)　再調査の請求

　更正・決定の処分に不服のある納税者は，再調査の請求をすることができる。
　税務署長の処分について，その処分に不服のある個人又は法人は，その処分があったことを知った日（処分についての通知を受けた場合には，その受けた日）の翌日から3か月以内に，不服の理由その他所定の事項を記載した再調査の請求書をもって，その処分をした税務署長に再調査の請求をすることができる。
　再調査の請求があったときは，税務署長はその請求が適法でない場合には却下，適法であるときは調査をしたうえで，その申立てを認めるかどうかを決定し（請求をまったく認めないときは棄却），それぞれその決定書の謄本を納税者に送達する。
　また，再調査の請求を行ってから3か月が経過してもその再調査の請求についての決定がなかったときは，その再調査の請求をしている納税者は，その決定を経ないで，国税不服審判所長に対して審査請求をすることができる。

### (3) 審査請求

　国税通則法の改正により，平成28年4月1日以後行われる処分については，3か月以内に，直接，審査請求をすることができる。また，再調査の請求をした納税者が，その決定を経た後の処分に，なお不服がある場合には，さらに国税不服審判所長に対し，再調査の請求の決定の通知を受けた日の翌日から1か月以内に審査請求をすることができる。そして，審査請求の裁決などになお不服があれば，さらに訴訟を提起することができる。

　審査請求がなされたときは，国税不服審判所長は，その請求が手続において適法でないときは却下の裁決をし，適法であるときは審査請求に理由があるかどうかを審理し，理由がある場合には取り消し，理由がなく更正等の処分が適法であれば棄却の裁決を行い，それぞれその裁決書の謄本を納税者に送達する。

## 2　税務訴訟

　国税不服審判所長の裁決に不服がある場合には，さらに，裁判所に更正処分等の取消しを求めて訴えを提起することができる。その訴えは，裁決のあったことを知った日から6か月以内に行う必要がある。

　これは行政訴訟といわれ，行政の権利救済を離れて司法による権利救済を求めるものである。訴訟形態の大半が更正処分等の取消請求訴訟であるが，このほかに数は少ないが，更正処分等の税金を滞納している場合には処分の無効確認請求訴訟，納税している場合には不当利得返還請求訴訟等が提起されることがある。

## 3　不服申立てと税務訴訟の現状

　再調査の請求と審査請求及び税務訴訟の状況は，次のとおりである。

(1) 再調査の請求

**再調査の請求の発生状況**

(単位：件、％)

| 区分 | 申告所得税等 | 源泉所得税等 | 課税関係 法人税等 | 相続税贈与税 | 消費税等 | その他 | | 徴収関係 | 合計 |
|---|---|---|---|---|---|---|---|---|---|
| 令和2年度 | 内 168<br>391 | 内 10<br>22 | 内 89<br>210 | 45 | 内 150<br>300 | 0 | | 968 | 32 | 1,000 |
| 令和3年度 | 内 177<br>361 | 内 10<br>20 | 内 75<br>199 | 57 | 内 213<br>427 | 1 | | 1,065 | 54 | 1,119 |
| 前年度比 | 内 105.4<br>92.3 | 内 100.0<br>90.9 | 内 84.3<br>94.8 | 126.7 | 内 142.0<br>142.3 | ― | | 110.0 | 168.8 | 111.9 |

(注)1 再調査の請求の発生件数は、税目・年分ごとにカウントしており、例えば、申告所得税及び復興特別所得税について、2年分の再調査の請求がされた場合は、4件となります。

2 「申告所得税等」は、申告所得税及び復興特別所得税の件数であり、内書きは復興特別所得税の件数です。

3 「源泉所得税等」は、源泉所得税及び復興特別所得税の件数であり、内書きは復興特別所得税の件数です。

4 「法人税等」は、法人税、復興特別法人税及び地方法人税の件数であり、内書きは復興特別法人税及び地方法人税の件数です。

5 「消費税等」は、消費税及び地方消費税の件数であり、内書きは地方消費税の件数です。

(出所) 国税庁ホームページ

## 再調査の請求の処理状況

(単位:件、%)

| 区分 | 要処理件数 | 再調査の請求の処理状況 ||||||| 3か月以内処理件数割合 |
| --- | --- | --- | --- | --- | --- | --- | --- | --- | --- |
| | | 取下げ等 | 却下 | 棄却 | 認容 ||| 合計 | 未済 | |
| | | | | | 一部 | 全部 | | | |
| 令和3年度 | 1,457 | 283 | 57 | 775 | 83 | 80 | 3 | 1,198 | 259 | 100.0 |
| (構成比) | | (23.6) | (4.8) | (64.7) | (6.9) | | | | | |
| 課税関係 | 1,398 | 275 | 42 | 753 | 82 | 80 | 2 | 1,152 | 246 | 100.0 |
| 徴収関係 | 59 | 8 | 15 | 22 | 1 | 0 | 1 | 46 | 13 | 100.0 |

(注) 1 3か月以内処理件数割合については、相互協議事案、公訴関連事案及び国際課税事案のほか、災害等による調査の中断や納税者の都合によって再調査の請求を3か月以内に処理できなかった事案を除いて算出しています。
2 件数には「異議申し立て」の件数が含まれます。

(出所) 国税庁ホームページ

## (2) 審査請求の発生・処理

### 審査請求の発生状況

(単位：件，％)

| 区　分 | 課　税　関　係 | | | | | | 徴収関係 | 合　計 |
|---|---|---|---|---|---|---|---|---|
| | 申告所得税等 | 源泉所得税等 | 法人税等 | 相続税贈与税 | 消費税等 | その他 | | |
| 令和2年度 | 754 | 42 | 329 | 179 | 830 | 6 | 2,140 | 97 | 2,237 |
| 令和3年度 | 770 | 53 | 538 | 157 | 858 | 14 | 2,390 | 92 | 2,482 |
| 前年度比 | 98.1 | 131.3 | 192.7 | 81.9 | 102.0 | 216.7 | 113.7 | 101.3 | 113.1 |

※1 「申告所得税」・「源泉所得税等」は，復興特別所得税を含む件数，「法人税等」は，法人税，地方法人税及び復興特別法人税を含む件数，「消費税等」は，消費税及び地方消費税を含む件数である。

※2 令和3年度の審査請求の発生件数に占める直接審査請求の割合は，73.0％である。

### 審査請求の処理状況

(単位：件，％)

| 区　分 | 要処理件数 | 審査請求の処理状況 | | | | | | 未済 | 1年以内処理件数割合 |
|---|---|---|---|---|---|---|---|---|---|
| | | 取下げ | 却下 | 棄却 | 認　容 | | 合　計 | | |
| | | | | | 一部 | 全部 | | | |
| 令和3年度 | 4,703 | 321 | 98 | 1,566 | 297 | 137 | 160 | 2,282 | 2,421 | 92.6 |
| (構成比) | | (14.1) | (4.3) | (68.6) | (13.0) | (6.0) | (7.0) | (100.0) | | |
| 課税関係 | 4,582 | 294 | 73 | 1,539 | 296 | 136 | 160 | 2,202 | 2,380 | 92.3 |
| 徴収関係 | 121 | 27 | 25 | 27 | 1 | 1 | 0 | 80 | 41 | 100.0 |

(出所) 国税庁ホームページ

## (3) 税務訴訟の状況

### 訴訟の発生状況

(単位：件，％)

| 区　分 | 課税関係 | | | | | 徴収関係 | 審判所関係 | 合計 |
|---|---|---|---|---|---|---|---|---|
| | 所得税 | 法人税 | 相続税贈与税 | 消費税 | その他 | | | |
| 令和2年度 | 56 | 37 | 24 | 15 | 6 | 138 | 24 | 3 | 165 |
| 令和3年度 | 59 | 42 | 17 | 25 | 8 | 151 | 35 | 3 | 189 |
| 前年度比 | 105.4 | 113.5 | 70.8 | 166.7 | 133.3 | 109.4 | 145.8 | 100.0 | 114.5 |

### 訴訟の終結状況

(単位：件，％)

| 区　分 | 期首係属 | 終結状況 | | | | | | 期末係属 |
|---|---|---|---|---|---|---|---|---|
| | | 取下げ等 | 却下 | 棄却 | 敗訴 | | 合計 | |
| | | | | | 一部 | 全部 | | |
| 令和3年度 | 195 | 11 | 17 | 158 | 6 | 7 | 199 | 185 |
| (構成比) | | (5.5) | (8.5) | (79.4) | (3.0) | (3.5) | (100.0) | |
| 課税関係 | 174 | 6 | 14 | 132 | 6 | 6 | 164 | 161 |
| 徴収関係 | 20 | 4 | 3 | 25 | 0 | 1 | 33 | 2 |
| 審判所関係 | 1 | 1 | − | 1 | − | − | 2 | 2 |

(出所) 国税庁ホームページ

編 著 者 紹 介

**大 淵 博 義**

中央大学商学部卒業
東京国税局直税部訟務官室(訴訟事務担当)
同局法人税課審理係(審理事務担当)
国税庁直税部審理室訟務専門官
東京国税局調査第一部特別国税調査官
税務大学校教授等を経て平成7年3月退官
昭和62年4月〜平成2年3月,明治学院大学講師
平成7年4月〜平成26年3月,中央大学商学部教授
現在,中央大学名誉教授・租税訴訟学会会長
主要な著書に
　「法人税法解釈の検証と実践的展開　Ⅰ・Ⅱ・Ⅲ」(税務経理協会,2009年・2014年・2017年)
　「法人税法の解釈と実務」(大蔵財務協会,1993年)
　「役員給与,交際費・寄付金(改訂増補版)」(税務研究会,1996年)がある。

## 著者紹介

### 安田京子

横浜国立大学大学院国際社会科学研究科博士後期課程単位取得
中央大学大学院商学研究科博士前期課程修了
税理士
成蹊大学大学院非常勤講師（令和4年4月～令和5年3月），成蹊大学経営学部非常勤講師（令和5年4月～現在）
中央大学評議員（令和3年5月～現在）
中央大学会計人会副会長（令和3年7月～現在）
東京税理士会会則等審議委員会委員（令和3年6月～令和5年6月）
東京税理士会日本税務会計学会委員（平成13年6月～現在）
〈主な業績〉
　『税務争訟ガイドブック―納税者権利救済の手続と実務』（分担執筆，民事法研究会，2008）
　『税務疎明事典《クロスセクション編》』（分担執筆，ぎょうせい，2004）
　『税務疎明事典《資産税編》』（分担執筆，ぎょうせい，2002）
　『役員と会社の税務』（分担執筆，大蔵財務協会，1997）
　「法人税法第22条第4項と不動産流動化実務指針」（横浜国際社会科学研究第21巻第4・5号，2017）
　「外国法人の匿名契約等に基づく利益の分配に対する課税関係の考察」（税法学第568号，2012）など

### 伊藤公哉

博士（国際経済法学）（横浜国立大学）
大阪経済大学大学院客員教授，國學院大学法学部兼任講師等を経て，
現在，成蹊大学経営学部教授
平成14年，日税研究賞奨励賞受賞（日本税理士会連合会，（財）日本税務研究センター）
平成29年，租税資料館賞受賞（（公財）租税資料館）
主要な著書に
　『アメリカ連邦税法〔第8版〕』（中央経済社，2021年）
　『国際租税法における定式所得配賦法の研究―多国籍企業への定式配賦法適用に関する考察』（中央経済社，2015年）がある。

知っておきたい
# 国税の常識〔新装版〕

2023年9月15日　初版発行

| 編著者 | 大淵博義 |
|---|---|
| 著　者 | 安田京子 |
|  | 伊藤公哉 |
| 発行者 | 大坪克行 |
| 発行所 | 株式会社 税務経理協会 |

〒161-0033東京都新宿区下落合1丁目1番3号
http://www.zeikei.co.jp
03-6304-0505

印　刷　税経印刷株式会社
製　本　牧製本印刷株式会社

本書についての
ご意見・ご感想はコチラ

http://www.zeikei.co.jp/contact/

本書の無断複製は著作権法上の例外を除き禁じられています。複製される場合は、そのつど事前に、出版者著作権管理機構（電話03-5244-5088, FAX03-5244-5089, e-mail: info@jcopy.or.jp）の許諾を得てください。

 ＜出版者著作権管理機構 委託出版物＞

ISBN 978-4-419-06957-5　C3032

© 大淵博義・安田京子・伊藤公哉 2023 Printed in Japan